Also by the same author:

***Learn Gujarati* • ગુજરાતી શીખો**

***Search of Inner Peace* • આત્મશાંતિની શોધમાં**

KIRIT N. SHAH, 980 MORAGA AVENUE, PIEDMONT, CALIFORNIA 94611-3444, U.S.A.
PHONE (510) 653-2076, FAX (510) 653-8508.

Original Printing: August 1981
Reprint: January 1987
New Enlarged Edition: August 1997
Available in Soft & Hard Covers

Library of Congress Catalog Card No: 97-69319
ISBN 0-9609614-5-3 (Soft Cover)
ISBN 0-9609614-4-5 (Hard Cover)
SAN 260-2628

Learn Hindi

New Enlarged Edition

हिन्दी सीखिए

नया अभिवर्धित संस्करण

KIRIT N. SHAH

ADVISOR:
DR. RAGHUVEER CHAUDHARI

Publisher:
KIRIT N. SHAH
980 Moraga Avenue
Piedmont, California 94611-3444

Graphic Design:
DILIP GOHIL DESIGNS
349 Grapevine Place
Pleasant Hill, California 94523-2197

Illustrations:
RAJNEE VYAS
'Paritosh', Dhumketu Marg
Ahmedabad 380 007, Gujarat State, India

।। राम ।।

जेहि बिधि प्रभु प्रसन्न मन होई । करुना सागर कीजिए सोई ।।
jehi bidhi prabhu prasanna mana hoī. karunā sāgara kījie soī.

ॐ मानस मंदाकिनी ॐ

सीय राममय सब जग जानी । करउँ प्रनाम जोरि जुग पानी ।। (बालकाण्ड)
sīya rāmamaya saba jaga jāni, karaum̐ pranāma jori juga pānī. (bālakāṇḍa)

रघुकुल रीति सदा चलि आई । प्रान जाहुँ बरु बचन न जाई ।। (अयोध्याकाण्ड)
raghukula rīti sadā cali āī, prāna jāhum̐ baru bacana na jāī. (ayodhyākāṇḍa)

अस अभिमान जाइ जनि भारे । मैं सेवक रघुपति पति मोरे ।। (अरण्यकाण्ड)
asa abhimāna jāi jani bhāre, maiṁ sevaka raghupati pati more. (araṇyakāṇḍa)

अब प्रभु कृपा करहु एहि भाँती । सब तजि भजनु करौं दिन राती ।। (किष्किन्धाकाण्ड)
aba prabhu kṛpā karahu ehi bhām̐tī, saba taji bhajanu karauṁ dina rātī. (kiṣkindhākāṇḍa)

कह हनुमंत बिपति प्रभु सोई । जब तब सुमिरन भजन न होई ।। (सुन्दरकाण्ड)
kaha hanumaṁta bipati prabhu soī, jaba taba sumirana bhajana na hoī. (sundarakāṇḍa)

संत कहहिं असि नीति दसानन । चौथेंपन जाइहि नृप कानन ।। (लङ्काकाण्ड)
saṁta kahahiṁ asi nīti dasānana, cautheṁpana jāihi nṛpa kānaṇ (laṅkākāṇḍa)

सरल सुभाव न मन कुटिलाई । जथा लाभ संतोष सदाई ।। (उत्तरकाण्ड)
sarala subhāva na mana kuṭilāī, jathā lābha saṁtoṣa sadāī. (uttarakāṇḍa)

पूज्य पाद गोस्वामी तुलसीदासजी महाराज

विरचित

श्री राम चरित मानस में से

॥ राम ॥

। आचार्य देवो भव ।

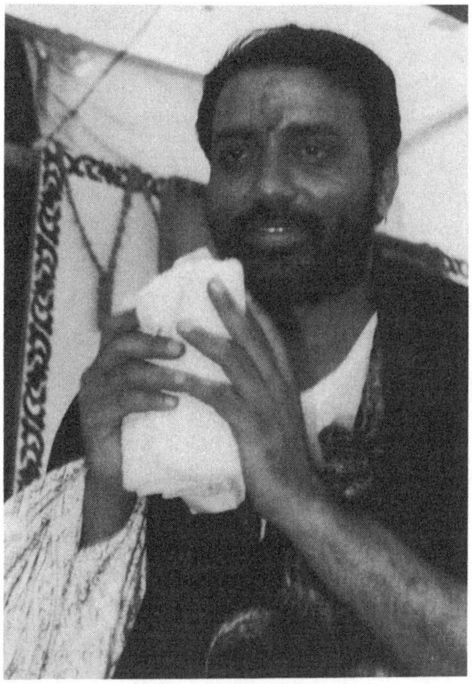

परम श्रद्धेय संत श्री मोरारि बापू के चरणों में

पिताजीः श्री प्रभुदास त्रिभुवनदासजी हरियाणी । माताजीः श्री सावित्रीबेन ।

With Love, Respect & Gratitude

WE HUMBLY DEDICATE THIS BOOK TO

Param Shraddheya Sant

Shree Morari Bapu

whose simple and holy, noble and altruistic life has been a constant source of inspiration and guidance to our family and millions of souls all around the world. ❦ He has dedicated his life to awakening mankind's consciousness and spiritual awareness. He fills his moments with actions drawn from the infinite wellspring of unconditional love. ❦ It is through his living the path he teaches that we find strength to improve our own lives. By singing and interpreting Shree Ram Charit Manas he has made invaluable contributions to preserving the Hindi language.

सादर साष्टॉंग दंडवत् प्रणाम

Late Shree Nathalal A. Shah ❦ Shreemati Kantaben N. Shah

Ashok, Shobhana, Samir, Seema, Sejal ❦ Kirit, Kirti, Krishna ❦ Nitin, Sonika, Suken

Acknowledgments

This new and revised edition is a result of a collective effort of numerous individuals over the past fifteen years. The following individuals helped me in various ways in this effort. They provided the information and technical data when needed, spent their most valuable *free (!)* time in editing, proofreading, organizing, researching, improving and putting it all together. I consider theirs to be the greatest service to the Indian communities all over the world. I am personally indebted to each and every one for unselfish contribution they made with their time and talents in preparing this one-of-a-kind book.

In alphabetical order:

Cermak, Robert *(Davis, California)*
Chang, Ling *(Oakland, California)*
Chaudhari, Raghuveer *(Ahmedabad, India)*
Chaudhary, Sanjay *(Ahmedabad, India)*
Chaudhary, Sunita *(Ahmedabad, India)*
Choksi, Madhukar *(Ahmedabad, India)*
Desai, Amboobhai *(Houston, Texas)*
Gohil, Dilip *(Pleasant Hill, California)*
Gohil, Neela *(Pleasant Hill, California)*
Jayaraman, Amudha *(Piedmont, California)*
Joseph, Prem Lata *(New Delhi, India)*
Kellman, Neil, *(Berkeley, California)*
Mahavani, Santosh *(Fremont, California)*
Mehta, Aruna *(Bombay, India)*
Mehta, Chandrakant *(Ahmedabad, India)*
Mehta, Jayanti *(North Bergen, New Jersey)*
Mehta, Sarala *(North Bergen, New Jersey)*
Melrose, Juanita *(San Leandro, California)*
Nagarajan, Bhima *(Sacramento, California)*
Parikh, Jayesh *(Ahmedabad, India)*
Patel, Anu *(Moraga, California)*
Patel, Drashti *(Oldbridge, New Jersey)*
Patel, Hemant *(Ahmedabad, India)*
Patel, Navinbhai *(Monmouth Junction, NJ)*
Patel, Ramanlal *(Ahmedabad, India)*
Patel, Radha *(Ahmedabad, India)*
Patel, Urmila *(San Leandro, California)*
Perkins, Luke *(Nevada City, California)*
Prajapati, Maganbhai *(Ahmedabad, India)*
Shah, Alka *(Palo Alto, California)*
Shah, Colin *(El Cerrito, California)*
Shah, Daksha *(Danville, California)*
Shah, Girish *(Danville, California)*
Shah, Kirti *(Piedmont, California)*
Shah, Meena *(Concord, California)*
Shah, Niranjan *(El Cerrito, California)*
Shah, Norma *(El Cerrito, California)*
Shah, Sejal *(Rochester, New York)*
Shah, Sonika *(San Jose, California)*
Shah, Bhanumati *(Ahmedabad, India)*
Sharma, Mani *(New Delhi, India)*
Strom, Terry *(Palo Alto, California)*
Trivedi, Devendra *(Fremont, California)*
Trivedi, Mandakini *(Ahmedabad, India)*
Vyas, Rajnee *(Ahmedabad, India)*

I take this opportunity to express my sincere feelings of deep gratitude to most learned and revered high school teacher, Shri Maganbhai R. Prajapati, whose valuable contribution by way of suggestions, constant guidance and necessary input has helped me tremendously in publishing earlier edition of this book.

The dedicated and unselfish contribution by way of hundreds of hours of unrewarded consultation and labor by Dilip Gohil (a professional graphic designer and a good friend) and his family helped make this publication visually appealing and uniquely outstanding.

I am extremely grateful to Mr. Madhukar P. Choksi, a successful businessman, an accomplished engineer and an altruistic friend, for coordinating the efforts between all concerned. He has been instrumental in expediting work for this book so that it can be published on schedule and as accurate and attractive as possible. It is no exaggeration to say that without his benevolent help this book would not have been completed.

I thank the Ministry of External Affairs, Government of India, New Delhi for providing information about India and giving us permission to use some information in this book.

Many students, users and other prominent individuals, considered authorities in Hindi language, have made valuable suggestions for improvement and making this book a complete treatise in learning the Hindi language. I am very thankful to all of these individuals and to those who have provided opinions about this book and recommended it to others.

This acknowledgment will be incomplete without mentioning the former Prime Minister of India, (Late) Shri Morarjibhai Desai for his kind foreword.

किरीट नाथालाल शाह

Preface

It is my pleasure to introduce you to the new enlarged edition of Learn Hindi. It has become a reality due to the unceasing encouragement from dear friends, unwavering moral and financial support from family and my own continued dedication to share the greatness of the Indian heritage.

This book will be useful in learning, without any assistance from others, the rudiments of the Hindi language, including some essential vocabulary and the fundamentals of grammar. Ample reading, writing and translation exercises occur throughout to help those who have few daily opportunities to use Hindi. For best results, it is necessary to study the chapters in their given sequence.

The most significant pedagogical difference setting this book apart from conventional texts is the pronunciation of English words according to Hindi script and Hindi words in English script. It is brought to my attention that this book is also being used by Hindi knowing people to learn English, although that is not the purpose. However, this powerful learning method enables any reader, English or Hindi, to see his or her own native language expressed with the script of the language being learned. By using your extensive knowledge of the phonetics of your native language, you will learn to recognize and associate the foreign writings with familiar sounds (phonics). It is no exaggeration to say that there is no other such book available today. I am grateful to all the students, teachers, Hindi authors and poets who over the years provided ongoing comments and letters testifying to the unique need this book fulfills.

As you use this text, remember the saying: "Use it or lose it." Even after you successfully learn Hindi, unless you continue to practice, your skills are likely to fade with time. Retaining and improving your new skill is much easier if you use Hindi at every opportunity. There are a few changes I hope you find worthy improvements over the previous editions. The first is an addition of an index of English words. Although this new index does not eliminate the need for a good English-Hindi/Hindi-English dictionary, you should find it helpful in locating Hindi words throughout the text.

This edition includes several new chapters to expand the depth of your knowledge of Hindi. The added chapters are Conversation in Hindi (Chapter 7); and Selected Poems (Chapter 11).

The added chapter on 'Conversation in Hindi' serves multiple purposes. For those of you who cannot devote the time necessary to learn the language in its entirety, focus on the ready-to-use everyday sentences. These practical sections enable you to "speak" with the correct pronunciation even without knowledge of the script. For the more studious, this provides additional reading and pronunciation exercises. A broad selection of phrases help you understand sentence formation in both languages. A direct translation accompanies each sentence so you can better contrast grammatical distinctions in sentence composition and structure. This self-contained chapter encourages you to use your imagination and modify these sentences to accommodate your needs.

The chapter on 'Selected Poems' provides a valuable collection of selected popular Hindi poems and songs. School children routinely memorize these poems and recite them in oral examinations as part of the Hindi curriculum. Many students have memorized numerous poems and found that using them in conversations greatly enriched their lives and bestowed greater confidence in their ability to communicate in Hindi.

These additions along with the addition of key (answers) to the exercises (Chapter 12), and many other changes, came from many valuable suggestions of readers to whom I am extremely grateful. They contributed tremendously in making this text accurate, more useful and informative. In light of my enduring high expectations for this text, I encourage conscientious readers to continue providing me with suggestions that will improve this work.

Good learning !

Kirit N. Shah

Foreword

In a multilingual country like India, Hindi has, through centuries, served as a lingua franca for Indians from Kashmir to Cape Comorin and Puri to Dwarka. It is the mother tongue of about 45 p.c. of Indians while it is understood by about 65 p.c. of Indians and it has continued through centuries to serve important mission of forging the cultural unity of India. In the places of pilgrimage it is the main language of communication and is very aptly described as the language of saints. It is the language of the saints like Kabir, Nanak, Tulsidas and Mira and many others.

Its deep roots have spread from the fertile soil of India all over the world and have helped Indians abroad to retain their cultural heritage.

Mr. Kirit N. Shah the author of this book has almost adopted California as a centre for projection of achieving universal brotherhood through a number of cultural media — Hindi being one of them. How he intends fulfilling his mission can be seen from the very well planned and carefully produced "Learn Hindi" to help those desirous of learning Hindi at home. This book will help such learners to have a free access to the rich Hindi Literature which is a source of inspiration even to those millions who cannot read or write but enjoy and sing with ecstasy the Chopais of Ram Charit Manas.

I am sure this book will open new horizons for Indians living abroad. It will be also useful internally to the English speaking people to learn our national language Hindi easily.

—Morarji Desai
18/7/1982

Foreword

In a multilingual country like India, Hindi has, through centuries, served as a lingua franca for Indians from Kashmir to Cape Comorin and Puri to Dwarka. It is the mother tongue of about 45 p.c. of Indians while it is understood by about 55 p.c. of Indians and it has continued through centuries to serve the important mission of forging the cultural unity of India. In the places of pilgrimage it is the main language of communication and is very aptly described as the language of saints. It is the language of the saints like Kabir, Nanak, Tulsidas, and Mira and many others.

Its deep roots have spread from the fertile soil of India all over the world and have helped Indians abroad to retain their cultural heritage.

Mr Kirit N. Shah the author of this book has almost adopted California as a centre for projection of achieving universal brotherhood through a number of cultural media - Hindi being one of them. How he intends fulfilling his mission can be seen from the very well planned and carefully produced "Learn Hindi" to help those desirous of learning Hindi at home. This book will help such learners to have a free access to the rich Hindi literature which is a source of inspiration even to those millions who cannot read or write but enjoy and sing with ecstasy the Chopais of Ram Charit Manas.

I am sure this book will open new horizons for Indians living abroad. It will be also useful internally to the English speaking people to learn our national language Hindi easily.

Morarji Desai
18/7/1982

Contents

Contents

KIRIT N. SHAH

980 MORAGA AVENUE, PIEDMONT, CALIFORNIA 94611-3444, U.S.A.

PHONE: (510) 653-2076 • FAX (510) 653-8508 • E-MAIL: mahatmaji@juno.com

1. Fundamentals • प्राथमिक सूचनाएँ • *prāthamik sūcanāyeṃ*

User's Guide :

1. This, one of a kind book, is specially created for you to learn at your own leisure, at your own will, at your own pace and with the least help from others.
2. The exercises contain material which will enhance your knowledge about Hindi and provide motivation for improved lifestyle and stimulate morals.
3. Devote 15 minutes every day, without fail, to your study of Hindi.
4. Before starting your studies, take a few deep breaths and recite a small prayer that is preferred by you.
5. Communicate in Hindi at home and at every opportunity afforded, such as parties, community events and social gatherings, meetings with other Hindi speaking persons, etc. If someone asks or tells you something, reply in the best Hindi you can.
6. Let others correct you. Do not feel slighted if someone tries to correct your Hindi. *After completing this book, you will be correcting them !.*
7. Study chapters in the sequence presented without skipping any step in between. This is most important because the information is presented systematically in an order so that you are not faced with an 'unknown'.
8. You may read English text at any time for your general knowledge. Remember, the sooner you start translating this informantion into Hindi, the faster you will have comprehension of the Hindi language.
9. Follow all instructions carefully. Do not take short-cuts.
10. First study "Key to pronunciation", which also gives the transliteration code used in this book. An attempt is made to present the best approximation in written format using known words. If any sound is not clear, try to learn from a person who speaks Hindi, Gujarati, Marathi or Sanskrit. This will provide solid foundation for Hindi speech. Refer to this key as often as necessary.
11. Read consecutively the alphabet aloud by moving your finger under each letter. A rhythm in speaking, similar to reciting the English alphabet, will be established by reading aloud. Proceed at your own pace. An image of the character being pronounced will be fixed in your memory.
12. Do not proceed to the next chapter until you can identify quickly and pronounce clearly each letter and numeral, in the current chapter.
13. Complete all tests to check your progress. Follow the instructions given after the test.
14. If you follow all of the above guidelines, you are assured to have an understanding of Hindi in reading and writing.
15. Some letters are not used frequently in Hindi but are given for completeness, (e.g. ऋ, ङ, ञ, etc.) Do not spend too much time in learning these as they may be mastered later on, if desired.

16. Punctuation Symbols (Stops), विराम चिह्न

,	the comma, अल्पविराम
;	the semi colon, अर्धविराम
:	the colon, गुरुविराम
.	the period (full stop), पूर्णविराम
?	the question mark (interrogation note), प्रश्न चिह्न
!	the exclamation mark, उद्‌गार चिह्न
" "	quotation marks (inverated commas),उद्धरण चिह्न
( )	parenthesis, कोस्टक
[ ]	bracket, कोस्टक
—	the dash, रेखा
-	the hyphen, संयोग चिह्न

17. **Abbreviations** used in this book are listed below. They will be useful in comprehension while reading and studying grammar.

adj.	=	adjective(s), विशेषण
adv.	=	adverb(s), क्रियाविशेषण अव्यय
conj.	=	conjunction(s), उभयान्वयी अव्यय
e.g.	=	exempli gratia (for example), उदाहरण के रूप में
etc.	=	et cetera (and the rest), इत्यादि, वगैरह
f.	=	feminine noun, नारी जाति
i. e.	=	id est (that is), अर्थात्
int.	=	interjection, केवलप्रयोगी अव्यय
m.	=	masculine noun, नर जाति
prep.	=	preposition(s), नामयोगी अव्यय
pron.	=	pronoun(s), सर्वनाम
v.	=	verb(s), क्रियापद

18. Although transliteration for pronunciation may have 'a' included at the end of a word to represent technically correct, but they are pronounced as follows : e.g. 'ajagara' is pronounced 'ajagar', 'visa' is 'vis', etc. Remember: 'Rāma' is pronounced 'Rām'. If not pronounced correctly, the meaning changes, e.g. 'Krishna', this is pronounced 'Kriśna' meaning Lord Krishna, whereas the pronunciation 'Kriśnā' means Goddess Durga or Draupadi, the wife of Pāṇdavās.

19. Even though all transliteration - in English or in Hindi - is presented with the utmost care, it may not be suitable or acceptable to everyone as it is said that accent changes approximately every eighteen miles ! e.g. ri (ऋ) as used in 'Kriśna' is also pronounced as ru 'Kruśna' or ra 'Kraśṇa' in many parts of India. An attempt is made to present the most common pronunciation.

20. Symbol (˘) is used in Hindi transliteration because the correct accent has a tremendous value in understanding spoken English. The correct pronunciation is somewhere between 'ā' and 'o'.

21. It is best to follow standard dictionaries, when in doubt.

22. Transliteration for all cardinals and ordinals is given in the numerical order. Once you know these basic numbers other numbers can be formed using similar format with a little practice.

23. Chapter 7 gives transliteration, of conversational sentences in Hindi. As soon as the pronunciations are mastered, one should start familiarizing with them. Concentrate on one section each day. Also Hindi transliteration of English sentences will provide reading exercise.

Key to Pronunciation • उच्चारण करने का तरीका • *uccāraṇ karane kā tarīkā*

G GUTTARALS: Also known as Velars. Pronounced from the throat. Articulated with the back of the tongue close to or touching the soft palate.

P PALATALS: Pronounced from the palate. Articulated with the part of the tongue just behind the tip raised against or near the hard palate.

C CEREBRALS: Also known as Cacuminal or Retroflex. Pronounced from the roof of the mouth. Articulated with the tip of tongue turned backward and upward against or towards the hard palate.

D DENTALS: Articulated by applying the tip of the tongue against or near the upper front teeth.

L LABIALS: Pronounced with lips. Articulated with one or both lips, and mainly formed by complete or partial closure of lips.

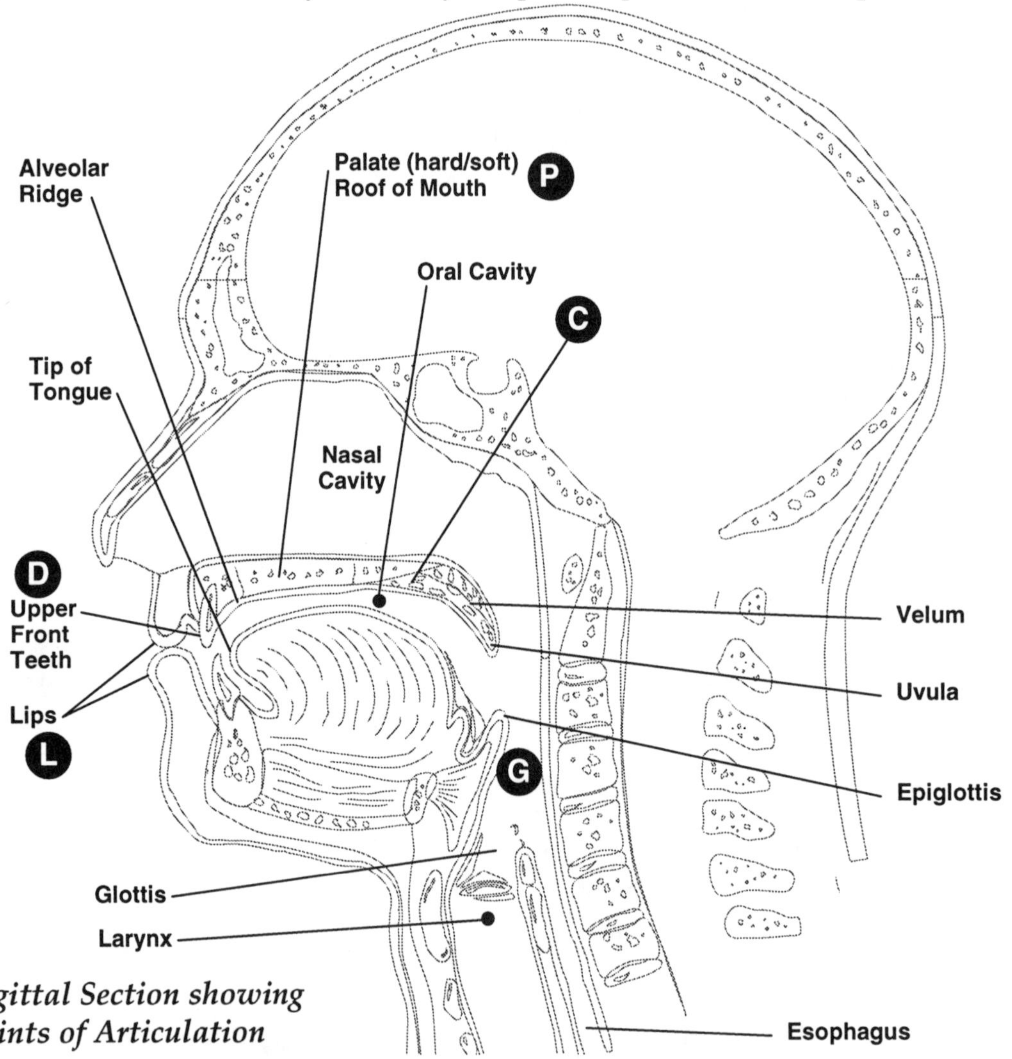

Sagittal Section showing Points of Articulation

* As there are no original English words with sounds of these letters, popular names of country, city, lake, religion or words adopted from other languages into English have been used as examples. It is, however, recommended that the best way to learn the correct pronunciation of all letters is to listen to a native Hindi speaker, record the sounds and repeat them. Anyone knowing Gujarati, Marathi or Sanskrit language can also help with the pronunciations.

If you are unable to find someone to help you, and you want recorded sound for correct pronunciation, please send $9.00 payable to Kirit N. Shah, 980 Moraga Avenue, Piedmont, California 94611-3444 with your shipping address for an audio cassette.

Key to Pronunciation • उच्चारण करने का तरीका • *uccāraṇ karane kā tarīkā*

ALPHA-BET	TRANS-LITERA-TION	EXAMPLE OF 'ENGLISH' SOUND	ARTICU-LATION	ALPHA-BET	TRANS-LITERA-TION	EXAMPLE OF 'ENGLISH' SOUND	ARTICU-LATION
अ	a	as *'A'* in AMERICA	G	ट	ṭa	as *'TU'* in TUB	C
आ	ā	as *'A'* in CAR	G	ठ*	ṭha	as *'THU'* in THUG	C
इ	i	as *'I'* in INDIA	P	ड	ḍa	as *'DU'* in DUST	C
ई	ī	as *'EE'* in TEETH	P	ड़	ṛa	as *'DU'* in DUST	C
उ	u	as *'U'* in PUT	L	ढ*	ḍha	as *'DH'* in DHAKA	C
ऊ	ū	as *'OO'* in SCHOOL	L	ढ़*	ṛha	as *'DH'* in DHAKA	C
ऋ	ṛ	as *'RI'* in KRISHNA	C	ण*	ṇa	as *'NA'* in VARANASI	C
ए	e	as *'EY'* in THEY	G P	त*	ta	as *'T'* in TAIWAN	D
ऐ	ai	as *'AI'* in NAINITAL	G P	थ	tha	as *'TH'* in TRUTH	D
ओ	o	as *'O'* in GO	L	द*	da	as *'DA'* in DELHI	D
औ	au	as *'OU'* in OUNCE	L	ध	dha	as *'THE'* in MOTHER	D
अं	ṁ	as *'UM'* in UMPIRE	L	न	na	as *'NU'* in NUT	D
अः	aḥ	as *'AH'* in AHEAD	G	प	pa	as *'PU'* in PUB	L
क	ka	as *'KE'* in KERCHIEF	G	फ	pha	as *'FI'* in FIRM	L
क़	qa	as *'KE'* in KERCHIEF	G	फ़	fa	as *'FI'* in FIRM	L
ख*	kha	as *'KH'* in SIKH	G	ब	ba	as *'BU'* in BUT	L
ख़*	k͟ha	as *'KH'* in SIKH	G	भ*	bha	as *'BHA'* in BHARAT	L
ग	ga	as *'GU'* in GUN	G	म	ma	as *'MU'* in MUST	L
ग़	g͟a	as *'GU'* in GUN	G	य	ya	as *'YE'* in YET	P
घ	gha	as *'GH'* in GHETTO	G	र	ra	as *'RU'* in RUN	C
ङ	ṅa	as *'NG'* in WRONG	G	ल	la	as *'LU'* in LUST	D
च	ca	as *'CHU'* in CHURCH	P	व	va	as *'VU'* in VULTURE	L
छ*	cha	as *'CHH'* in CHHAREE	P	श	śa	as *'SHU'* in SHUT	P
ज	ja	as *'JU'* in JUST	P	ष	ṣa	as *'SH'* in SHINE	C
ज़	za	as *'JU'* in JUST	P	स	sa	as *'SU'* in SUN	D
झ	jha	as *'SE'* in ROSE	P	ह	ha	as *'HU'* in HUT	G
ञ	ña	as *'NY'* in CANYON	P				

** See opposite page for explanation and the articulation guide.*

Hindi Alphabet • हिन्दी मूलाक्षर • *hindī mūlākṣar*

स्वर *(svar)* Vowels

अ	आ	इ	ई	उ	ऊ	ऋ
a	*ā*	*i*	*ī*	*u*	*ū*	*ṛ*
ए	ऐ	ओ	औ	अं	अः	
e	*ai*	*o*	*au*	*ṃ*	*aḥ*	

व्यंजन *(vyamjan)* Consonants

क	[क़]	ख	[ख़]	ग	[ग़]	घ	ङ	**G** ***Guttarals*** *(Velars)*
ka	*qa*	*kha*	*k͟ha*	*ga*	*g̱a*	*gha*	*ṅa*	
च	छ	ज	[ज़]	झ	ञ			**P** ***Palatals***
ca	*cha*	*ja*	*za*	*jha*	*ña*			
ट	ठ	ड	[ड़]	ढ	[ढ़]	ण		**C** ***Cerebrals*** *(Retroflexs)*
ṭa	*ṭha*	*ḍa*	*ṛa*	*ḍha*	*ṛha*	*ṇa*		
त	थ	द	ध	न				**D** ***Dentals***
ta	tha	*da*	dha	*na*				
प	फ	[फ़]	ब	भ	म			**L** ***Labials***
pa	*pha*	*fa*	*ba*	*bha*	*ma*			
य	र	ल	व					
ya	*ra*	*la*	*va*					
श	ष	स						
s'	*ṣ*	*sa*						
ह								
ha								

- ▶ *Secondary letters are shown in parenthesis.*
- ▶ *See page 14 and 15 for key to pronunciation, and articulation guide.*

Vowels • स्वर • *svar*

Each letter of the Hindi primary alphabet is identified here with a simple Hindi word that begins with Hindi letter. This will help you remember the form of letter by associating with the picture. The key to pronunciation for each letter is repeated for ready reference. Refer to the previous pages for the information given for the method of articulation and the transliteration code used. Transliteration of each Hindi word is given under Hindi script to help read the word in Hindi until the script is learned.

अ

अ = a as *'A'* in *A*MERICA

अनार **Pomegranate**

anār, m. पोमग्रेनेट

आ

आ = ā as *'Ā'* in C*A*R

आम **Mango**

āma, m. मेंगो

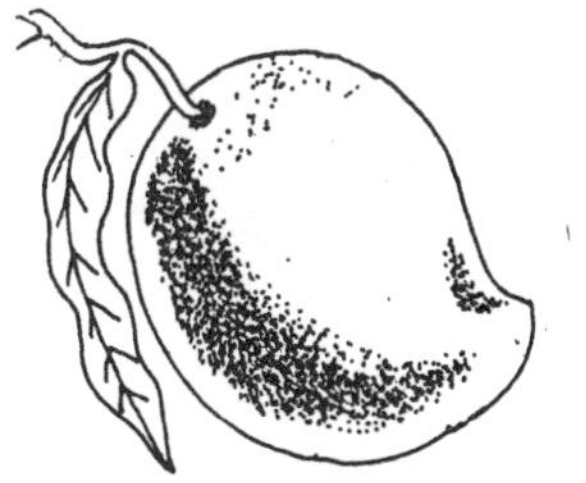

इ

इ = i as *'I'* in *I*NDIA

इमली **Tamarind**

imalī, f. तामरींड

ई

ई = ī as *'EE'* in T*EE*TH

ईशु **Jesus**

īśu, m. जीसस

Vowels • स्वर • *svar*

उ

उ = u as '*U*' in P*U*T

उल्लू — **Owl**

ullū, m. — आउल

ऊ

ऊ = u as '*OO*' in SCH*OO*L

ऊन — **Wool, Yarn**

ūna, m. — वूल, यार्न

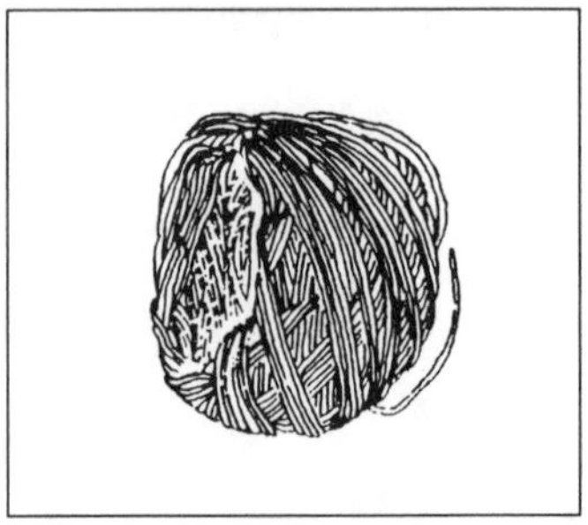

ऋ

ऋ = ri as '*RI*' in K*RI*SHNA

ऋषि — **Saint, Sage**

riṣi, m. — सेइंट, सेइज

ए

ए = e as '*EY*' in TH*EY*

एक — **One**

ek, adj. — वन

१

ऐ

ऐ = ai as '*AI*' in N*AI*NITAL

ऐरावत — **Elephant***

airāvat, m. — एलीफंट

*Indra's elephant. One of the fourteen gems churned out from the ocean.

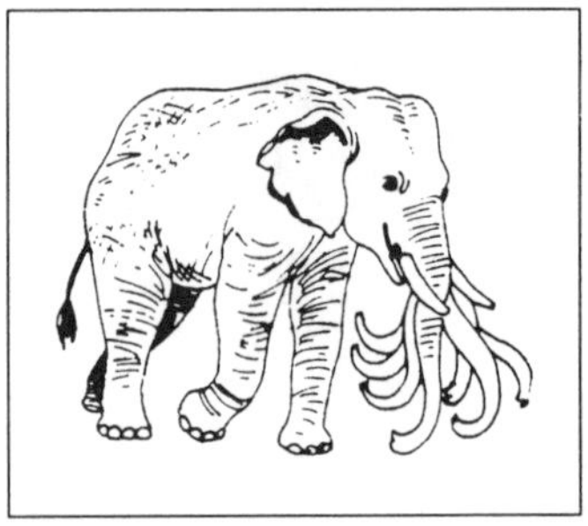

Vowels • स्वर • *svar*

ओ

ओ = o as *'O'* in GO

ओखली **Mortar (Pestel)**

okhalī, f. मोरटार

औ

औ = au as *'OU'* in *OU*NCE

औषध **Medicine**

auṣadh, m., f. मेडिसिन

अं

अं = aṃ as *'UM'* in *UM*PIRE

अंबुज **Lotus**

aṃbuj, m. लोटस

अः

अः = ah as *'AH'* in *AH*EAD

क्रमशः **Serially***

kramaśaḥ, adv. सीरियली

*(in succession)

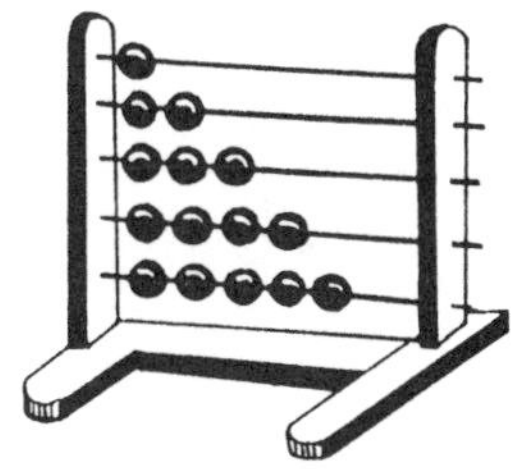

Test : Read also the following vowels :

आ, इ, ऋ, अ, ऐ, उ, ए, अं, ओ, ई, ऊ, अः, औ

Note : If you cannot identify and pronounce each vowel, please go back to the beginning until you master the identification and pronunciation of each letter.

Consonants • व्यंजन • *vyamjan*

क

क = ka as '*K*' in *K*ERCHIEF

करवत **Saw**

karavat, f. सॉ

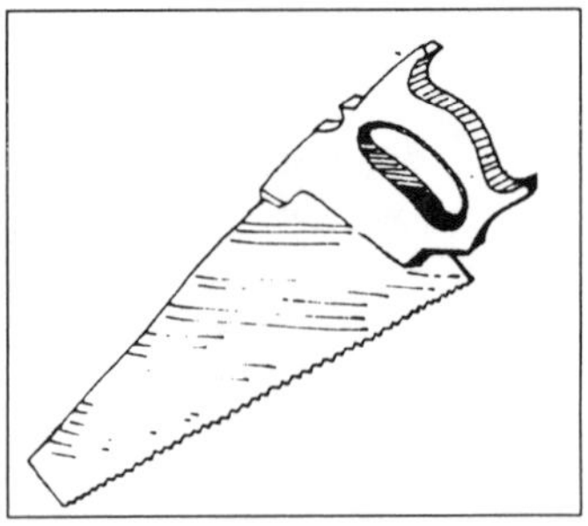

ख

ख = kha as '*KH*' in SI*KH*

खरगोश **Rabbit**

khargoś, m. रॅबीट

ग

ग = ga as '*GU*' in *GU*N

गधा **Donkey**

gadhā, m. डॉन्की

घ

घ = gha as '*GH*' in *GH*ETTO

घर **House**

ghar, m. हाउस

ङ

ङ = ṅ as '*NG*' in WRO*NG*

तरङ्ग **Wave**

taraṅg, m. वेव

Consonants • व्यंजन • *vyamjan*

च

च = ca as *'CHU'* in *CHU*RCH

चम्मच **Spoon**

cammac, m. स्पून

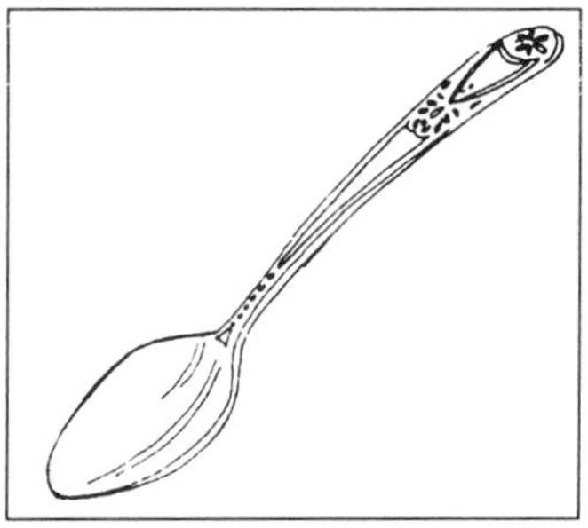

छ

छ = cha as *'CHH'* in Staun*chh*eart

छतरी **Umbrella**

chatarī, f. अम्ब्रेला

ज

ज = ja as *'JU'* in *JU*ST

जहाज **Ship**

jahāj, m. शिप

झ

झ = jha as *'SE'* in RO*SE*

झरना **Stream**

jharanā, m. स्ट्रीम

ञ

ञ = ña as *'NY'*in CA*NY*ON

अञ्जली **Homage**

an̄jalī, f. होमेज

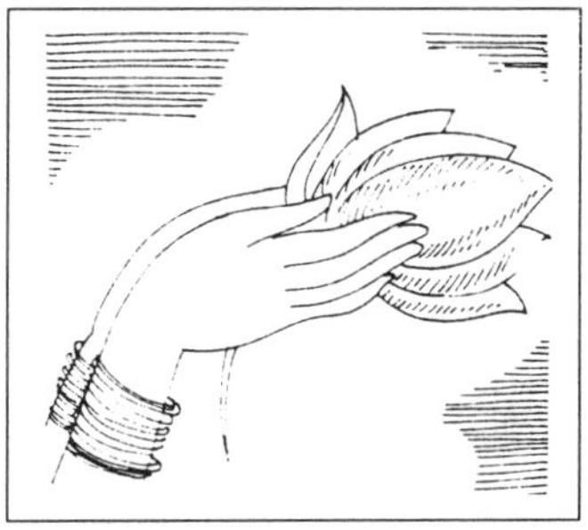

Consonants • व्यंजन • *vyaṃjan*

ट

ट = ṭa as '*TU*' in T*U*B

टमाटर **Tomato**

ṭamāṭar, m. टॉमेटो

ठ

ठ = ṭha as '*THU*' in *THU*G

ठठेरा **Coppersmith, Brazier**

ṭhaṭherā, m. कॉपरस्मिथ ब्रेझीयर

ड

ड = ḍa as '*DU*' in *DU*ST

डब्बा **Container**

ḍabbā, m. कंटेइनर

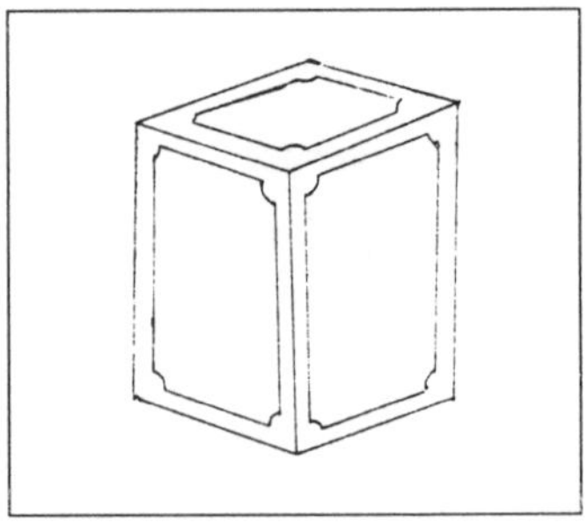

ढ

ढ = ḍha as '*DH*' in *DH*ĀKĀ

ढक्कन **Lid, Cover**

ḍhakkan, m. लीड, कवर

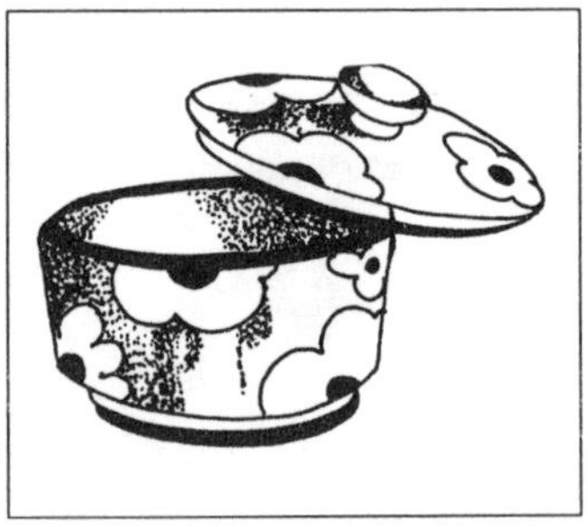

ण

ण = ṇa as '*ṆA*' in VĀRĀ*ṆA*SI

फण **Hood of a Cobra**

phaṇ, m. हूड ऑफ अ कोब्रा

Consonants • व्यंजन • *vyaṃjan*

त

त = ta as *'T'* in T*Ā*IW*Ā*N

तलवार **Sword**

talavār, f. स्वॉर्ड

थ

थ = Tha as *'TH'* in TRU*TH*

थवई **Mason**

thavaī, m. मेसन

द

द = da as *'D'* in *D*ELHI

दवात **Ink Pot**

davāt, m. इंक पॉट

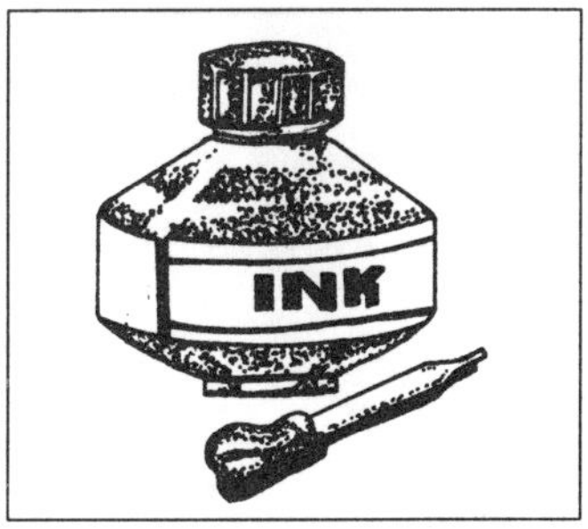

ध

ध = dha as *'THE'* in MO*THE*R

धजा **Flag**

dhajā, f. फ्लॅग

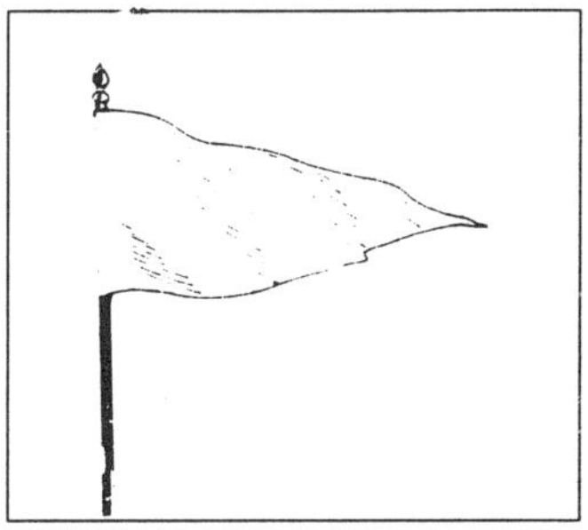

न

न = na as *'NU'* in *NU*T

नख **Nail**

nakh, m. नेइल

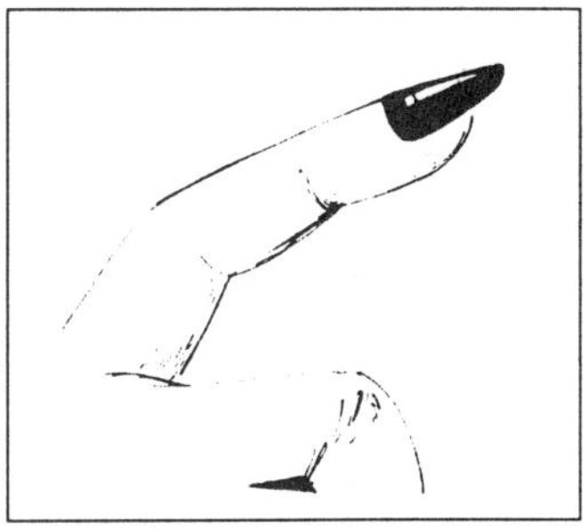

Consonants • **व्यंजन** • *vyamjan*

प

प = pa as *'PU'* in *PUB*

पतंग **Kite**

patamg, m. काइट

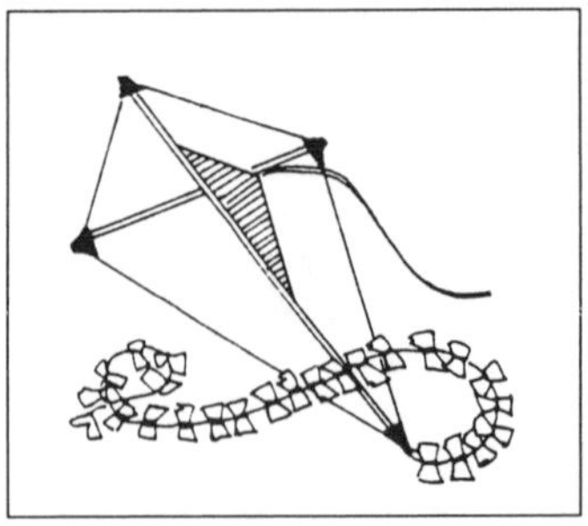

फ

फ = pha as *'FI'* in *FIRM*

फल **Fruits**

phal, m. फ्रुट्स

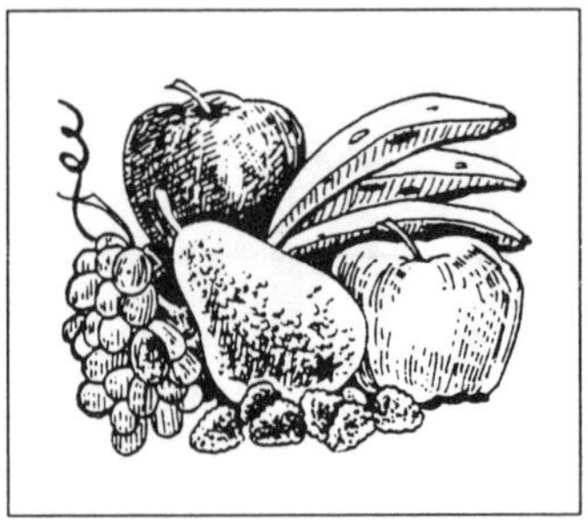

ब

ब = ba as *'BU'* in *BUT*

बतख **Duck**

batakh, m. डक

भ

भ = bha as *'BH'* in *BHARAT*

भसुंड **Elephant**

bhasuṇḍ एलीफंट

म

म = ma as *'MU'* in *MUST*

मछली **Fish**

machalī, f. फिश

Semi Vowels • अर्ध स्वर • *ardh svar*

य

य = ya as *'YE'* in *YET*

यज्ञ **Sacrifice**

yagya, m. सेक्रिफाइस

र

ra as *'RU'* in *RUN*

रस्सा **Rope, Cord**

rassā, m. रोप, कॉर्ड

ल

la as *'LU'* in *LUST*

लड़का **Boy**

laḍakā, m. बॉय

व

व = va as *'VU'* in *VULTURE*

वह्नि **Fire**

vahni, m. फायर

Test : Read aloud the following words.

ऊन, करवत, आम, जहाज, नख, भसुंड, खरगोश, थवई, अनार, एक, झरना, मछली, घर, औषध, इमली, ईशु, उल्लू, ऋषि, ऐरावत, ओखली, गधा, तरंग, चम्मच, छतरी, अंजलि, टमाटर, ठठेरा, डब्बा, ढक्कन, फण, तलवार, धजा, दवात, बतख, पतंग, फल, यज्ञ, रस्सा, लड़का, वह्नि, अञ्जलि

Note : If you cannot read any word instantly, please go back to the beginning of this chapter and practice until you can read words fluently.

Sibilants • उष्म वर्ण • *uṣm varṇ*

श

श = śa as '*SH*' in *SH*UT

शनि **Saturn**

śani, m. सॅटर्न

ष

ष = ṣa as '*SH*' in *SH*INE

षट्कोण **Hexagon**

ṣaṭkoṇa, m. हेक्सगोन

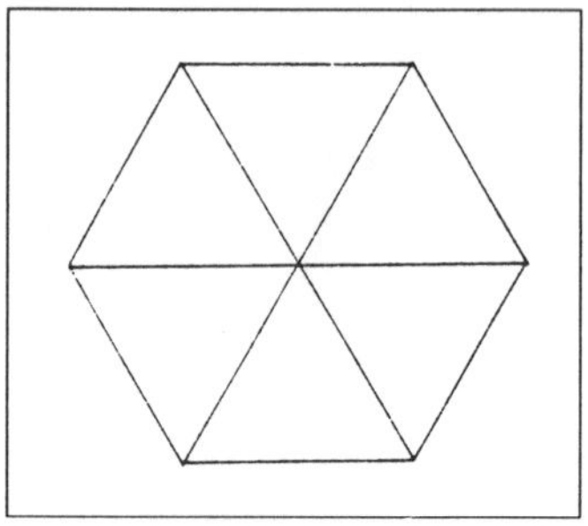

स

स = sa as '*SU*' in *SU*N

सब्जी **Vegetables**

sabjī वेजीटेबल्स

Test : Read aloud the following phrases. Their meaning will be clear subsequent to reading the chapters to follow :

समय पर उठ, दंत मंजन कर, कसरत कर, भजन कर, नमन कर, सतत पढ़, रमत रम, अभय बन, कदर कर, मदद कर, वचन अमल कर, मरद बन, झटपट कर, वजन कर, घर सरस कर, समय पर करम कर, समय पर शयन कर, सहन कर, संबंध समझ, फरज़ समझ, अमर बन ।

Note : If you cannot read any word instantly, please go back to the beginning of this chapter and practice until you read all words fluently.

Aspirant • महाप्राणाक्षर • *mahāprāṇākṣara*

ह

ह = ha as *'HU'* in *HUT*

हरिण **Deer**

hariṇ, m. डीअर

Test : Read aloud the following phrases. Their meaning will be clear subsequent to reading the chapter to follow :

आलस मत कर, कपट मत कर, अनहद खरच मत कर, गरबड़ मत कर, दमन मत कर, नकल मत कर, नफ़रत मत कर, जलन मत कर, लड लड मत कर, शरत न कर, ऋण न कर, कतल मत कर, संचय मत कर, शयन कम कर, आगे बढ़, अचल बन, सहन कर, जलकमलवत् बन, सरस आचरण कर, रब तरफ़ बढ़ ।

Note :

If you cannot read any word instantly please go back to the beginning of the chapter and practice until you can read all the words fluently.

When you accomplish this, proceed to the next four pages for additional reading exercises. Read vertically down beginning with the first left column.

Words are arranged in Hindi alphabetical order as would be presented in a Hindi-English dictionary. This will help find meaning of a word you may not remember while reading Hindi literature. Continue reading *Cardinals* and *Ordinals* in Hindi. Study one page every day.

Start forming Hindi phrases and sentences using the words you have learned and you already know.

Simple Word Reading • सरल शब्द-वाचन • *saral śabda-vācan*

अगर conj. or, if	अवसर m. opportunity	आशय m. intention	कदर f. appreciation
अभय m. fearlessness	असफल adj. unsuccessful	इधर adv. here	कबर f. grave
असर f. effect	अहम adj. important	ईद f. moslem festival	कसरत f. physical exercise
अमल m. enforcement	आजकल adv. now-a-days	ईश m. God	कतल f. slaughter
अगल-बगल adv. around, all about	आम adj., m. general, mango	उतर-चढ़ f. fall & rise	कदम m. step
अजब adj. strange	आयकर m. incometax	उमर f. age	कपट m. deceit
अदरक m. ginger	आवरण m. cover, veil	ऊपर adj., adv. above, at, top	कमर f. waist
अदल-बदल m. exchange	आहट f. sound	उपज f. yield, produce	कलम f. pen
अनबन f. discord	यह pron, adj. this	उत्तर m. answer, pretext	कतरन f. cutting
अपहरण m. kidnapping	उड़द m. black gram	ऊब m. boredom	कब adv. when
अफसर m. officer	उमस f. sultriness	एकदम adv. at once	कम adj. little, less
अमन m. peace	आसन m. seat,yoga-posture	एकाई f. unit	करम m. fate, destiny
अमर adj. immortal	आचरण m. behaviour	ओट f. ebb	करवट f. side, position
अरक m. moss	आफत f. difficulty	कमल m. lotus	कल adv. yesterday, tomorrow
अलग adj. separate	आलस f. idleness, laziness	कर m. hand, tax	कलफ़ m. starch

Simple Word Reading • सरल शब्द-वाचन • *saral śabda-vācan*

कश m. puff, whip	घट f. , m. deficiency, waterpot	जग m. world	डबल adj. double
खबर f. news	चलन m. in use, custom	जगह f. place	ढब f. method
खरच m. expenditure	चमक f. glitter	जड़ f. root, inert	ढमक f. drum-sound
गगन m. sky	चरक f. bird's droppings	जब adv. when, as, while	तरस f. thirst
गढ़ m. fort	चलम f. smoking pipe	जहर m. poison	तक adv. up to
गफलत f. negligence	चटक f. glitter, brilliance	झड़प f., (adj.) fighting, (fast)	तन m. body
गज़ब m. calamity, wrath	छत f. ceiling	झटपट adv. quickly	तड़प f. strong desire
गढ़न f. mould	छड़ f. rod	झलक f. glimpse	तरफ f. side, direction
गत adj. last	छल m. deceit	टकटक f. non-stop boring speech	तट m. river bank
गबन m. embezzlement	जल m. water	टपटप f. complaining	तप m. asceticism, penance
गम m. sorrow, grief	जन m. man	ठग m. rogue	तपन f. heat
गरज f. self interest	जतन f. care	ठमक f. graceful walk	तब adv. then, at that time
गरदन f. neck	जश m. fame, reputation	ठप adj. stopped	तय adj. decided, settled
गरम adj. hot	जय f. victory, triumph	दखल m. interference	तरल adj. fluid, liquid
गलत adj. wrong	जखम m. wound, injury	डर m. fear	तरह f. kind, sort, like

Simple Word Reading • सरल शब्द-वाचन • *saral śabda-vācan*

तल m. bottom	नमक m. salt	पद m. post, position	बदन m. body
थर m. layer	नमन m. bowing, **obeisance**	परत f. layer, return	बगल f. armpit, nearness
दमन m. repression, **oppression**	नयन m. eye	परख f. test	बन m. forest, jungle
दफन m. burial	नर m. male, man	फखर m. pride	बरस m. year
दहन m. burning	नरक m. hell	फल m. fruit, result	बहन f. sister
दर f. rate	नस f. blood vein	फरक m. difference	भय m. fear
दरद n. pain	नकद m. cash	फसल f. harvest, crop	भजन m. song (devotional)
दल m. group, party	नख m. nail	फतह f. conquest, victory	भवन m. residence
धन m. money, wealth	नरम adj. soft	फन m. art, skill	भगत m. devotee
धड़ m. headless body	नहर f. canal	बल m. strength, force	मन m. mind, desire
न adv. no, not	पल f. moment, second	बचपन m. childhood	मनन m. thinking, reflection
नकल f. copy	पवन m. wind	बरफ f. ice	मदद f. help, assistance
नगर m. city	पतन m. defeat, downfall	बचत f. savings	मजहब m. religion
नफरत f. aversion, disgust	पग m. foot	बस adv, (f.) enough, (bus)	महल m. palace
नज़र f. sight	पथ m. way, road	बदल prep. in lieu of	मखमल f. velvet

Simple Word Reading • सरल शब्द-वाचन • *saral śabda-vācan*

मरण m. death	रसम f. custom	वर m. bridegroom, husband	समय m. time
मगज m. brain	रथ m. chariot	वजह f. reason	सड़क f. road
मत (m.), adv. (vote,) do not	रपट f. report, chase, a run	वश m. control, hold	समझ f. understanding
मतलब m. purpose, meaning	रस m. juice	शरम f. shame	सरहद f. boundary, border
मथन m. churning	रहम m. mercy	शक m. doubt, suspicion	सफर m. travel, journey
मरद m. man, brave man	लगन f. engrossment	शपथ m. oath	सफल adj. successful
मलम m. ointment	लगभग adv. approximately	शरत f. bet	सब adj. all
मल m. dirt, excreta	लठ m. thick stick	शव m. dead body	सरल adj. easy, simple
यश m. fame	लत f. bad habit	शबनम f. dew	सहज adj. born to gether natural
यह pron. this	लवण m. salt	शयन m. sleeping	सहमत adj. agreed
रजत f. silver	लहर f. wave, whim, impulse	शकल f. form, face, figure	हरदम adv. every moment
रक़म f. sum, amount	वचन m. promise	शरण f. shelter, refuge	हल m. solution
रग m. vein, artery	वतन m. birthplace	शरबत m. syrup	हद f. limit, boundary
रण m. war	वजन m. weight	शहद m. honey	हम pron. we
रब m. God, Almighty	वन m. forest, jungle	शहर m. city	हर m. God Shiv

Alphabets – Categorized

Alphabets are pronounced by the five organs of the mouth. They are the throat (**कंठ**), the palate (**तालू**), the roof of the mouth (**मूर्धन**), the teeth (**दंत**), and the lips (**ओष्ठ**). They are classified accordingly in the following table.
See page 14 and 15 for key to pronunciation, and articulation guide.

Category प्रकार (prakar)	Consonants व्यंजन (vyamjan)							Vowels स्वर (svar)			
	Mutes स्पर्श					S.V.[1] अर्ध-स्वर	Sib[2] उष्मा-क्षर	Short ह्रस्व	Long दीर्घ	Dip.[3]	
	Hard अघोष		Soft घोष			Soft घोष	Hard अघोष				
कंठ्य *(kamthya)* **G** ***Guttarals*** (Velar)	क ka [क़] qa	ख kha [ख़] <u>kh</u>a	ग ga [ग़] <u>g</u>a	घ gha	ङ ṅa	ह ha	ः ḥ	अ a	आ ā	ए e	ऐ ai
तालव्य *(talavya)* **P** ***Palatals***	च ca	छ cha	ज ja [ज़] za	झ jha	ञ ña	य ya	श śa	इ i	ई ī		
मूर्धन्य *(murdhanya)* **C** ***Cerebrals*** (Retroflex)	ट ṭa	ठ ṭha	ड ḍa [ड़] ṛa	ढ ḍha [ढ़] ṛha	ण ṇa	र ra	ष ṣa	ऋ ṛ			
दंत्य *(damtya)* **D** ***Dentals***	त ta	थ tha	द da	ध dha	न na	ल la	स sa				
ओष्ठ्य *(osthva)* **L** ***Labials***	प pa	फ pha [फ़] fa	ब ba	भ bha	म ma	व va	अं aṃ	उ u	ऊ ū	ओ o	औ au

Every consonant has nether stroke, e.g. क्,ख्; when a vowel "अ" is added to a consonant, it is removed, e.g. क,ख. The remaining vowels when added to a consonant, are written as shown:

Vowels	आ	इ	ई	उ	ऊ	ए	ऐ	ओ	औ	अं	अः
Symbols:	ा	ि	ी	ु	ू	े	ै	ो	ौ	ं	ः
Exapmle:	का	कि	की	कु	कू	के	कै	को	कौ	कं	कः

[1] S.V. = Semi Vowel; [2] Sib. = Sibilant; [3] Dip. = Dipthong

Cardinals • मूल संख्या • *mūla saṃkhyā*

१	एक	ek	1	one	वन
२	दो	do	2	two	टु
३	तीन	tīn	3	three	थ्री
४	चार	cār	4	four	फोर
५	पाँच	pāṃc	5	five	फाइव
६	छः	chaḥ	6	six	सिक्स
७	सात	sāt	7	seven	सेवन
८	आठ	āṭh	8	eight	एइट
९	नौ	nau	9	nine	नाइन
१०	दस	das	10	ten	टेन
११	ग्यारह	gyārah	11	eleven	इलेवन
१२	बारह	bārah	12	twelve	ट्वेल्व
१३	तेरह	terah	13	thirteen	थर्टीन
१४	चौदह	caudah	14	fourteen	फोर्टीन
१५	पंद्रह	paṃdrah	15	fifteen	फिफ्टीन
१६	सोलह	solah	16	sixteen	सिक्सटीन
१७	सत्रह	satrah	17	seventeen	सेवन्टीन
१८	अठारह	aṭhārah	18	eighteen	एइटीन
१९	उन्नीस	unnīs	19	nineteen	नाइनटीन
२०	बीस	bīs	20	twenty	ट्वेन्टी
२१	इक्कीस	ikkīs	21	twenty-one	ट्वेन्टी-वन
२२	बाईस	baīs	22	twenty-two	ट्वेन्टी-टु
२३	तेईस	teīs	23	twenty-three	ट्वेन्टी-थ्री
२४	चौबीस	caubīs	24	twenty-four	ट्वेन्टी-फोर
२५	पच्चीस	paccīs	25	twenty-five	ट्वेन्टी-फाइव

Cardinals • मूल संख्या • *mūla saṃkhyā*

२६	छब्बीस	chabbīs	26	twenty-six	ट्वेन्टी-सिक्स
२७	सत्ताईस	sattāīs	27	twenty-seven	ट्वेन्टी-सेवन
२८	अट्ठाईस	aṭṭhāīs	28	twenty-eight	ट्वेन्टी-एइट
२९	उनतीस	unatīs	29	twenty-nine	ट्वेन्टी-नाइन
३०	तीस	tīs	30	thirty	थर्टी
३१	इकतीस	ikaṭīs	31	thirty-one	थर्टी-वन
३२	बत्तीस	battīs	32	thirty-two	थर्टी-टु
३३	तैंतीस	taiṃtīs	33	thirty-three	थर्टी-थ्री
३४	चौंतीस	cauṃtīs	34	thirty-four	थर्टी-फोर
३५	पैंतीस	paiṃtīs	35	thirty-five	थर्टी-फाइव
३६	छत्तीस	chattīs	36	thirty-six	थर्टी-सिक्स
३७	सैंतीस	saiṃtīs	37	thirty-seven	थर्टी-सेवन
३८	अड़तीस	aḍatīs	38	thirty-eight	थर्टी-एइट
३९	उनतालीस	untālīs	39	thirty-nine	थर्टी-नाईन
४०	चालीस	cālīs	40	forty	फोर्टी
४१	इकतालीस	ikatālīs	41	forty-one	फोर्टी-वन
४२	बयालीस	bayālīs	42	forty-two	फोर्टी-टु
४३	तैंतालीस	taiṃtālīs	43	forty-three	फोर्टी-थ्री
४४	चवालीस	cavālīs	44	forty-four	फोर्टी-फोर
४५	पैंतालीस	paiṃtālīs	45	forty-five	फोर्टी-फाइव
४६	छियालीस	chiyālīs	46	forty-six	फोर्टी-सिक्स
४७	सैंतालीस	saiṃtālīs	47	forty-seven	फोर्टी-सेवन
४८	अड़तालीस	aḍatālīs	48	forty-eight	फोर्टी-एइट
४९	उनचास	unacās	49	forty-nine	फोर्टी-नाइन
५०	पचास	pacās	50	fifty	फिफ्टी

Cardinals • मूल संख्या • *mūla saṃkhyā*

५१	इक्यावन	ikyāvan	51	fifty-one	फिफ्टी-वन
५२	बावन	bāvan	52	fifty-two	फिफ्टी-टु
५३	तिरपन	tirapan	53	fifty-three	फिफ्टी-थ्री
५४	चौवन	cauvan	54	fifty-four	फिफ्टी-फोर
५५	पचपन	pacapan	55	fifty-five	फिफ्टी-फाइव
५६	छप्पन	chappan	56	fifty-six	फिफ्टी-सिक्स
५७	सत्तावन	sattāvan	57	fifty-seven	फिफ्टी-सेवन
५८	अट्ठावन	aṭṭhāvan	58	fifty-eight	फिफ्टी-एइट
५९	उनसठ	unasaṭh	59	fifty-nine	फिफ्टी-नाइन
६०	साठ	sāṭh	60	sixty	सिक्स्टी
६१	इकसठ	ikasaṭh	61	sixty-one	सिक्स्टी-वन
६२	बासठ	bāsaṭh	62	sixty-two	सिक्स्टी-टु
६३	तिरसठ	tirasaṭh	63	sixty-three	सिक्स्टी-थ्री
६४	चौंसठ	cauṃsaṭh	64	sixty-four	सिक्स्टी-फोर
६५	पैंसठ	paiṃsaṭh	65	sixty-five	सिक्स्टी-फाइव
६६	छियासठ	chiyāsaṭh	66	sixty-six	सिक्स्टी-सिक्स
६७	सड़सठ	saḍasaṭh	67	sixty-seven	सिक्स्टी-सेवन
६८	अड़सठ	aḍasaṭh	68	sixty-eight	सिक्स्टी-एइट
६९	उनहत्तर	unhattar	69	sixty-nine	सिक्स्टी-नाइन
७०	सत्तर	sattar	70	seventy	सेवन्टी
७१	इकहत्तर	ikahattar	71	seventy-one	सेवन्टी-वन
७२	बहत्तर	bahattar	72	seventy-two	सेवन्टी-टु
७३	तिहत्तर	tihattar	73	seventy-three	सेवन्टी-थ्री
७४	चौहत्तर	cauhattar	74	seventy-four	सेवन्टी-फोर
७५	पचहत्तर	pacahattar	75	seventy-five	सेवन्टी-फाइव

Cardinals • मूल संख्या • *mūla saṃkhyā*

७६	छिहत्तर	chihattar	76	seventy-six	सेवन्टी-सिक्स
७७	सतहत्तर	satahattar	77	seventy-seven	सेवन्टी-सेवन
७८	अठहत्तर	aṭhahattar	78	seventy-eight	सेवन्टी-एइट
७९	उन्नासी	unnāsī	79	seventy-nine	सेवन्टी-नाइन
८०	अस्सी	assī	80	eighty	एइटी
८१	इक्यासी	ikyāsī	81	eighty-one	एइटी-वन
८२	बयासी	bayāsī	82	eighty-two	एइटी-टु
८३	तिरासी	tirāsī	83	eighty-three	एइटी-थ्री
८४	चौरासी	caurāsī	84	eighty-four	एइटी-फोर
८५	पचासी	pacāsī	85	eighty-five	एइटी-फाइव
८६	छियासी	chiyāsī	86	eighty-six	एइटी-सिक्स
८७	सतासी	satāsī	87	eighty-seven	एइटी-सेवन
८८	अठासी	aṭhāsī	88	eighty-eight	एइटी-एइट
८९	नवासी	navāsī	89	eighty-nine	एइटी-नाइन
९०	नब्बे	nabbe	90	ninety	नाइन्टी
९१	इक्यानवे	ikyānave	91	ninety-one	नाइन्टी-वन
९२	बानवे	bānave	92	ninety-two	नाइन्टी-टु
९३	तिरानवे	tirānave	93	ninety-three	नाइन्टी-थ्री
९४	चौरानवे	caurānave	94	ninety-four	नाइन्टी-फोर
९५	पंचानवे	paṃcānave	95	ninety-five	नाइन्टी-फाइव
९६	छियानवे	chiyānave	96	ninety-six	नाइन्टी-सिक्स
९७	सत्तानवे	sattānave	97	ninety-seven	नाइन्टी-सेवन
९८	अठानवे	aṭhānave	98	ninety-eight	नाइन्टी-एइट
९९	निन्यानवे	ninyānave	99	ninety-nine	नाइन्टी-नाइन
१००	सौ	sau	100	hundred	हन्ड्रेड

Cardinals • मूल संख्या • *mūla saṃkhyā*

१००	एक सौ	ek sau	100	hundred	हंड्रेड
२००	दो सौ	do sau	200	two hundred	टु हंड्रेड
३००	तीन सौ	tīn sau	300	three hundred	थ्री हंड्रेड
४००	चार सौ	cār sau	400	four hundred	फोर हंड्रेड
५००	पाँच सौ	paṃc sau	500	five hundred	फाइव हंड्रेड
६००	छः सौ	chah sau	600	six hundred	सिक्स हंड्रेड
७००	सात सौ	sāt sau	700	seven hundred	सेवन हंड्रेड
८००	आठ सौ	āṭh sau	800	eight hundred	एइट हंड्रेड
९००	नौ सौ	nau sau	900	nine hundred	नाइन हंड्रेड
$१०^{३}$	हज़ार	hajār	10^{3}	thousand	थाउझंड
$१०^{४}$	दस हज़ार	das hajār	10^{4}	ten thousand	टेन थाउझंड
$१०^{५}$	लाख	lākh	10^{5}	hundred thousand	हन्ड्रेड थाउझंड
$१०^{६}$	दस लाख	das lākh	10^{6}	million	मिलियन
$१०^{७}$	करोड़	karoḍ	10^{7}	ten million	टेन मिलियन
$१०^{८}$	दस करोड़	das karoḍ	10^{8}	hundred million	हन्ड्रेड मिलियन
$१०^{९}$	अबज	abaj	10^{9}	billion	बिलियन
$१०^{१०}$	खर्व	kharva	10^{10}	ten billion	टेन बिलियन
$१०^{११}$	निखर्व	nikharva	10^{11}	hundred billion	हन्ड्रेड बिलियन
$१०^{१२}$	महापद्म	mahāpadma	10^{12}	trillion	ट्रिलियन
$१०^{१३}$	शंकू	śaṃkū	10^{13}	ten trillion	टेन ट्रिलियन

Note : Exercises or tests for Cardinals and Ordinals are not given. You may form your own exercises by reading lotto numbers, important dates, counting pages in Hindi of this or any other book, etc. Use your creative imagination.

Ordinals • क्रमवाचक संख्या • *kramavācak saṃkhyā*

१	पहला	pahalā	first	फर्स्ट
२	दूसरा	dūsarā	second	सेकन्ड
३	तीसरा	tīsarā	third	थर्ड
४	चौथा	cauthā	fourth	फोर्थ
५	पाँचवाँ	paṃcavaṃ	fifth	फिफ्थ
६	छठा	chaṭha	sixth	सिक्स्थ
७	सातवाँ	sātavaṃ	seventh	सेवन्थ
८	आठवाँ	āṭhavaṃ	eighth	एइट्थ
९	नवाँ	navāṃ	nineth	नाइन्थ
१०	दसवाँ	dasavāṃ	tenth	टेन्थ
११	ग्यारहवाँ	gyārahavāṃ	eleventh	इलेवन्थ
१२	बारहवाँ	bārahavāṃ	twelfth	ट्वेल्फथ
१३	तेरहवाँ	terahavāṃ	thirteenth	थर्टीन्थ
१४	चौदहवाँ	caudahavāṃ	fourteenth	फोर्टीन्थ
१५	पंद्रहवाँ	paṃdravaṃ	fifteenth	फिफ्टीन्थ
१६	सोलहवाँ	solahavāṃ	sixteenth	सिक्स्टीन्थ
१७	सत्रहवाँ	satrahavāṃ	seventeenth	सेवन्टीन्थ
१८	अठारहवाँ	aṭharahavaṃ	eighteenth	एइटीन्थ
१९	उन्नीसवाँ	unnīsavāṃ	nineteenth	नाइन्टीन्थ
२०	बीसवाँ	bīsavaṃ	twentieth	ट्वेन्टीएथ
२१	इक्किसवाँ	ekkisavāṃ	twenty first	ट्वेन्टी फर्स्ट
३१	इकतीसवाँ	ektīsavāṃ	thirty first	थर्टी फर्स्ट
८९	नवासीवाँ	navāsīvāṃ	eighty ninth	एइटी नाइन्थ
९०	नब्बेवाँ	nabbevāṃ	ninetieth	नाइन्टीएथ
१००	सौवाँ	sauvāṃ	hundredth	हंड्रेड्थ
१०१	एक सौ एकवाँ	ek sau ekavāṃ	hundred & first	हंड्रेड एंड फर्स्ट
१०२	एक सौ दोवाँ	ek sau dovāṃ	hundred & second	हंड्रेड एंड सेकंड
१०६	एक सौ छःवाँ	ek sau chaḥvāṃ	hundred & sixth	हंड्रेड एंड सिक्स्थ
२००	दो सौवाँ	do sauvāṃ	two hunderdth	टु हन्ड्रेड्थ

2. Alphabet/Number Writing • अक्षर/अंकलेखन • *akṣara / aṃkalekhan*

1 Similar alphabets and numbers are grouped together to make writing the script an easy exercise. When an alphabet and a number are very similar, although not exactly same, a separate exercise for writing is not given.

2 Speak the alphabet or number aloud while writing. This will provide additional practice in pronunciation.

3 Trace over the dotted alphabet/number first to get used to the curves (मोड़), shape (आकार) and form (रूपरेखा).

4 Do not write each letter horizontally. Write vertically only.

5 Do not write more than one column vertically, i.e. one column on each page, each time. Do not repeat the exercise on the same day.

6 Good hand writing is a necessary part of the education; therefore, DO NOT skip these exercises. *They are vital.* It is necessary to complete all blanks on all pages even if you feel comfortable about your writing after a few repetitions.

7 If you still find difficulty in reading and identifying the Hindi alphabet or numbers repeat the process by writing in your work book.

Mahatma Gandhiji said :

"टेढ़े मेढ़े अक्षर अपूर्ण शिक्षा के संकेत हैं"

Bad hand writing is a sign of an incomplete education.

प्रार्थना

हे नाथ हम सदा ही तेरा चरित्र गावे ।
तेरी कृपा से स्वामी, जीवन पवित्र पावे ।।
है तू पिता हमारा, संसार का सहारा।
तेरे चरणो में हरदम, निज शीर्ष हम नमावे।।
पापों से दूर रहकर, शुभ कर्म नित्य करके।
अपने ह्दय में तेरा, दिन रात ध्यान लावे ।।
जो कुछ करे धरे, वो पूरा कृपा से तेरी ।
अपना इसी से सब कुछ, तुझको ही हम चढावे ।।
बस अन्त में यहाँ तक की, साहस बढ़े हमारा ।
प्रिय मातृभूमि के हित, यह प्राण हम लगावे ।।

Alphabet/Number Writing • अक्षर/अंक लेखन • *akṣar/aṃk lekhan*

Pronounce the alphabet/number aloud as you write. Write only one vertical column for each letter daily.
DO NOT FINISH LINE HORIZONTALLY.

३ tin three	३ ३ ३
अ a अ	अ अ अ
उ u उ	उ उ उ
ऊ ū ऊ	ऊ ऊ ऊ
६ cha six	६ ६ ६
छ cha छ	छ छ छ
घ gha घ	घ घ घ

Alphabet/Number Writing • अक्षर/अंक लेखन • *akṣar/aṃk lekhan*

Pronounce the alphabet/number aloud as you write. Write only one vertical column for each letter daily.
DO NOT FINISH LINE HORIZONTALLY.

ध
dha

ड
ḍa

ङ
ṅa

ठ
ṭha

इ
i

ई
ī

झ
jha

Alphabet/Number Writing • अक्षर/अंक लेखन • *akṣar/aṃk lekhan*

Pronounce the alphabet/number aloud as you write. Write only one vertical column for each letter daily.
DO NOT FINISH LINE HORIZONTALLY.

ह
ha
ह

ट
ṭa
ट

ढ
ḍha
ढ

द
da
द

त
ta
त

न
na
न

म
ma
म

Alphabet/Number Writing • अक्षर/अंक लेखन • *akṣar/aṃk lekhan*

Pronounce the alphabet/number aloud as you write. Write only one vertical column for each letter daily.
DO NOT FINISH LINE HORIZONTALLY.

भ
bha
भ

७
sat
seven

च
ca
च

ज
ja
ज

ञ
ña
ञ

क
ka
क

फ
pha
फ

Alphabet/Number Writing • अक्षर/अंक लेखन • *akṣar/aṃk lekhan*

Pronounce the alphabet/number aloud as you write. Write only one vertical column for each letter daily.
DO NOT FINISH LINE HORIZONTALLY.

ल ल
la ल
ल ल

र र
ra र
र र

श श
śa श
श श

स स
sa स
स स

ग ग
ga ग
ग ग

ण ण
ṇa ण
ण ण

व व
va व
व व

Alphabet/Number Writing • अक्षर/अंक लेखन • *akṣar/aṃk lekhan*

Pronounce the alphabet/number aloud as you write. Write only one vertical column for each letter daily.
DO NOT FINISH LINE HORIZONTALLY.

ब ba ब	ब ब ब
ख kha ख	ख ख ख
प pa प	प प प
ष ṣa ष	ष ष ष
५ pānc five	५ ५ ५
य ya य	य य य
थ tha थ	थ थ थ

Alphabet/Number Writing • अक्षर/अंक लेखन • *akṣar/aṃk lekhan*

Pronounce the alphabet/number aloud as you write. Write only one vertical column for each letter daily.
DO NOT FINISH LINE HORIZONTALLY.

ए e ए	ए ए ए
ऐ ai ऐ	ऐ ऐ ऐ
९ nau nine	९ ९ ९
ऋ ṛ ऋ	ऋ ऋ ऋ
१ ek one	१ १ १
४ cār four	४ ४ ४
८ āṭha eight	८ ८ ८

3. Composite Alphabet Reading • बारहखड़ी वाचन • bārahakharī vācan

1 Learn how to speak the composite alphabet fluently. Phonetic spelling is given under each letter.

2 This represents all vowels except 'ṛ' (ऋ) combined with each consonant except 'ṅa' (ङ) and 'na' (ञ). These are omitted as not used frequently.

3 Familiarize yourself thoroughly with the vowel symbols, tabulated below along with their identifications.

4 One should practice reading composite alphabet horizontally by moving finger under each letter to fix the written image of the alphabet as it is said.

5 If the basic alphabet is memorized you will be able to say the series of composite alphabet without even looking. With a little practice speaking rhythm will be established.

6 Remember that phonetic spellings are given for the last time as it is assumed that after this exercise, one will be able to identify alphabet and composite alphabet.

7 Conjunct consonants क्ष (kṣa), ज्ञ (gya) त्र (tra) and श्र (śra) are used frequently and are also included for practice. See chapter on conjunct consonants for details.

8 After this practice one can read most Hindi words. Start reading simple story books.

9 Another way to master reading is to select a composite alphabet and circle all such alphabets in some old Hindi newspaper or periodical. Repeat this exercise for each composite alphabet.

Vowel Symbols

Vowel	Symbol	Vowel	Symbol
आ	ा (ā)	ए	े (e)
इ	ि (i)	ऐ	ै (ai)
ई	ी (ī)	ओ	ो (o)
उ	ु (u)	औ	ौ (au)
ऊ	ू (ū)	अं	ं (ṃ)
ऋ*	ृ (ṛ)	अः	ः (ḥ)

* This vowel is excluded from pronunciation practice of Composite Alphabet Reading for simplicity, because it is not used frequently in common Hindi words.

Note: *Candrabindu,* (moon-dot) , " ँ ", is written either over the headstroke of the vowel itself, e.g. हाँ, or over the headstroke of the consonant to which the vowel is attached, e.g हुँ.. If any part of a vowel is written above the headstroke, then the *bindu* (dot) alone is used instead of full *candrabindu.* e.g. मैं, हैं, थीं etc.

Composite Alphabet Reading • बारहखड़ी वाचन • *bārahakhaṛī vācan*

Symbols: ा ि ी ु ू े ै ो ौ ं ः

अ	आ	इ	ई	उ	ऊ	ए	ऐ	ओ	औ	अं	अः
a	ā	i	ī	u	ū	e	ai	o	au	aṃ	aḥ
क	का	कि	की	कु	कू	के	कै	को	कौ	कं	कः
ka	kā	ki	kī	ku	kū	ke	kai	ko	kau	kaṃ	kaḥ
ख	खा	खि	खी	खु	खू	खे	खै	खो	खौ	खं	खः
kha	khā	khi	khī	khu	khū	khe	khai	kho	khau	khaṃ	khaḥ
ग	गा	गि	गी	गु	गू	गे	गै	गो	गौ	गं	गः
ga	gā	gi	gī	gu	gū	ge	gai	go	gau	gaṃ	gaḥ
घ	घा	घि	घी	घु	घू	घे	घै	घो	घौ	घं	घः
gha	ghā	ghi	ghī	ghu	ghū	ghe	ghai	gho	ghau	ghaṃ	ghaḥ
च	चा	चि	ची	चु	चू	चे	चै	चो	चौ	चं	चः
ca	cā	ci	cī	cu	cū	ce	cai	co	cau	caṃ	caḥ
छ	छा	छि	छी	छु	छू	छे	छै	छो	छौ	छं	छः
cha	chā	chi	chī	chu	chū	che	chai	cho	chau	chaṃ	chaḥ
ज	जा	जि	जी	जु	जू	जे	जै	जो	जौ	जं	जः
ja	jā	ji	jī	ju	jū	je	jai	jo	jau	jaṃ	jaḥ
झ	झा	झि	झी	झु	झू	झे	झै	झो	झौ	झं	झः
jha	jhā	jhi	jhī	jhu	jhū	jhe	jhai	jho	jhau	jhaṃ	jhaḥ

Composite Alphabet Reading • बारहखड़ी वाचन • *bārahakhaṛī vācan*

Symbols	ा	ि	ी	ु	ू	े	ै	ो	ौ	ं	:
ट	टा	टि	टी	टु	टू	टे	टै	टो	टौ	टं	टः
ṭa	ṭā	ṭi	ṭī	ṭu	ṭū	ṭe	ṭai	ṭo	ṭau	ṭaṃ	ṭaḥ
ठ	ठा	ठि	ठी	ठु	ठू	ठे	ठै	ठो	ठौ	ठं	ठः
ṭha	ṭhā	ṭhi	ṭhī	ṭhu	ṭhū	ṭhe	ṭhai	ṭho	ṭhau	ṭhaṃ	ṭhaḥ
ड	डा	डि	डी	डु	डू	डे	डै	डो	डौ	डं	डः
ḍa	ḍā	ḍi	ḍī	ḍu	ḍū	ḍe	ḍai	ḍo	ḍau	ḍaṃ	ḍaḥ
ढ	ढा	ढि	ढी	ढु	ढू	ढे	ढै	ढो	ढौ	ढं	ढः
ḍha	ḍhā	ḍhi	ḍhī	ḍhu	ḍhū	ḍhe	ḍhai	ḍho	ḍhau	ḍhaṃ	ḍhaḥ
ण	णा	णि	णी	णु	णू	णे	णै	णो	णौ	णं	णः
ṇa	ṇā	ṇi	ṇī	ṇu	ṇū	ṇe	ṇai	ṇo	ṇau	ṇaṃ	ṇaḥ
त	ता	ति	ती	तु	तू	ते	तै	तो	तौ	तं	तः
ta	tā	ti	tī	tu	tū	te	tai	to	tau	taṃ	taḥ
थ	था	थि	थी	थु	थू	थे	थै	थो	थौ	थं	थः
tha	thā	thi	thī	thu	thū	the	thai	tho	thau	thaṃ	thaḥ
द	दा	दि	दी	दु	दू	दे	दै	दो	दौ	दं	दः
da	dā	di	dī	du	dū	de	dai	do	dau	daṃ	daḥ
ध	धा	धि	धी	धु	धू	धे	धै	धो	धौ	धं	धः
dha	dhā	dhi	dhī	dhu	dhū	dhe	dhai	dho	dhau	dhaṃ	dhaḥ
न	ना	नि	नी	नु	नू	ने	नै	नो	नौ	नं	नः
na	nā	ni	nī	nu	nū	ne	nai	no	nau	naṃ	naḥ

Composite Alphabet Reading • बारहखड़ी वाचन • *bārahakhaṛī vācan*

Symbols	ा	ि	ी	ु	ू	े	ै	ो	ौ	ं	ः
प	पा	पि	पी	पु	पू	पे	पै	पो	पौ	पं	पः
pa	pā	pi	pī	pu	pū	pe	pai	po	pau	paṃ	paḥ
फ	फा	फि	फी	फु	फू	फे	फै	फो	फौ	फं	फः
pha	phā	phi	phī	phu	phū	phe	phai	pho	phau	phaṃ	phaḥ
ब	बा	बि	बी	बु	बू	बे	बै	बो	बौ	बं	बः
ba	bā	bi	bī	bu	bū	be	bai	bo	bau	baṃ	baḥ
भ	भा	भि	भी	भु	भू	भे	भै	भो	भौ	भं	भः
bha	bhā	bhi	bhī	bhu	bhū	bhe	bhai	bho	bhau	bhaṃ	bhaḥ
म	मा	मि	मी	मु	मू	मे	मै	मो	मौ	मं	मः
ma	mā	mi	mī	mu	mū	me	mai	mo	mau	maṃ	maḥ
य	या	यि	यी	यु	यू	ये	यै	यो	यौ	यं	यः
ya	yā	yi	yī	yu	yū	ye	yai	yo	yau	yaṃ	yaḥ
र	रा	रि	री	रु	रू	रे	रै	रो	रौ	रं	रः
ra	rā	ri	rī	ru	rū	re	rai	ro	rau	raṃ	raḥ
ल	ला	लि	ली	लु	लू	ले	लै	लो	लौ	लं	लः
la	lā	li	lī	lu	lū	le	lai	lo	lau	laṃ	laḥ
व	वा	वि	वी	वु	वू	वे	वै	वो	वौ	वं	वः
va	vā	vi	vī	vu	vū	ve	vai	vo	vau	vaṃ	vaḥ

Composite Alphabet Reading • बारहखड़ी वाचन • *bārahakhaṛī vācan*

Symbols	ा	ि	ी	ु	ू	े	ै	ो	ौ	ं	ः
श	शा	शि	शी	शु	शू	शे	शै	शो	शौ	शं	शः
śa	śā	śi	śī	śu	śū	śe	śai	śo	śau	śaṃ	śaḥ
ष	षा	षि	षी	षु	षू	षे	षै	षो	षौ	षं	षः
ṣa	ṣā	ṣi	ṣī	ṣu	ṣū	ṣe	ṣai	ṣo	ṣau	ṣaṃ	ṣaḥ
स	सा	सि	सी	सु	सू	से	सै	सो	सौ	सं	सः
sa	sā	si	sī	su	sū	se	sai	so	sau	saṃ	saḥ
ह	हा	हि	ही	हु	हू	हे	है	हो	हौ	हं	हः
ha	hā	hi	hī	hu	hū	he	hai	ho	hau	haṃ	haḥ
क्ष	क्षा	क्षि	क्षी	क्षु	क्षू	क्षे	क्षै	क्षो	क्षौ	क्षं	क्षः
kśa	kśā	kśi	kśī	kśu	kśū	kśe	kśai	kśo	kśau	kśaṃ	kśaḥ
ज्ञ	ज्ञा	ज्ञि	ज्ञी	ज्ञु	ज्ञू	ज्ञे	ज्ञै	ज्ञो	ज्ञौ	ज्ञं	ज्ञः
gya	gyā	gyi	gyī	gyu	gyū	gye	gyai	gyo	gyau	gyaṃ	gyaḥ
त्र	त्रा	त्रि	त्री	त्रु	त्रू	त्रे	त्रै	त्रो	त्रौ	त्रं	त्रः
tra	trā	tri	trī	tru	trū	tre	trai	tro	trau	tram	traḥ
श्र	श्रा	श्रि	श्री	श्रु	श्रू	श्रे	श्रै	श्रो	श्रौ	श्रं	श्रः
śra	śrā	śri	śrī	śru	śrū	śre	śrai	śro	śrau	śraṃ	śraḥ

Note : The next eight pages will provide progressively complex reading exercises. Read each and every word and also try to understand the meaning by making sentences. You may select adjectives and verbs. Study the sentence construction given on pages 92 and 201.

Simple Word Reading • सरल शब्द-वाचन • आ - ा

अपमान m. insult	इमारत f. building, monument	कमरा m. room	चालक m. driver
अपराध m. guilt	इनाम m. prize	कलाकार m. artist	छाया f. shade, shadow
अखबार m. newspaper	इलाका m. region, area	कतार f. line, row	जवाब m. answer
अदालत f. court	इजाज़त f. permission	खरा adv. correct	जानवर m. animal
आधा adj. half	उड़ान f. flight	खाद n. fertilizer	जनता f. public
आकार m. shape, form	उधार m. credit, loan	खास a special, particular	जायदाद f. property
आसान adj. easy	उपवास m. fast	खाता m. account	झाड़न m. duster
आहार m. food, diet	उपकार m. favour, obligation	खाल f. skin	टाल m. a stack, a heap, evasion
आटा m. flour	काया f. body	गाजर f. carrot	डाक f. mail, post
आशा f. hope	काम m. work	घाटा m. deficit, loss	ताकत f. stamina, strength
आभार m. thankfulness, gratitude	काच, काँच m., glass	घाट m. shape	तमाम adj. all, whole
आधार m. support	कारण m. reason	घास f. grass	तनाव m. tension
आराम m. rest	कागज m. paper	चाह f. wish, affection	तकाज़ा m. demand
आचार m. conduct	कला f. art	चाकर m. servant	ताला m. lock
आकाश m. sky	कबाड़ m. useless thing	चाय f. tea	थाना m. police station

Simple Word Reading • सरल शब्द-वाचन • आ - ा

दया f. pity, mercy	बगावत f. revolt, mutiny	माँ-बाप m. parents	सफलता f. success
दबाव m. pressure	भाषा f. language	मानवजात f. mankind	समाज m. society, association
दान m. donation, charity	भगवान m. God	यातायात m. traffic,coming & going	साहस m. adventure
दयाभाव m. feeling of mercy	भारत m. India	याद f. remembrance	साभार adv. with thanks
दाम m. money	भान m. consciousness	रात f. night	सागर m. ocean
दशा f. condition, plight	भार m. weight	राधा f. Krishna's beloved	साधक m. one who achieves
नाश m. destruction	भाव m. emotion, price	राह f. way, passage, route	सहाय f. help
नाटक m. play, drama	भावना f. feeling	राहत f. relief	साधन m. tool, means
पहाड़ m. mountain	भाग m. share, part	लाभ m. gain	साधना f. accomplishing
पाप m. sin	महाभारत m. great epic poem	वाहन m. vehicle	साल m. year
पाठ m. lesson	महाराजा m. emperor	वादा m. promise	हड़ताल f. strike
पागल adj. mad, insane	माया f. illusion	शाला f. school	हमला m. attack, assault
फाटक m. gate	माता f. mother	शान f. prestige	हार m. garland, f. defeat
बालक m. child	मान m. respect	सवाल m. question	हावभाव m. gestures
बड़ा adj. big	महानता f. greatness	सजा f. punishment	हालत f. condition

Simple Word Reading • सरल शब्द-वाचन • ह्रस्व इ - ि

अति adj. excessive	कठिन adj. difficult	परिणाम m. result, end	लिफाफा m. envelope
अभिमान m. pride	चिता f. funeral, pyre	जाति f. caste	लिबास m. dress
अतिथि m. guest	तिथि f. date	बलिदान m. sacrifice	शिर m. head
अहित m. harm, hurt, damage	दिशा f. direction	माता-पिता m. pl. parents	शिला f. rock, stone
अधिक adj. much, more	दिल m. heart	मिलन m. meeting, union	शिकार m. hunting, prey
अवधि f. time, limit	दिमाग m. brain	रिवाज m. custom	शिकायत f. complaint
आखिर adj. last, adj. at last	निवास m. residence	राशि f. zodiac, quantity	सितार m. musical instrument
इनाम m. reward	निकट adv. near	विजय f. victory	सरिता f. river
इतिहास m. history	निधन m. death, demise	विचार m. thought	सिफारिश f. recommendation
इलाज m. remedy	नियम m. rule	विनय m. politeness	हानि f. harm, loss
कवि m. poet	निवेदन m. request	विकास m. progress	हित m. benefit
कविता f. poetry, poem	निशान m. aim, target	विचारक m. thinker	हिम m. snow, frost
किरण f. ray	जिला m. district	विषय m. subject	हिमालय m. Himalaya
किधर adv. where	डाकिया m. postman	विवाह m. marriage	हिसाब m. account
किसान m. farmer	पिता m. father	विष m. poison	हिसाब-किताब m. books of account

Simple Word Reading • सरल शब्द-वाचन • दीर्घ ई - ी

आजीवन adj. life-long	जीवनसाथी m. life companion	पीड़ा f. pain	शीशी f. bottle
आगामी adj. coming, next	झील f. lake	बीमार adj. ill, sick	शीख f., सीख advice, m. Sikh
ईमान m. honesty	टीला m. mound, hillock	भीड़ f. crowd	सर्दी f. cold
काफ़ी adj. enough	ढीला adj. loose	माफी f. tax-free land, pardon	सखी f. female friend
कहानी f. story	तक़दीर f. luck, fortune	महीना m. month	साथी m. companion
खिड़की f. window	तसवीर f. picture	मनीषा f. desire, wish	सादगी f. simplicity
गीत m. song	तकलीफ़ f. trouble	मारामारी f. fighting	समीर m. wind
गीता f. Hindu scripture	तारीख f. date	मानवी f., adj. woman, human	समीकरण m. equation
गलती f. mistake	तालीम f. education	महीना m. month	सीमा f. limit, boundary
घी m. ghee, clarified-butter	तीर m. arrow	रीत f. manner, method	सीढ़ी f. ladder, staircase
चीस f., चीख scream	दलील f. argument	राई f. mustard-seed	हीरा m. diamond
चमड़ी f. skin	दीवार f. wall	वकील m. lawyer	हरघड़ी adv. ever, f. moment
चाबी f. key, watch key	धीरज f. patience	वाणी f. speech	हक़ीकत f. reality, fact
जीव m. life, soul	धरती f. earth	शरीर m. body	हकीम m. yunani physician
जीवन m. life	नसीब m. luck	शील m. character	हाथी m. elephant

Simple Word Reading • सरल शब्द-वाचन • ह्रस्व उ - ु, दीर्घ ऊ - ू

अणु m. atom	नुकसान m. harm	अफलातून adj. excellent	भू f. earth, field
अवगुण m. vice, demerit	पुरुष m. man	आलू m. potato	भूमिका f. role, introduction
उपाय m. remedy, means	पशुभाव m. animal feeling	उथलपुथल f. turning upside down	मशहूर adj. reputed, famous
उपकार m. benevolence	पुकार f. call	कानून m. law	मूल m. root, origin
कुदरती adj. natural	बहुजन m. mass, people	खून m. murder, blood	रूप m. beauty, form
खुद pro. one's self	भुगतान m. payment	चूहा m. rat, mouse	वधू f. wife, daughter-in-law
खुदग़रज adj. selfish	मुनि m. sage	जादू m. magic	सपूत m. good son
गुलामी f. slavery	मधुरता f. sweetness	ज़रूर adv. certainly	सबूत m. proof
गुरु m. teacher	मुलाकात f. visit, meeting	तराजू m. scales, balance	सरौता m. nut cracker
गुरुचाबी f. master key	युग m. age, millenium	दूध m. milk	सहानुभूति f. sympathy
चतुराई f. cleverness	रुचि f. liking, aptitude	धूल f. dust	समूह m. group, team
चुनाव m. election	सद्गुण m. virtue	पूजा f. worship	सूझ f. common sense
तुम pron. you	सुख m. happiness	फूल m. flower	सूरज m. sun
दुःख m. pain, unhappiness	साधु m. saint	भूल f. mistake, error	सूत m. thread, yarn
दुनिया f. world	असूया f. malice, envy	भूख f. hunger	हुजूर m. 'your honour', sir

Simple Word Reading • सरल शब्द-वाचन • ए - े , ऐ - ै

अतिरेक m. excess	तेल m. oil	रेखा f. line	तैयार adj. ready
अरे ! int. oh !	देश m. country	लेनदार m. creditor	दैनिक adj. daily
अदेखी adj. jealous	देशवासी m. resident of country	वेतन m. pay, salary	पैर m. foot
अकेला adj. single, lonely	दहेज m. dowry	वेश m. dress	पैसा m. money
आवेग m. force, passion	देह f. body	वेणी f. braid of hair/flowers	फैसला m. decision, verdict
उपदेश m. advice, counsel	नेक adj. good, honest	विवेक m. discrimination, respect	बैल m. ox, bullok
खेल m. play, drama	पेट m. stomach	विजेता m. victor, conqueror	मैदान m. field, ground
चेतावनी f. warning	पेड़ m. tree	विदेश m. foreign	वैभव m. glory, wealth
जेब m. pocket	बेटा m. son	शेर m. lion	वैद m. physician
टेव f. habit	भेंट f. gift, an interview	सेवा f. service	वैरी m. enemy
टेढ़ा adj. skew, curved, bent	भेजा m., v. brain, sent	मेहर f. compassion	शैल m. mountain
ठेका m. contract	मतभेद m. difference of opinion	हेतु m. motive	शैली f. style, fashion
ढेर m. heap	मेहमान m. guest	हेरफेर m. change, transport	शैशव m. childhood
ढेला m. lump	मेरा pron. my, mine	ऐनक f. glasses	सैनिक m. soldier, warrior
तेज m. luster	ये pron. these	गवैया m. singer	हैमवती f. Goddess Parvati

Simple Word Reading • सरल शब्द-वाचन • ओ - ो, औ - ौ

आलोक m. light, lustre	तोता m. parrot	मोहलत f. fixed time	होड f. race, wager, bet
उपयोग m. use	थोड़ा adj. little, some	मोहर f. stamp, seal	हौज़ m. water reservoir
कोप m. anger	दोष m. fault	मोड़ m. turn, bend	होनहार adj. promising
कमज़ोर adj. weak, feeble	दोरी (डोरी) f. string	मोल m. price	औषधालय m. pharmacy, dispensary
खगोलविद्या m. astronomy	पोशाक f. dress	योग m. union, control of senses	कौवा m./कौआ m. crow
गोल adj. round	पोला adj. hollow	योगी m. man practicing yoga	गौरी f. unmarried girl
गोदाम m. godown, warehouse	फोकट adj. in vain	योगिनी f. woman practicing yoga	गौरव m. honour, glory
चोट f. blow, hit	पोता m. grandson	योजना f. plan, scheme	दौड़ f. race, running
चोर m. thief	पोषण m. nutrition	रोग m. disease	दौलत f. wealth
चोरी f. theft	पारितोषिक m. prize, award	रोकड़ f. cash	नौका f. boat
जोखिम m. risk	बोलना v. to speak	लोभ m. greed	मौन m. silence
जो - तो conj. if - then	बोध m. teachings, advice	लोटा m. jug, water pot	मौक़ा m. chance
जोर m. strength	भरोसा m. faith, trust	शोक m. grief, mourning	सौदागर m. merchant
झोली f. bag, pouch	भोजन m. food, dinner	शोर m. noise	सौत f. co-wife
टोपी f. cap, hat	मोह m. attachment	सरोवर m. lake	हौले adv. slowly

Simple Word Reading • सरल शब्द-वाचन • अनुस्वार - ं

अहिंसा f. non-violence	कांटा m. thorn	झंडा m. flag, banner	रंग m. colour, color
अशांति f. absence of peace	कंकड़ m. gravel	टांग f. leg	लंबा adj. long
अंतर m. distance, heart	कंगन m. bracelet	ढोंग m. trick, fraud	शांति f. peace
अनुकंपा f. compassion	कंगाल adj. poor	तंगी f. scarcity, shortage	संकेत m. signal
अहंकार m. pride	कंधा m. shoulder	दंड m. fine, punishment	संत m. saint, sage
अंकुश m. control, restraint	खंड m. part, divison, room	दंपती m. couple	संपद् f. wealth
अंकुर m. sprout, origin	खंभा m. pillar, pole	निंदा f. slander	संतोष m. contentment
अंधा adj. blind	गंगा f. river Ganges	निंदक m. slanderer	संदेश m. message, news
अंदाज m. estimate	गंध f. smell, odour	पंख m. wing	संभव m. possibility
अंक m. number, figure	घंटा m. hour, bell, period	पंछी m. bird	संकट m. danger, adversity
अंगारा m. live burning coal	चिंतन m. thinking	बंदर m. monkey	संयम m. self-restraint
आनंद m. joy	चिंता f. worry, anxiety	भंडार m. store	हंस m. goose, swan
आतंक m. panic, terror	चंद adj. few, some	भांडा m. vessel, pot	हिंसा f. violence
इंतज़ार m. waiting	जंग m. war, battle	मंगल m. welfare, a planet	हिंमत f. courage
उमंग f. zest, gusto	जंजीर f. chain	मंच m. stage, dais, platform	हिंद m. India

4. Composite Alphabet Writing • बारह अक्षर लेखन • *bārah akṣar lekhan*

1. This may seem to be the most boring exercise of all but is **absolutely necessary to compensate for the lack of daily communication,** if you want to master the Hindi language. This will help fix the image of each alphabet and its modified form in the mind permanently, which will help later in reading the Hindi literature.
2. Write only one row horizontally for each letter, each consecutive day. As an example: one row in dots is printed for the first practice.
3. Pronounce the composite alphabet aloud as you write, without fail.
4. Do not write vertically downward in a column.
5. **Do not write more than one line for each alphabet, each day.** Take frequent breaks.
6. Do not try to finish one entire page or one series of alphabet at a time.
7. Exercises may be stopped at any stage, as soon as you gain confidence in recognizing and pronouncing all composite alphabets fluently.
8. If you still find difficulty in reading Hindi words after all pages are completed, repeat the process by writing in your work book.

♥♥♥♥♥♥♥♥♥♥♥♥♥♥♥♥♥♥♥♥♥♥♥♥♥♥

माँ–बाप को भूलना नहीं ।

भूलो सभी को मगर माँ–बाप को भूलना नहीं ।
उपकार अगणित हैं उनके इस बात को भूलना नहीं ।।
पत्थर पूजे कई, तुम्हारे जन्म के खातिर अरे ।
पत्थर बन माँ–बाप का दिल कभी कुचलना नहीं ।।
मुख का निवाला दे अरे जिनने तुम्हें बड़ा किया ।
अमृत पिलाया तुमको जहर उनके लिए उगलना नहीं ।।
कितने लड़ाए लाड़ सब अरमान भी पूरे किये ।
पूरे करो अरमान उनके बात यह भूलना नहीं ।।
लाखो कमाते हो भले, माँ–बाप से ज्यादा नहीं ।
सेवा बिना सब राख है मद में कभी फूलना नहीं ।।
सन्तान से सेवा चाहो, सन्तान बन सेवा करो ।
जैसी करनी वैसी भरनी न्याय यह भूलना नहीं ।।
सोकर स्वयं गीले में, सूलाया तुम्हें सूखी जगह ।
माँ की अमीमय आँखों को, भूलकर कभी भिगोना नहीं ।।
जिसने बिछाये फूल थे हर दम तुम्हारी राहों में ।
उस राहबर के राह के कंटक कभी बनना नहीं ।।
धन तो मिल जायेगा मगर, माँ–बाप क्या मिल पाएँगे ?
पल पल पावन उन चरण की, चाह कभी भूलना नहीं ।।

Composite Alphabet Writing • बारह अक्षर लेखन • *bārah akṣar lekhan*

Pronounce the alphabet aloud as you write. Write only one horizontal row for each letter daily.
DO NOT WRITE VERTICALLY TO FINISH A COLUMN.

अ	आ	इ	ई	उ	ऊ	ए	ऐ	ओ	औ	अं	अः
अ	आ	इ	ई	उ	ऊ	ए	ऐ	ओ	औ	अं	अः
क	का	कि	की	कु	कू	के	कै	को	कौ	कं	कः
क	का	कि	की	कु	कू	के	कै	को	कौ	कं	कः
ख	खा	खि	खी	खु	खू	खे	खै	खो	खौ	खं	खः
ख	खा	खि	खी	खु	खू	खे	खै	खो	खौ	खं	खः

Composite Alphabet Writing • बारह अक्षर लेखन • *bārah akṣar lekhan*

Pronounce the alphabet aloud as you write. Write only one horizontal row for each letter daily.
DO NOT WRITE VERTICALLY TO FINISH A COLUMN.

ग गा गि गी गु गू गे गै गो गौ गं गः

ग गा गि गी गु गू गे गै गो गौ गं गः

घ घा घि घी घु घू घे घै घो घौ घं घः

घ घा घि घी घु घू घे घै घो घौ घं घः

च चा चि ची चु चू चे चै चो चौ चं चः

च चा चि ची चु चू चे चै चो चौ चं चः

Composite Alphabet Writing • बारह अक्षर लेखन • *bārah akṣar lekhan*

Pronounce the alphabet aloud as you write. Write only one horizontal row for each letter daily.
DO NOT WRITE VERTICALLY TO FINISH A COLUMN.

छ	छा	छि	छी	छु	छू	छे	छै	छो	छौ	छं	छः
ज	जा	जि	जी	जु	जू	जे	जै	जो	जौ	जं	जः
झ	झा	झि	झी	झु	झू	झे	झै	झो	झौ	झं	झः

Composite Alphabet Writing • बारह अक्षर लेखन • *bārah akṣar lekhan*

Pronounce the alphabet aloud as you write. Write only one horizontal row for each letter daily.
DO NOT WRITE VERTICALLY TO FINISH A COLUMN.

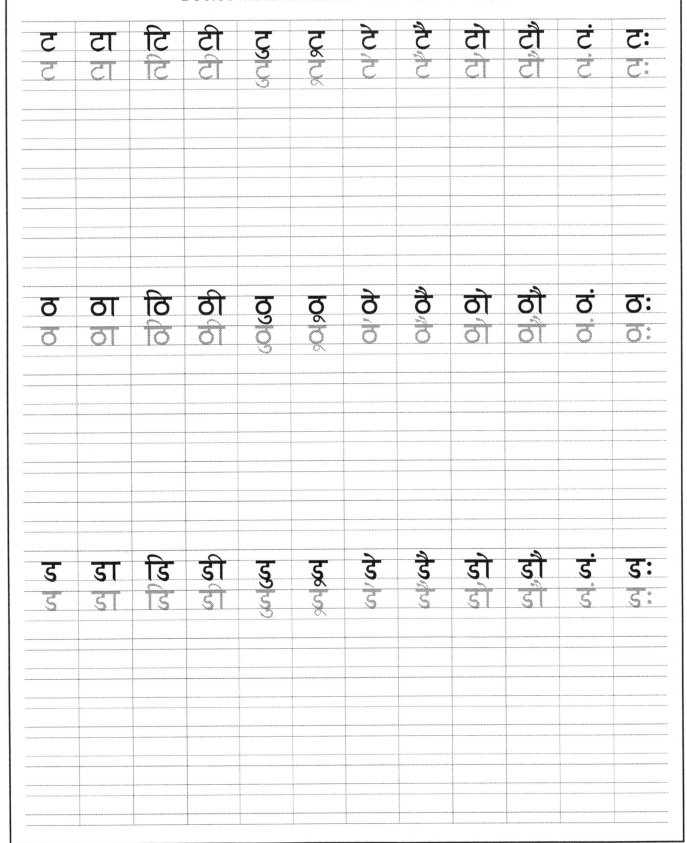

ट	टा	टि	टी	टु	टू	टे	टै	टो	टौ	टं	टः
ट	टा	टि	टी	टु	टू	टे	टै	टो	टौ	टं	टः
ठ	ठा	ठि	ठी	ठु	ठू	ठे	ठै	ठो	ठौ	ठं	ठः
ठ	ठा	ठि	ठी	ठु	ठू	ठे	ठै	ठो	ठौ	ठं	ठः
ड	डा	डि	डी	डु	डू	डे	डै	डो	डौ	डं	डः
ड	डा	डि	डी	डु	डू	डे	डै	डो	डौ	डं	डः

Composite Alphabet Writing • बारह अक्षर लेखन • *bārah akṣar lekhan*

Pronounce the alphabet aloud as you write. Write only one horizontal row for each letter daily.
DO NOT WRITE VERTICALLY TO FINISH A COLUMN.

ढ	ढा	ढि	ढी	ढु	ढू	ढे	ढै	ढो	ढौ	ढं	ढः
ढ	ढा	ढि	ढी	ढु	ढू	ढे	ढै	ढो	ढौ	ढं	ढः
ण	णा	णि	णी	णु	णू	णे	णै	णो	णौ	णं	णः
ण	णा	णि	णी	णु	णू	णे	णै	णो	णौ	णं	णः
त	ता	ति	ती	तु	तू	ते	तै	तो	तौ	तं	तः
त	ता	ति	ती	तु	तू	ते	तै	तो	तौ	तं	तः

Composite Alphabet Writing • बारह अक्षर लेखन • *bārah akṣar lekhan*

Pronounce the alphabet aloud as you write. Write only one horizontal row for each letter daily.
DO NOT WRITE VERTICALLY TO FINISH A COLUMN.

थ	था	थि	थी	थु	थू	थे	थै	थो	थौ	थं	थः
थ	था	थि	थी	थु	थू	थे	थै	थो	थौ	थं	थः
द	दा	दि	दी	दु	दू	दे	दै	दो	दौ	दं	दः
द	दा	दि	दी	दु	दू	दे	दै	दो	दौ	दं	दः
ध	धा	धि	धी	धु	धू	धे	धै	धो	धौ	धं	धः
ध	धा	धि	धी	धु	धू	धे	धै	धो	धौ	धं	धः

Composite Alphabet Writing • बारह अक्षर लेखन • *bārah akṣar lekhan*

Pronounce the alphabet aloud as you write. Write only one horizontal row for each letter daily.
DO NOT WRITE VERTICALLY TO FINISH A COLUMN.

न	ना	नि	नी	नु	नू	ने	नै	नो	नौ	नं	नः
न	ना	नि	नी	नु	नू	ने	नै	नो	नौ	नं	नः

प	पा	पि	पी	पु	पू	पे	पै	पो	पौ	पं	पः
प	पा	पि	पी	पु	पू	पे	पै	पो	पौ	पं	पः

फ	फा	फि	फी	फु	फू	फे	फै	फो	फौ	फं	फः
फ	फा	फि	फी	फु	फू	फे	फै	फो	फौ	फं	फः

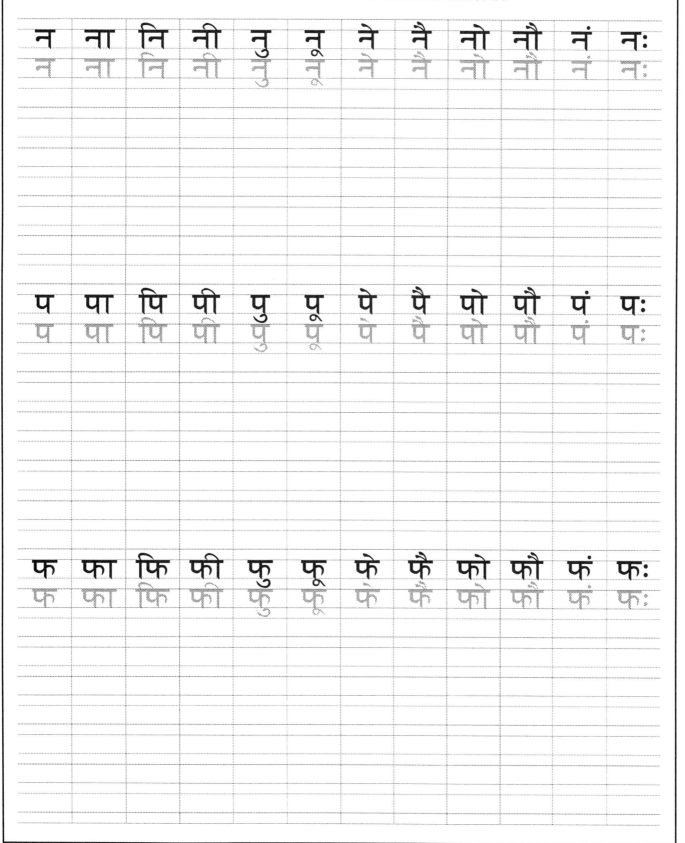

Composite Alphabet Writing • बारह अक्षर लेखन • *bārah akṣar lekhan*

Pronounce the alphabet aloud as you write. Write only one horizontal row for each letter daily.
DO NOT WRITE VERTICALLY TO FINISH A COLUMN.

ब	बा	बि	बी	बु	बू	बे	बै	बो	बौ	बं	बः
ब	बा	बि	बी	बु	बू	बे	बै	बो	बौ	बं	बः
भ	भा	भि	भी	भु	भू	भे	भै	भो	भौ	भं	भः
भ	भा	भि	भी	भु	भू	भे	भै	भो	भौ	भं	भः
म	मा	मि	मी	मु	मू	मे	मै	मो	मौ	मं	मः
म	मा	मि	मी	मु	मू	मे	मै	मो	मौ	मं	मः

Composite Alphabet Writing • बारह अक्षर लेखन • *bārah akṣar lekhan*

Pronounce the alphabet aloud as you write. Write only one horizontal row for each letter daily.
DO NOT WRITE VERTICALLY TO FINISH A COLUMN.

य	या	यि	यी	यु	यू	ये	यै	यो	यौ	यं	यः
य	या	यि	यी	यु	यू	ये	यै	यो	यौ	यं	यः
र	रा	रि	री	रु	रू	रे	रै	रो	रौ	रं	रः
र	रा	रि	री	रु	रू	रे	रै	रो	रौ	रं	रः
ल	ला	लि	ली	लु	लू	ले	लै	लो	लौ	लं	लः
ल	ला	लि	ली	लु	लू	ले	लै	लो	लौ	लं	लः

Composite Alphabet Writing • बारह अक्षर लेखन • *bārah akṣar lekhan*

Pronounce the alphabet aloud as you write. Write only one horizontal row for each letter daily.
DO NOT WRITE VERTICALLY TO FINISH A COLUMN.

व	वा	वि	वी	वु	वू	वे	वै	वो	वौ	वं	वः
व	वा	वि	वी	वु	वू	वे	वै	वो	वौ	वं	वः
श	शा	शि	शी	शु	शू	शे	शै	शो	शौ	शं	शः
श	शा	शि	शी	शु	शू	शे	शै	शो	शौ	शं	शः
ष	षा	षि	षी	षु	षू	षे	षै	षो	षौ	षं	षः
ष	षा	षि	षी	षु	षू	षे	षै	षो	षौ	षं	षः

Composite Alphabet Writing • बारह अक्षर लेखन • *bāraha akṣara lekhana*

Pronounce the alphabet aloud as you write. Write only one horizontal row for each letter daily.
DO NOT WRITE VERTICALLY TO FINISH A COLUMN.

स सा सि सी सु सू से सै सो सौ सं सः
स सा सि सी सु सू से सै सो सौ सं सः

ह हा हि ही हु हू हे है हो हौ हं हः
ह हा हि ही हु हू हे है हो हौ हं हः

क्ष क्षा क्षि क्षी क्षु क्षू क्षे क्षै क्षो क्षौ क्षं क्षः
क्ष क्षा क्षि क्षी क्षु क्षू क्षे क्षै क्षो क्षौ क्षं क्षः

ज्ञ ज्ञा ज्ञि ज्ञी ज्ञु ज्ञू ज्ञे ज्ञै ज्ञो ज्ञौ ज्ञं ज्ञः
ज्ञ ज्ञा ज्ञि ज्ञी ज्ञु ज्ञू ज्ञे ज्ञै ज्ञो ज्ञौ ज्ञं ज्ञः

त्र त्रा त्रि त्री त्रु त्रू त्रे त्रै त्रो त्रौ त्रं त्रः
त्र त्रा त्रि त्री त्रु त्रू त्रे त्रै त्रो त्रौ त्रं त्रः

श्र श्रा श्रि श्री श्रु श्रू श्रे श्रै श्रो श्रौ श्रं श्रः
श्र श्रा श्रि श्री श्रु श्रू श्रे श्रै श्रो श्रौ श्रं श्रः

5. Complex Words • संकुल शब्द • *saṃkul śabd*

Conjunct Consonants :

1. The next three pages should be studied thoroughly to understand different forms of conjunct consonants. Once this is mastered, almost any word in Hindi can be read without the help of transliteration.
2. Additional reading exercises are presented in subsequent pages by listing difficult words which contain conjuct consonants.
3. Read these words and try to understand their meaning. These words are used in the essays in Hindi in the chapter 10 : *Read, Think and Translate.*
4. Continue forming Hindi phrases and sentences using the words you have learned and you already know. See instructions in the chapter 6 on *Vocabulary* and select adjectives and verbs from this chapter. See pages 92 and 201 for Hindi sentence construction.
5. See chapter 7 : *Conversations in Hindi* to get some feel about Hindi sentences.

Adjectives :

1. Adjectives are tabulated here as a reading exercise and are arranged in the alphabetical order for the English word.
2. This will help in the future in finding corresponding adjectives in Hindi easily.
3. See chapter 8 on *Fundamentals of Grammar : Adjectives* for proper use of adjectives. Page 176

Verbs :

1. Verbs are tabulated here as a reading exercise and are arranged in the alphabetical order for the English word.
2. This will help in the future in finding corresponding verbs in Hindi easily.
3. See chapter 8 on *Fundamentals of Grammar : Verbs* for proper use of verbs. Page 179

★ ★

विचार कीजिये ।

गुस्साः अक्ल को खा जाता है ।
अहंकारः मन को खा जाता है ।
चिन्ताः आयु को खा जाती है ।
रिश्वतः इन्साफ को खा जाती है ।
लालचः ईमान को खा जाता है ।
दुनिया का सबसे बढ़िया ज़ेवर आपकी अपनी मेहनत है ।
दुनिया में सबसे अच्छा साथी आपका अपना निश्चय है ।

Complex Words • संकुल शब्द • *saṃkul śabd*

A consonant when joined with one or more consonants becomes a conjunct consonant.

List of most common conjunct consonants

क् + क = क्क	KKA	घुमक्कड	A Rover	अ रोवर
क् + र = क्र	KRA	क्रम	Serial order	सिरियल ऑर्डर
न् + न = न्न	NNA	भिन्न	Different	डिफरंट
त् + त = त्त	TTA	सत्ता	Power	पावर
ल् + ल = ल्ल	LLA	गल्ला	Counter	काउंटर
ट् + ट = ट्ट	ṬṬA	टट्टार	Upright	अपराइट
क् + ल = क्ल	KLA	शुक्ल	White	व्हाइट
क् + त = क्त	KTA	भक्त	Devotee	डिवोटी
ख् + य = ख्य	KHYA	विख्यात	Famous	फेमस
ग् + न = ग्न	GNA	लग्न	Marriage	मेरेज
ग् + र = ग्र	GRA	ग्रह	Planet	प्लेनेट
घ् + न = घ्न	GHNA	विघ्न	Obstacle	ऑब्स्टेकल
च् + छ = च्छ	CCHA	इच्छा	Wish	विश
च् + च = च्च	CCA	सच्चाई	Truthfulness	ट्रुथफुलनेस
ज् + व = ज्व	JVA	ज्वर	Fever	फीवर
ठ् + ठ = ठ्ठ	ṬHṬHA	चिठ्ठी	Chit, note	चिट्, नोट
त् + प = त्प	TPA	उत्पन्न	Born, Produce	बोर्न, प्रॉड्युस
ध् + य = ध्य	DHYA	ध्यान	Meditation	मेडिटेशन
स् + व = स्व	SVA	स्वप्न	Dream	ड्रीम

Complex Words • संकुल शब्द • *saṃkul śabd*

ङ + ग = ङ्ग	NĠA	अंग	Body	बोडी
ञ् + ज = ञ्	NJA	अंजीर	Fig	फिग
ण् + ठ = ण्ठ	ṆṬHA	कण्ठ	Throat	थ्रोट
न् + त = न्त	NTA	अन्तर	Distance	डिस्टन्स
न् + ध = न्ध	NDHA	अन्ध	Blind	ब्लाइंड
प् + र = प्र	PRA	विप्र	Brahmin	ब्राह्मिन
म् + र = म्र	MRA	नम्र	Humble	हम्बल
भ् + र = भ्र	BHRA	अभ्र	Sky	स्काय
ज् + र = ज्र	JRA	वज्र	Strong weapon	स्ट्रोंग वेपन
र् + य = र्य	RYA	कार्य	Deed	डीड
र् + प = र्प	RPA	सर्प	Snake	स्नेइक
ट् + र = ट्र	ṬRA	राष्ट्र	Nation	नेशन

Note : When र follows a consonant it is written as :

क् + र = क्र (चक्र), ज् +र = ज्र (वज्र)

ट् + र = ट्र (राष्ट्र), त् + र = त्र (पत्र)

When it precedes a consonant or ऋ

It is denoted by the sign ' र्' ' (called रेफ - ref), e. g., अर्क, मर्म, कर्म, धर्म, नैर्ऋत्य etc.

Complex Words • संकुल शब्द • *saṃkul śabd*

Certain consonant characters acquire special forms in certain combination

क् + ष = क्ष	KṢA	**लक्ष**	Lakh	लेख
ज् + ञ = ज्ञ	JNA	**ज्ञान**	Knowledge	नॉलेज
द् + ध = द्ध	DDHA	**उद्धार**	Deliverance	डिलिवरन्स
द् + व = द्व	DVA	**द्वारा**	Through	थ्रू
द् + ऋ = दृ	DRI	**दृश्य**	Scene	सीन
द् + य = द्य	DYA	**खाद्य**	Edible	एडिबल
द् + म = द्म	DMA	**पद्म**	Lotus	लोटस
ध् + ध = ध्ध	DDHA	**बध्ध**	Bound	बाउंड
श् + र = श्र	ŚRA	**श्रम**	Effort	एफर्ट
श् + व = श्व	ŚVA	**विश्व**	World	वर्ल्ड
श् + च = श्च	ŚCA	**निश्चय**	Determination	डिटर्मिनेशन
ह् + ऋ = हृ	HRI	**हृदय**	Heart	हार्ट
ह् + न = ह्न	HNA	**मध्याह्न**	Noon	नून
ह् + म = ह्म	HMA	**ब्रह्मा**	Brahma	ब्रह्मा
ह् + य = ह्य	HYA	**बाह्य**	Exterior	एक्सटिरियर
ह् + र = ह्र	HRA	**ह्रस्व**	Short	शोर्ट
त् + र = त्र	TRA	**पत्र**	Letter	लेटर
ध् + ऋ = धृ	DHRI	**धृत**	Purified Butter	प्योरिफाईड बटर
द् + द = द्द	DDA	**मुद्दत**	Fixed Period	फिक्स्ड पीरियड

Word Reading • शब्द-वाचन • *śabda-vācan*

अकस्मात् adv. accidentally, sudden	उत्सव m. festivity	ख्याति f. reputation	ज्योति f. light, lustre
अग्नि f. fire	उत्साह m. zeal	ख़्वाब m. dream	ज्वर m. fever
अन्न m. corn, grain	उद्घाटन m. opening	गुप्त adj. secret	ज्वाला f. blaze
अमृत m. nectar	उपलब्ध adj. available	ग्रह m. / गृह m. planet/house, residence	झक्की adj. crazy, eccentric
अव्वल adj. first	उपस्थित adj. present	ग्रीष्म m. summer	डिब्बा m. box, compartment
अस्थि f. bone	उष्ण adj. warm	घनिष्ठ adj. close, intimate	ढक्कन m. cover, lid, top
अस्पताल m. hospital	कन्या f. girl, daughter	चक्कर m. circle, round	तत्पर adj. ready
आत्महत्या f. suicide	क़ब्जा m. possesion	चक्र m. wheel	तरक्की f. progress
आदर्श m. ideal	कार्य m. work	चम्मच m. spoon	तर्क m. reason, logic
आरोग्य m. health	कार्यक्रम m. program	चर्चा f. talk, discussion	तुल्य adj. equal
आहिस्ता adv. slowly	कार्यालय m. office	चित्र m. picture	त्यौहार m. festival
इम्तहान m. examination	कृषि f. agriculture	छत्र m. umbrella	दफ्तर m. office
इस्तीफ़ा m. resignation	केन्द्रीय adj. central	छात्र m. pupil, student	दर्द m. pain, ache
उच्च adj. high, loud	क्या pron. what	जन्म m. birth	दस्तावेज m. deed, document
उत्तीर्ण adj. passed	खत्म adj. finished	जल्दी f. hurry	दोस्त m. friend

Word Reading • शब्द-वाचन • *śabda-vācan*

धन्यवाद m. thanks	फर्ज m. duty	यथार्थ m. reality	व्यायाम m. exercise
धर्म m. religion	फव्वारा m. fountain	यात्री m. passenger	शक्ति f. power, strength, force
ध्वज m. flag, banner	बंदोबस्त m. management	रक्त m. blood	शब्द m. word, sound
निर्वाचन m. election	ब्याज m. interest	रफ्तार f. speed	शीर्षक m. heading
निवृत्त adj. retired	ब्याह m. marriage, wedding	रहस्य m. secret, mystery	शुल्क m. fees
न्याय m. justice	भविष्य m. future	राज्य m. state	श्वास m. breath
पक्षी m. bird	भ्रमण m. travelling	रिश्ता m. relation	षड्यन्त्र m. plot, conspiracy
पत्नी f. wife	भ्रष्टाचार m. corruption	लफ्ज़ m.; शब्द word	सदस्य m. member
पत्र m. letter	मरम्मत f. repair (s)	वक्ता m. speaker	समस्या f. problem
परिश्रम m. work, labour, labor	मात्रा f. quantity	वन्य adj. wild	सस्ता adj. cheap
पर्यटन m. tourism	माध्यम m. medium	वर्षा f. rain	हत्या f. murder
प्रकाश m. light	मित्र m. friend	वाक्य m. sentence	हफ्ता m. week
प्रकृति f. nature	मुल्क m. country	विक्रेता m. seller, vendor	हर्ष m. joy
प्रवाह m. flow	मुस्कान f. smile	व्यक्ति m. person	हास्य m. humour, a laugh
प्रेम m. love	यत्न m. effort	व्यस्त adj. busy	हिस्सा m. part

Adjectives • विशेषण

a lot अ लोट	बहुत	blissful ब्लिसफुल	मंगल, शुभ
above अबाव	ऊपर	brave ब्रेव	बहादुर
accomplished अकम्प्लिश्ड	सिद्ध	broad ब्रॉड	चौड़ा
active एक्टिव	सक्रिय, चंचल	bright ब्राइट	उज्ज्वल, दिप्तीमान
advantageous एड्वान्टेजीयस	फायदेमंद	brilliant ब्रिलियंट	तेजस्वी
agile एजाइल	चपल	careful केरफुल	सावधान, होशियार
alien एलीयन	परदेशी, अनजाना	cheap चीप	सस्ता
all ऑल	सब, समस्त	clean / neat क्लीन / नीट	स्वच्छ
angry एंग्री	क्रोधी, गुस्सैल	clear क्लीयर	स्पष्ट
at cost एट कॉस्ट	मूल लागत	clever क्लेवर	चतुर, होशियार
awake अवेइक	जाग्रत	cold कोल्ड	ठंडा
bad बॅड	बुरा	common कॉमन	सामान्य
beautiful ब्युटीफुल	सुंदर - खूबसूरत	complete कम्पलीट	पूरा, संपूर्ण
below बीलो	नीचे	constant कॉन्स्टंट	सतत, अविरत
beneficial बॅनीफिशियल	हितकारी	cowardly कावर्डली	कायरता से, बुज़दिली से
best बेस्ट	परम, उत्तम	cruel क्रुअल	क्रूर, निर्दय, घातकी
better बेटर	ज्यादा, अच्छा	crystal clear क्रीस्टल क्लिअर	बिलोरी
big बिग	बड़ा	daily डेइली	प्रतिदिन, रोज़ाना
bitter बीटर	कड़ुआ	dead डेड	मृत, मरा हुआ
blind ब्लाइंड	अंधा	deaf डेफ	बहरा

Adjectives • विशेषण

dear डीयर	प्रिय, प्यारा	entire एंटायर	समूचा, सकल
dear डीयर	महँगा, कीमती	equal इक़्वल	समान, सरीखा
dependent डीपेन्डंट	पराधीन, आश्रित	equal इक्वल	समान
deserving डीज़रविंग	लायक, योग्य	essential एसेन्शीयल	आवश्यक
different डिफरंट	विविध	everyone एवरीवन	प्रत्येक
difficult डीफीकल्ट	मुश्किल, विकट	excellent एक्सेलंट	उमदा
disappointed डिसअपोइंटेड	हताश, निराश	excessive एक्सेसिव	अत्यंत, अत्यधिक
dirty डर्टी	गंदा, मलिन, मैला	exclusive एक्सक्लुजिव	असाधारण, विशिष्ट
dishonest डीसओनेस्ट	कपटी, धूर्त, ठग	expensive एक्सपेन्सिव	महँगा
disgraced डिसग्रेइस्ड	बदनाम	expressed एक्सप्रेस्ड़	व्यक्त
dismiss डिसमिस	निकाल देना, खारिज करना	extravagant एक्स्ट्रावेगंट	उड़ाऊ, खर्चीला
distant डिस्टंट	दूर का, फासले पर	false फोल्स	गलत, झूठा
divine डिवाइन	दैवी	famous फेमस	प्रसिद्ध, मशहूर
dry ड्राय	सूखा	fat फॅट	तगड़ा, मोटा
dusty डस्टी	मैला, धूलवाला, धूल भरा	few फ्यू	थोड़ा, कम
early अर्ली	जल्दी, शीघ्र	firm फर्म	पक्का, दृढ
easy इझी	सरल	fine फाइन	अच्छा, सुंदर
educated एज्युकेटेड	पढ़ा-लिखा, शिक्षित	first फर्स्ट	पहला, प्रथम
empty एम्प्टी	खाली	fit फिट	लायक
endless एन्डलेस	अनंत	flat फ्लेट	सतही, चौपट, चपटा

Adjectives • विशेषण

following फॉलोइन्ग	नीचे का, अनुगामी	heavy हेवी	भारी, बोझदार
foolish फूलीश	मूर्ख, मूढ, बेवकूफ़	helpless हॅल्पलेस	लाचार, बेचारा
formal फॉर्मल	औपचारिक	high हाई	ऊँचा
fragile फ्रेजाइल	भंगुर, कमज़ोर	honest ऑनेस्ट	प्रामाणिक, ईमानदार
free फ्री	मुक्त, स्वतंत्र	holy होली	पवित्र
fresh फ्रेश	ताज़ा, हरा	hot हॉट	गर्म
full फूल	पूर्ण	hopeful होपफुल	आशावादी, आशास्पद
gay / Glad गे / ग्लेड	खुश, आनंदित	hungry हन्ग्री	भूखा
gentle जेन्टल	नम्र	inaccessible इनएक्सेसिबल	गहन
generous जनरस	उदार	inactive इनएक्टिव	निष्क्रिय
good गुड	अच्छा, भला	idle आइडल	आलसी
great ग्रेट	बड़ा, महान	ill इल	बीमार, मरीज़
greatest ग्रेटेस्ट	सबसे बड़ा	immovable इम्मुवेबल	अचल
greedy ग्रीडी	लोभी, लालची	important इमपोरटंट	महत्त्वपूर्ण, जरूरी
green ग्रीन	हरा, हरियाली	industrious इन्डस्ट्रीयस	उद्यमी, परिश्रमी
handicapped हॅन्डिकेप्ड	अपंग, विकलांग	inevitable इनएविटेबल	ज़रूरी, लाज़मी
happy हेपी	सुखी, खुश	innocent इनोसंट	निर्दोष
hard हार्ड	कठिन, सख्त	insignificant इनसिग्निफिकंट	अल्प
hasty हेस्टी	अधीर, त्वरित	Insipid इनसिपिड	नीरस, निर्जीव
healthy हेल्धी	तंदुरस्त, निरोगी	intense इंटेन्स	उत्कट

Adjectives • विशेषण

jealous जेलस	ईर्ष्यालू	lucky लकी	भाग्यवान
just जस्ट	न्यायी	mad मॅड	पागल, दिवाना
Kind काइन्ड	दयालु	many मॅनी	बहुत, अनेक
known नोन	जानापहचाना, परिचित	many times मॅनी टाइम्स	कई बार, कई गुना
lame लेइम	लँगड़ा	mean मीन	स्वार्थी
large लार्ज	बड़ा	mighty माइटी	प्रबल
last लास्ट	अंतिम	more मॉर	ज्यादा
late लेइट	देर से	naked नॅकेड	नंगा, नग्न
late लेइट	स्वर्गीय, मरहूम	narrow नॅरो	संकरा, तंग
lazy लेझी	आलसी	natural नेचरल	सहज, पाकृतिक
lean लीन	पतला	naughty नॉटी	नटखट
lifeless लाइफलेस	जड़	near नीअर	नज़दीक
light लाइट	हल्का	necessary नेसेसरी	आवश्यक, जरूरी
light लाइट	हल्का / अल्प भार का	never failing नॅवर फेइलिंग	रामबाण
little लिटल	छोटा, थोड़ा	new न्यू	नया
living लिविन्ग	जीवित	next नॅकस्ट	अगला
long लॉन्ग	लम्बा	noble नॉबल	कुलीन, उदात्त, उत्तम
longing लॉन्गिन्ग	तरसना, लालचित होना	nourished नरिश्ड	पुष्टिकर, पौष्टिक
low लो	ओछा, छोटा, नीचा	obstructing ऑब्स्ट्रक्टिन्ग	रुकावट डालना, विघ्न डालना
loose लूझ	ढीला, शिथील	old ओल्ड	पुराना

Adjectives • विशेषण

open ओपन	खुला	ready रेडी	तैयार
opposite ओपोझिट	विरोधी, सामने	rich रीच	धनवान, धनिक, धनी
particular पर्टिक्युलर	विशिष्ट, खास	right राइट	सच्चा , सही
permanent परमेनंट	स्थायी	ripe राइप	पक्का
plentiful प्लॅंटिफुल	प्रचुर, विपुल	ripe राइप	पका हुआ
poor पूअर	गरीब, निर्धन, रंक	rough रफ	खुरदरा
powerful पावरफुल	बलवान, शक्तिशाली	round राउंड	गोल
present प्रेसंट	उपस्थित, हाजिर	ruined रुइन्ड	बरबाद
principal प्रिन्सिपाल	आचार्य, मुख्य, प्रधान	sad / sorry सॅड / सॉरी	दिलगीर, उदास
prominent प्रोमिनंट	स्पष्ट	salty सोल्टी	नमकीन
prosperous प्रोस्परस	आबाद, समृद्ध	scholarly स्कोलर्ली	विद्वत्तापूर्ण
private प्राइवेट	निजी, खुफिया	separate सेपरेट	अलग
proud प्राउड	अभिमानी	sharp शार्प	तीक्ष्ण
pungent पंजेंट	तीखा	short शोर्ट	छोटा
public पब्लिक	जनता	shown शॉन	दिखाना, प्रकट करना
pure प्योर	शुद्ध, निर्मल	simple सिम्पल	सादा, सरल
quarrelsome कुवोरलसम	झगडालू	slow स्लो	धीरा, मंद
quiet कुवायेट	शांत	small स्मॉल	छोटा, छोटी , लघु
quick क्विक	जल्दी	smart स्मार्ट	चालाक
raw रॉ	कच्चा	smooth स्मूध	चिकना, आकर्शक

Adjectives • विशेषण

social	सोशियल	सामाजिक
soft	सॉफ्ट	नरम, मुलायम
sour	सावर	खट्टा
standing	स्टेन्डिंग	खड़ा
straight	स्ट्रेइट	सीधा
strict	स्टिइक्ट	कड़ा, कठोर
strong	स्ट्रोंग	मजबूत
stupid	स्टुपिड	मूर्ख
subdued	सबड्यूड	वशीभूत
sweet	स्वीट	मधुर, मीठा
swift	स्विफ्ट	त्वरित
tall	टॉल	ऊँचा
tasteless	टेइस्टलेस	स्वादहीन
tender	टेन्डर	कोमल, नर्म
terrible	टेरिबल	भयानक
thick	थीक	मोटा, घना
thin	थीन	पतला
thirsty	थर्स्टी	प्यासा
thorny	थोर्नी	कंटकपूर्ण
tight	टाइट	तंग, सखत
timid	टिमिड	भीरू, डरपोक
tired	टायर्ड	श्रमित, थका हुआ
towards	टुवर्डस्	ओर, दिशा में, तरफ
transparent	ट्रान्सपरंट	पारदर्शी
true	ट्रू	सच्चा
ugly	अग्ली	कुरूप, बदसूरत
unanimous	युनेनिमस	एकमत, एकजूट
unbroken	अनब्रोकन	अटूट
undivided	अनडिवाइडेड	अविभक्त
unfit	अनफीट	नालायक, अयोग्य
unfortunate	अनकोर्च्युनेट	अभागी, कमनसीब
unparallel	अनपेरेलल	बेजोड़
unsuccessful	अनसक्सेसफुल	निष्फल, असफल, विफल
useful	युझफूल	उपयोगी
useless	युझलेस	निरुपयोगी, निकाम
warm	वोर्म	गर्म
watchful	वोचफूल	जागरूक, सावधान
weak	वीक	अशक्त, निर्बल
wealthy	वेल्थी	मालदार
well settled	वेल सेटल्ड	मालदार

Adjectives • विशेषण

wet वेट	भीगा हुआ	worldly वर्ल्डली	दुनियाई, इहलौकिक
whole होल	समग्र अखंडित	woven वोवन	बुना हुआ, बुनी हुई, बुने हुए
wide वाइड	चौड़ा	wrong रॉन्ग	झूठ
wild वाइल्ड़	जंगली	young यंग	छोटा, तरुण
wise वाइज़	समझदार, बुद्धिमान	youthful यूथफुल	जवान, युवा
without विधाउट	सिवा, सिवाय, वंचित	zigzag झीगझेग	टेढ़ामेढ़ा

Add adjectives that are not listed above but you have come to know.

Verbs • क्रियापद

abduct एब्डक्ट	भगाना	be puffed up बी पफ्ड अप	छकना, बहकना
abolish एबोलीश	नाबूद करना	be satisfied बी सेटिसफाइड	अघाना, तृप्त होना
accept एक्सेप्ट	स्वीकार करना	bear बेर	सहना
accomplish एकम्पलीश	पूरा करना	beat बीट	पीटना, मारना
adopt एडप्ट	अपनाना, दत्तक लेना	become, be बीकम	बनना, होना
advance एडवान्स	बढ़ना	begin बीगिन	शुरू करना
amass अमास	इकट्ठा करना	behave बीहेइव/बीहेव	बरतना, व्यवहार करना
answer आन्सर	जवाब देना	believe बिलीव	विश्वास करना
apply अप्लाय	लगाना, प्रयोग में लाना	bend बेंड	झुकना, मुड़ना
arrive अराइव	आना, पहुँचाना	boil बोइल	उबालना
ask आस्क	पूछना, माँगना	break ब्रेक	तोड़ना
assume ॲस्यूम	अनुमान करना	bring ब्रिंग	लाना
astonish एस्टोनीश	चौंकना	bring to life ब्रिंग टू लाइफ	सजीवन करना
attain अटेइन	पाना	burn बर्न	जलना
avoid अवोइड	टालना	buy बाय	खरीदना
bark बार्क	भौंकना	cancel कॅन्सल	रद्द करना
bathe बेध	नहाना	carry कॅरी	ले जाना, उठाना
be able बी एबल	हो सकना, समर्थ होना	carry out कॅरी आउट	अमल करना
be afraid बी अफ्रेइड	घबराना	cause कॉझ	उपजाना
be caught बी कॉट	पकड़ा जाना	change चेइन्ज	बदलना

Verbs • क्रियापद

cheat चीट	ठगना	decide डीसाइड	तय करना, ठानना
choose चूझ	पसंद करना	decline डीक्लाइन	नकारना
clean क्लीन	साफ करना	decrease डीक्रीझ	घटना
climb क्लाइम्ब	चढ़ना	descend डीसेंड	उतरना, गिरना
cling क्लिंग	लग जाना, चिपकना	die डाई	मरना
clothe क्लोध	कपड़े पहनना	dig डिग	खोदना
come कम	आना	dine डाइन	खाना
compare कम्पेर	तुलना करना	do डु	करना
compose कम्पोझ	रचना	doubt डाउट	शंका करना
cook कूक	पकाना	draw ड्रॉ	खींचना, चित्र खींचना
count काउंट	गिनना	drink ड्रिंक	पीना
cover कवर	ओढ़ना	drive ड्राइव	चलाना
create क्रीएट	सर्जन करना	drown ड्राउन	डूबना, डुबाना
cremate क्रीमेट	अग्निसंस्कार करना	eat ईट	खाना
cross over क्रॉस ओवर	पार करना, लाँधना	eat (by birds) ईट (बाय बर्ड्स)	चुगना
crush क्रश	रौंदना	endure एंडयोर	टिकना, सहना
cry क्राय	रोना	enjoy एंजोय	आनंद करना, आनंद मनाना
cut कट	काटना	expect ॲक्सपेक्ट	अपेक्षा करना
dance डान्स	नाचना	explain ॲक्सप्लेइन	समझाना, स्पष्ट करना
deceive डिसीव	ठगना	express इक्सप्रेस	व्यक्त करना

Verbs • क्रियापद

fall फॉल	गिरना	grind ग्राइंड	पीसना
fear फीयर	डरना	happen हॅपन	होना
feed फीड	खिलाना	harvest हार्वेस्ट	लुनना, काटना
fight फाइट	लड़ना	hear हीयर	सुनना
find फाइंड	खोजना	hide हाइड	छिपना, छिपाना
finish फिनिश	पूरा करना	hire हायर	किराये पर लेना
follow फॉलो	अनुसरण करना	hold होल्ड	पकड़ना
forget फरगेट	भूलना	hope होप	आशा करना, उम्मीद करना
forgive फरगीव	माफ करना	hurt हर्ट	दुःखी होना, दुःखी करना
gain गेइन	पाना, लाभ होना	include इन्क्लुड	समाना
get गेट	पाना	increase इन्क्रीझ	बढ़ाना
get up गेट अप	उठना, जगना	inform इन्फोर्म	बताना, जताना, जनाना
give गिव	देना	inspire इन्स्पायर	प्रेरित करना
give up गिव अप	तजना, छोड़ना	invite इन्वाइट	आमंत्रित करना
go गो	जाना	is इझ	है
go away गो अवे	चला जाना	is not इझ नोट	नहीं है
go back गो बेक	मुड़ना, लौटना	jump जम्प	कूदना, उछलना
go in गो इन	भीतर जाना	keep कीप	रखना
go out गो आउट	बाहर जाना	keep promise कीप प्रोमिस	वचन पालना
go up गो अप	ऊपर जाना	know नो	जानना, पहचानना

Verbs • क्रियापद

laugh लाफ	हँसना	pay off पे ऑफ	चुकाना
learn लर्न	पढ़ना, खींचना	perform परफोर्म	बजाना, अदा करना
light लाइट	जलाना	pervade परवेइड	व्यापना
like लाइक	पसंद करना	play प्ले	खेलना
listen लीसन	सुनना	please प्लीझ	खुश करना
live लीव	जीना	pray प्रे	भजना
loiter लॉइटर	भटकना	prepare प्रीपेर	तैयार होना, सज्ज होना
lose लूझ	खोना	prevent प्रीवेंट	रोकना
make मेइक	बनाना	print प्रींट	छापना
make stop मेइक स्टोप	रोक देना	produce प्रोड्युस	पैदा करना, प्रस्तुत करना
marry मॅरी	ब्याहना, शादी करना	prove प्रूव	सिद्ध करना, साबित करना
meet मीट	मिलना	punish पनीश	सजा करना , सजा देना
melt मेल्ट	गलना, पिघलना	put पुट	रखना
mix मीक्ष	इकट्ठा करना	put to sleep पुट टु स्लीप	सुलाना, मार देना, मारना
mount माउंट	चढ़ाना	quarrel क्वॉरल	लड़ना
move मूव	हिलाना	reach रीच	पहुँचना
move about मूव अबाउट	घूमना, फिरना	read रीड	पढ़ना
obey ऑबे	आज्ञाकारी होना	remember रीमेम्बर	याद रखना
offer ऑफर	पेश करना	repair रीपेर	सँवारना
open ओपन	खोलना	repent रीपेंट	पछताना

Verbs • क्रियापद

resolve रीझोल्व	संकल्प करना	sing सींग	गाना
rest रेस्ट	आराम करना	sit सीट	बैठना
result in रीझल्ट इन	परिणत होना	sleep स्लीप	सो जाना
return रीटर्न	लौटाना, लौटना	smell स्मेल	सूँघना
rise राइझ	जगना	smile स्माइल	मुस्कराना
roaming रोमिंग	भटकना	smoke स्मोक	धूम्रपान करना
run रन	दौड़ना	speak स्पीक	बोलना
run away रन अवे	भाग जाना	spend स्पेंड	खर्च करना
salute सेल्युट	वंदन करना, सलाम करना	split स्प्लिट	लुढकाना, उड़ेलना
say से	कहना	spit स्पिलट	थूँकना
scatter स्कॅटर	बिखरना	spread स्प्रेड	फैलाना, बिछाना
search सर्च	खोजना	sprout स्प्राउट	अंकुराना, फूटना
see सी	देखना	stand स्टॅन्ड	खड़ा रहना
sell सेल	बेचना	stay स्टे	रहना, रुकना, बसना
send सेंड	भेजना	steal स्टील	चोरी करना
serve सर्व	नौकरी करना	store स्टोर	संग्रह करना, जमा करना
serve food सर्व फूड	परोसना	stretch स्ट्रेच	खींचना
sew स्यू	सीना	strike स्ट्राइक	प्रहार करना
show शो	दिखाना	strike (at work) स्ट्राइक (अेट वर्क)	हड़ताल करना
shut शट	बंध करना	suck सक	चूसना

Verbs • क्रियापद

suffer सफर	सहना	tie टाइ	बांधना
suffocate सफोकेट	घूटन महसूस करना	tolerate टॉलरेट	सह लेना
suggest सजेस्ट	सूचित करना, सुझाव देना	toss टॉस	उछालना
sum सम	गिनना, हिसाब लगाना	train ट्रेइन	तालीम देना
sup सप	घूँट घूँट लेना	transmit ट्रांसमीट	प्रसारित करना, संचार करना
suppress सप्रेस	दबाना	travel ट्रावेल	यात्रा करना
swim स्वीम	तैरना	try ट्राय	प्रयास करना
swing स्वींग	झुलना, डोलना	try ट्राय	कोशिश करना
talk टॉक	बोलना, बातचीत करना	turn टर्न	पीछे घूमना
take टेइक	लेना	understand अंडरस्टेन्ड	समझना
take revenge टेइक रीवेंज	बदला लेना	undo अनडू	रद्द करना, मिटाना
taste टेस्ट	चखना, स्वाद लेना	uplift अपलिफ्ट	उठाना, उत्कर्ष करना
teach टीच	सिखाना	use युझ	उपयोग में लाना
tear टेर	फाड़ना	utter अटर	बोलना
tease टीझ	चिढ़ाना	wait वेइट	प्रतीक्षा करना
tell टेल	बताना	wake वेइक	जागना
terminate टर्मिनेट	अंत , साफ करना	walk वॉक	चलना
thank थेंक	धन्यवाद	want वॉन्ट	माँगना, चाहना
think थींक	सोचना	wash वॉश	धोना, स्वच्छ करना
throw थ्रो	फेंकना	wear वेर	पहनना

Verbs • क्रियापद

weave वीव	बुनना	worship वर्शिप	पूजना, भक्ति करना
weigh वे	तौलना	write राइट	लिखना
wish विश	इच्छा करना	yawn यॉन	जम्हाना
wither विधर	सूखना, कुम्हलाना	yearn यर्न	आकांक्षा करना
work वर्क	काम करना	yield यील्ड	उत्पादन करना

Add verbs that are not listed above but you have come to know.

6. Vocabulary • शब्द संग्रह • *śabd saṃgrah*

1. Read every word on each page and try to understand and remember it.
2. An easy way to remember new words is to try to make a short sentence using each word and write it in your work book. The sentence may be one from your daily conversations. This will also help you learn the language quickly.
3. While trying to make sentences without knowing grammar, it is natural to make mistakes. Let the persons conversing with you (if they know Hindi) make corrections. This way you will learn and benefit from their knowledge.
4. If you have started reading other Hindi books, you will have very little difficulty forming sentences.
5. **Sentence construction**:

   (a) Arrangement of words in constructing a sentence in Hindi:
   - Subject, object, adverb and verb.
   - Adjectives are placed before the nouns qualified.
   - Adverbs of time and place are placed before or after the subject, or after the object.

   (b) Gender and number of the verb:
   - If in a sentence there are two or more subjects of the same gender, the verb takes the gender of the subjects and plural number.
   - If subjects are of different genders, the verb takes gender of the last subject and plural number.
   - If subjects are in first, second and third persons, the verb is in first person and plural number.
   - If subjects are in the first and second persons, the verb is in first person and plural number.
   - If subjects are in first and third persons, the verb is in first person and plural number.
   - If subjects are in second and third persons, the verb is in second person and plural number.

   (c) Kinds of Sentences:
   - Simple (सरल): There is one subject and one main verb in a simple sentence.
   - Complex (मिश्र): There is one main sentence and one or more secondary sentences in a complex sentence.
   - Compound(संयुक्त): There are two or more main sentences and there may or may not be secondary sentences.

   (d) Punctuation Symbols:
   - See user's guide given in chapter one.
6. Examples of Hindi sentences utilizing each of the above category are given in chapter 7 and on page 201.
7. Use your imagination to create your own sentences. Write them down.

****

राम रतन...

पायो जी मैंने,
        राम रतन धन पायो (टेक)
वस्तु अमोली दी मेरे सद्गुरु;
        किरपा कर अपनायो...पायो...
जनम जनम की पूँजी पाई;
        जगमें सभी खोवायो... पायो...
खरचै न खूटै, वाको चोर न लूँटै;
        दिन दिन बढत सवायो... पायो...
सतकी नाव, खेवटिया सद्गुरु;
        भवसागर तर आयो... पायो...
मीराँ के प्रभु गिरिधर नागर !
        हरख हरख जश गायो... पायो...

Elements of Earth • पृथ्वी के तत्त्व

air एयर	हवा f.	moon मून	चाँद m., चन्द्र m., रजनीश m.
branch ब्रान्च	डाली f., शाखा f.	mountain माउंटइन	पहाड़ m., पर्वत m., नग m.
coast कोस्ट	किनारा m., तट m.,	mud मड	कीचड m.
darkness डार्कनेस	अंधेरा m.	nature नेचर	कुदरत f., प्रकृति f.
desert डेजर्ट	रेगिस्तान m.	ocean ओशन	समुद्र m., सागर m., उदधि m.
dew ड्यू	ओस f., शबनम f.	peninsula पेनिन्सुला	द्वीपकल्प m.
dust डस्ट	धूल f., धूलि f.	river रिवर	नदी f., सरिता f.
earth अर्थ	पृथ्वी f., ज़मीन f., धरती f., भू f.	rock रॉक	चट्टान m.
earthquake अर्थक्वेइक	भूकंप m.	root रूट	मूल m., जड़ f.
eclipse इक्लिप्स	ग्रहण m.	sand सेंड	रेत f., बालू f.
field फील्ड	खेत m.	sky स्काय	आकाश m., नभ m., आसमान m.
fire फायर	आग m., अग्नि m., वह्नि m.	space स्पेस	अवकाश m., अन्तरिक्ष
flood फ्लड	बाढ़ m., बूड़ा m.	star स्टार	सितारा m., तारक m.
forest फोरेस्ट	जंगल m., वन m.	sun सन	सूर्य m., सूरज m., भानु m.
gulf गल्फ	अखात m.	tide-ebb टाइड-एब	भाटा m.
hill हिल	टीला m., टेकरा m.,	tide-flow टाइड-फ्लो	ज्वार m.
island आइलेंड	द्वीप m.	tree ट्री	वृक्ष m., पेड़ m., पादप m.
lake लेइक	तालाब m., झील f.	valley वॅली	दर्रा m., घाटी f.
land लेंड	ज़मीन f., धरती f.	water वॉटर	पानी m., जल m.
leaf लीफ	पत्ता m., पत्र m.	wave वेव	लहर f.

Elements of Earth • पृथ्वी के तत्त्व

wild वाइल्ड	जंगली, वन्य adj.	world वर्ल्ड	दुनिया f., जगत m., जहान m.

Directions • दिशा

east इस्ट	पूर्वm, पूरबm, प्राची f.	towards टुवर्डस	तरफ़, ओर adv.
west वेस्ट	पश्चिम m.,	forefront फोरफ्रंट	सबसे आगे का भाग adv.
north नोर्थ	उत्तर m.	rear रीअर	पीछे का भाग adv.
south साउथ	दक्षिण m.	far फार	दूर adv.
north-east नोर्थ-इस्ट	इशान m.	near नीअर	नज़दीक, पास में adv.
south-west साउथ-वेस्ट	नैर्ऋत्य m.	inside इन्साइड	अंदर, भीतर adv.
north-west नोर्थ-वेस्ट	वायव्य m.	outside आउट्साइड	बाहर adv.
south-east साउथ-इस्ट	आग्नेय m., अग्निकोण m.	left लेफ्ट	बाँये, बाई ओर(बायाँ adj.)
above अबव	ऊपर adv.	right राइट	दाहिनी ओर (दाहिना adj.)
below बीलो	नीचे adv.	on all sides ऑन ऑल साइड्स	सब ओर, सब तरफ़ adv.
behind बीहाइंड	पीछे adv.	on four sides ऑन फोर साइड्स	चारों ओर,चतुर्दिक् adv.
in front of इन फ्रंट ऑफ	आगे adv.	around अराउंड	सभी ओर adv.
opposite ओपोझीट	सामने, विरुद्ध adv.		

Planets of Solar System • सूर्यमंडल के ग्रह

बुध	Mercury	मरक्युरी	शनि	Saturn	सेटर्न
शुक्र	Venus	वीनस	प्रजापति	Uranus	युरेनस
पृथ्वी	Earth	अर्थ	वरुण	Neptune	नेप्चून
मंगल	Mars	मार्स	कुबेर	Pluto	प्लुटो
गुरु	Jupiter	ज्युपीटर	चंद्र	Moon	मून

Twelve signs of Zodiac • बारह राशियाँ

No.	Sign	English Name		Associated letters of Alphabet*
1	मेष	Aries	एरिझ	अ, ल, इ
2	वृषभ	Taurus	टौरस	ब, व, उ
3	मिथुन	Gemini	जेमिनी	क, छ, ध
4	कर्क	Cancer	केन्सर	ड, ह
5	सिंह	Leo	लीओ	म, ट
6	कन्या	Virgo	विर्गो	प, ठ, ण
7	तुला	Libra	लिब्रा	र, त
8	वृश्चिक	Scorpio	स्कॉर्पिओ	न, य
9	धन / धनु	Sagittarius	सेजिटेरियस	भ, ध, फ़, ढ
10	मकर	Capricon	कॅप्रिकॉर्न	ख, ज
11	कुंभ	Aquarius	अक्वेरियस	ग, श, स, ष
12	मीन	Pisces	पाइसिझ	द, च, झ, थ

* In certain Hindu tradition depending upon the moon sign of zodiac at the birth of a child, determines the letter to be used in selecting the child's name.

Time • समय (काल)

second सेकंड	क्षण m, पल m	mid night मिड नाइट	मध्यरात्रि f., अर्धरात्रि f.
minute मिनट	मिनट f.	today टुडे	आज f.
hour अवर	घंटा m.	yesterday यस्टरडे	गत कल, पिछला दिन m.
day डे	दिन m.	tomorrow टुमॉरो	कल m., (आनेवाला दिन)
dawn डॉन	सुबह m., सबेरा m., प्रभात m.	day before yesterday डे बिफोर यस्टर डे	(गत) परसों m.
daybreak डे-ब्रेक	प्रातःकाल m., भोर m.	day after tomorrow डे-आफटर टुमॉरो	परसों m.
noon नून	मध्याह्न m.	week वीक	हफ्ता m., सप्ताह m.
afternoon आफ्टर नून	दोपहर f.	fortnight फोर्टनाइट	पखवाड़ा m., पखवारा m.
twilight ट्वाइलाइट	संध्याकाल m., गोधूली f.	month मन्थ	महीना m., मास m., माह m.
evening इवनिंग	शाम f., संध्या f.	year इयर	वर्ष m., साल m., अब्द m.
night नाइट	रात f., निशा f., रजनी f.	year end यर एंड	वर्षान्त m.

Weekdays • वार

Sunday सनडे	रविवार, इतवार m. (Sun)*	Thursday थर्सडे	गुरुवार m. (Jupiter)
Monday मनडे	सोमवार m. (Moon)	Friday फ्राईडे	शुक्रवार m. (Venus)
Tuesday टयूझडे	मंगलवार m. (Mars)	Saturday सेटरडे	शनिवार m. (Saturn)
Wednesday वेन्सडे	बुधवार m. (Mercury)	Holiday होलीडे	छुट्टीका दिन

* The corresponding planet of the week day is given in the parenthesis.

Months • महीने

October - November ऑक्टोबर - नवेम्बर	अक्टूबर - नवम्बर	कार्तिक m.
November - December नवेम्बर - डिसेम्बर	नवम्बर - दिसम्बर	अगहन, मार्गशीर्ष, मृगशीर्ष m.,
December - January डिसेम्बर - जान्युआरी	दिसम्बर - जनवरी	पूस m., पौष m.
January - February जान्युआरी - फेब्रुआरी	जनवरी - फरवरी	माघ m.
February - March फेब्रुआरी - मार्च	फरवरी - मार्च	फागुन m., फाल्गुन m.
March - April मार्च - एप्रिल	मार्च - अप्रैल	चैत m., चैत्र m.
April - May एप्रिल - मे	अप्रैल - मई	बैशाख m.
May - June मे - जून	मई - जून	जेठ m., ज्येष्ठ m.
June - July जून - जुलाई	जून - जुलाई	आषाढ m.
July - August जुलाई - ऑगस्ट	जुलाई - अगस्त	श्रावण m., सावन m.
August - September ऑगस्ट - सप्टेम्बर	अगस्त - सितम्बर	भादों m., भाद्रपद m.
Septemer - October सप्टेम्बर - ऑक्टोबर	सितम्बर - अक्टूबर	आश्विन m.

Seasons and Weather • ऋतुएँ और मौसम

climate क्लाईमेट	आबोहवा f., मौसम m.	fall फॉल	पतझड़ f., शिशिर f.
cloud क्लाउड	बादल m., वारिद m.	fog फॉग	कुहरा m., कोहरा m.
cyclone सायक्लोन	झंझावात m., तूफान m..	frost फ्रोस्ट	हिम m., तुहिन m.
darkness डार्कनेस	अंधेरा m., अंधकार m.	gale गेइल	समुद्र की आँधी f., तूफ़ान f.
dust-storm डस्ट-स्टोर्म	आँधी f., अंधड़ m.	hail हेईल	ओला m.

Seasons and Weather • ऋतुएँ और मौसम

heat हीट	गर्मी f., धूप f.	snowfall स्नोफोल	हिमवर्षा f., हिमपात m.
light लाईट	उजाला m., प्रकाश m.	spring स्प्रिन्ग	बहार f., वसंत m.
lightning लाइटनिंग	बिजली f., विद्युत f.	storm स्टोर्म	तूफ़ान m.
rain रेइन	बारिश f., वर्षा f.	summer समर	ग्रीष्म f.
rainbow रेइनबो	इन्द्रधनुष m.	sunlight सनलाइट	धूप f.
rainy season रेइनी सीझन	वर्षाॠतु f.	wind विंड	पवन m., वायु m.
season सीझन	ऋतु f.	winter विंटर	जाड़ा m., शीतकाल m.

Minerals • खनिज-पदार्थ

alum ऐलम	फिटकरी f.	marble मार्बल	संगमरमर m.
brass ब्रास	पीतल m.	mercury मरक्यूरी	पारा m.
bronze ब्रोन्झ	कांसा m., कसकूट m.	mica माइका	अभ्रक m.
copper कोपर	ताँबा m.	opal ओपल	दूधिया पत्थर m.
cornelian कॉर्नीलियन	अकीक m., खनिज m.	pearl पर्ल	मोती m., मौक्तिक m., मूँगा m.
diamond डायमंड	हीरा m.	ruby रूबी	मानिक m.
emerald एमरेल्ड	पन्ना m.	sapphire सेफायर	नीलम m.
gold गोल्ड	सोना m.	silver सिल्वर	चाँदी f.
gravel ग्रेवल, ग्रावेल	कंकर m.	steel स्टील	फौलाद m., पक्का लोहा m.
gem जेम	रत्न m.	sulphur सल्फर	गन्धक m.
iron आयर्न	लोहा m., अयस m.	topaz टोपाझ	पोखराज m.
lead-tin लेड-टीन	सीसा m., कलाई f., राँगा m.	zinc झिंक	जस्ता m.

Insects • कीटक

ant एंट	चींटी. f.	lice लाइस	जूं f.
ant (largeblack) एंट लार्जब्लेक	मकोड़ा m., चींटा m.	locust लोकस्ट	टिड्डी f.
bedbug बेडबग	खटमल m.	maggot मेगट	कीड़ा m. इल्ली f.
bee बी	मधुमक्खी f., भ्रमर m., भौंरा m.	mosquito मोस्कीटो, मस्क्वीटो	मच्छड़ m.
beetle/cocroach बीटल/कोक्रॉच	भृंग m., / तिलचट्टा m.	moth मॉथ	कीट m.
butter fly बटर फ्लाय	तितली f.	scorpion स्कोर्पियन	बिच्छू m.
centipede सेंटिपीड	गोजर m., कनखजरा m.	spider स्पाइडर	मकड़ी f.
cricket क्रिकेट	झीगुंर m.	weevil वीवल	घुनn.
earth worm अर्थवोर्म	केंचुआ m.	white ant व्हाइट एंट	दीमक f.
fire fly फायर फ्लाय	जुगनू m.	wasp व्हास्प/वास्प	भमरी f.
fly फ्लाय	मक्खी f.		

Birds • पंछी

cock कॉक	मुर्गा m.	hen हेन	मुर्गी f.
crane क्रेइन	बक m., बगुला m.	kite काइट	चील f., पतंग m.
crow क्रॉ	कौआ m.	lark लार्क	लवा m.
cuckoo ककू	कोकिल f., कोयल f.	nightingale नाइटिन्गेइल	बुलबुल f.
dove डव	कपोत m.	owl आउल	उल्लू m.
duck डक	बतख f., बतक f.	parrot पेरट	तोता m., सुग्गा m.
eagle इगल	गरुड m.	peacock पीकोक	मोर m., मयूर m.
hawk हॉक	बाज m.	peahen पीहेन	मोरनी f.

Birds • पंछी

pigeon पिजियन	कबूतर m., कपोत m.	swan स्वॉन	हंस m.
quail क्वेइल	लवा m.	thrush थ्रश	सारिका f.
sparrow स्पेरो	चिड़िया f.	vulture वल्चर	गीध m.
stork स्टोर्क	सारस m.	wood-pecker वुड-पेकर	कठफोडवा m.

Animals • प्राणी

bear बेर	भालू m., रींछ m.	goat गोट	बकरी f.,,
bullock बुलोक	साँड m.	horse होर्स	घोड़ा m.
buffalo बफेलो	भैंस f.	lamb लेम्ब	भेड़ा m.
buffalo bull बफेलो-बुल	भैंसा m.	lion लायन	सिंह m.
cat केट	बिल्ली f.	monkey मन्की	बंदर m., कपि m.
camel केमल	ऊँट m.	ox ऑक्स	बैल m.
chameleon केमीलीऑन	गिरगिट m.	panther पेन्थर	चीता m., तेंदूआ m.
cow काउ	गाय f., धेनु f.	pony पोनी	टट्टू m.
crocodile क्रोकोडाइल	मगर m., घड़ियाल m.	pig पिग	सूअर m.
deer डीअर	हिरन m., मृग m., हरिण m.	sheep शीप	भेड़ m., मेमना m.
dog डॉग	कुत्ता m.	tiger टाइगर	बाघ m., शेर m.
donkey/ass डोन्कि/एस	गधा m., गर्दभ m.	wolf वुल्फ	भेड़िया m.
elephant एलीफंट	हाथी m., गज m., हस्ती m.	yak याक	सुरा गाय f.

Birth • जन्म

baby boy बेबी बोय	लड़का m.	horoscope होरोस्कोप	जन्मपत्रिका f., जन्मपत्री f.
baby girl बेबी गर्ल	लड़की f.	pregnancy ceremony प्रेगनन्सी सेरीमनी (फर्स्ट)	सीमन्तोन्नयन m.
birthday बर्थडे	जन्मदिवस m, सालगिरह f.	pregnant प्रेगनन्ट	गर्भवती f.
delivery डिलिवरी	प्रसव m., प्रसूति f.	birth certificate बर्थ सर्टिफिकेट	जन्म प्रमाणपत्र m.
Ceremony for naming सेरीमनी फॉर नेइमिंग	नामकरण-संस्कार,,नामकरण-विधि f.		
Ceremony of sacred thread सेरीमनी ऑफ सेक्रेड थ्रेड	यज्ञोपवित संस्कार m.		

Parts of the Body • शरीर के अंग

back बॅक	पीठ f.	finger फिंगर	अंगुली f., ऊंगली f.
body बॉडी	शरीर m., देह f.	forehead फोरहेड	भाल m., ललाट m.
buttocks बटक्स	चूतड़ m., कुल्हा m.	hair हेर	बाल m., केश m.
cheeks चीक्स	गाल m., कपोल m.	hand हेंड	हाथ m., हस्त m., कर m.
chest चेस्ट	छाती f., सीना m.	head हेड	सिर m., माथा m., शिर m.
claw क्लॉ	नाखून m., नख m. , पंजा m.	heart हार्ट	दिल m., हृदय m.
chin चिन	चिबुक m., ठुड्डी f.	leg-foot लेग-फुट	पग m., पैर m., पाँव m.
ear इयर	कान m., कर्ण m.	lip लिप	ओठ m., अधर m.
eye आई	आँख f., नयन m., नेत्र m.	mouth माउथ	मुँह m., आनन m.
eyebrow आयब्रो	भौंह f., भँवर f.	nail नेइल	नख m., नाखून m.
eyelid आयलिड	पलक f., निमीष f.	neck नेक	गला m., गर्दन f., ग्रीवा f.
eyelash आयलेश	बरौनी f.	nose नोझ	नाक m.
face फेइस	चेहरा m., सूरत f.	paw पॉ	पंजा m.

Parts of the Body • शरीर के अंग

stomach स्टमक	पेट m., उदर m.	tongue टंग	जीभ f., जिह्वा f.
thigh थाई	जांघ f., ऊरु m.	waist वेइस्ट	कमर f.
thumb थंब	हाथ का अंगूठा m.	windpipe विंडपाईप	टेंटुआ f.
toe टो	पाँव का अंगूठा m.	wrist रिस्ट	कलाई f., मणिबन्ध m.
tooth टूथ	दांत m.		

Feelings • भाव

affection अफेक्शन	स्नेह m., प्रीति f.	joy जोय	आनंद m., उल्लास m., खुशी f.
anger एंगर	गुस्सा m., क्रोध m.	kindness काइंडनेस	दया f., कृपा f.
compassion कम्पेशन	दयाभाव m., अनुकंपा f.	lamentation लेमेंटेशन	विलाप m.
content कंटेंट	संतोष m., तृप्ति f.	laughing लाफिंग	हँसी f., खिलखिलाहट f.
cry क्राय	चीक f., आह f., चीख f.	love लव	प्रेम m., अनुराग m.
enmity एंमिटी	बैरभाव m., शत्रुता f., दुश्मनी f.	mercy मर्सी	दया f.
fear फीअर	डर m., भय m., भीति f.	pain पेइन	दुःख m.
friendship फ्रेंडशीप	मित्रता f., दोस्ती f.	pleasure प्लेझर	सुख m., मज़ा m.
hate हेइट	नफरत f., घृणा f.	sorrow सॉरो	शोक m., खेद m.
jealousy/envy जेलसी/एन्वी	डाह f., ईर्ष्या f., जलन f.	tolerance टोलरन्स	सहिष्णुता f.

Disease & Illness • रोग और माँदगी

anaemia अेनीमिया	पांडुरोग m.	**dysentery** डीसेंटरी	पेचिश m., आमातिसार m.
asthma अस्थमा	दमा m.	**elephantiasis** एलीफंटाइसीस	शिलीपद m., फीलपाँव m.
blindness ब्लाईंडनेस	अंधत्व m., अंधापन m.	**epilepsy** एपिलेप्सी	मिरगी f.
bloodpressure ब्लडप्रेसर	रक्तचाप m.	**exhaustion, fatigue** एक्झोस्शन, फटीग	थकावट f., थकान f.
cataract केटारेक्ट	मोतियाबिन्द m.	**fainting fit** फेईंटींग फीट	मूर्छा f., बेहोशी f.
chikenpox चिकनपोक्स	शीतला f., चेचक m.	**fever** फीवर	बुखार m.
cholera कोलेरा	कोलेरा m., हैज़ा m.	**fracture** फ्रेक्चर	हड्डीटूट f.
cold कोल्ड	सर्दी f.	**gout** गाउट	वातरोग m., गढिया f.
colic pain कोलिक पेइन	उदर-शूल m.	**heart disease** हार्ट डिसीझ	हृदयरोग m.
constipation कोन्स्टीपेशन	मलबंध m., कब्ज m.	**headache** हेडेक	सिरदर्द m.
convulsion कन्वल्शन	ऐंठन f., तीव्र शारीरिक गड़बड f.	**hysteria** हिस्टीरिया	मूर्छारोग m., वातोन्माद m.
corn कोर्न	घट्ठा m., गोखरू m.	**indigestion** इंडिजेशन	अजीर्ण m., मंदाग्नि f.
cough कॉफ	खांसी f.	**itch** इच	खाज m., खुजली f.
cramp क्रेम्प	सिकुडन f., अकड f.	**leprosy** लेप्रसी	कोढ़ m., कुष्ठरोग m.
cure क्योर	इलाज m.	**leucoderma** ल्युकोडर्मा	धवलरोग m., श्वेतकुष्ठ m.
deafness डेफनेस	बहरापन m.	**malaria** मलेरिया	मलेरिया, शीतज्वर m.
diarrhoea डायरीआ	अतिसार m., प्रवाहिका f.	**measles** मीझल्स	मसूरिका f.
diet डाएट	खिलाई f., संतुलित आहार m.	**migraine** माइग्रेईन	आधासीसी f., अर्धकपाली f.
digestion डाइजेशन	हाज़मा m.	**mumps** मम्प्स	कंठमाला f.
dizziness डिझिनेस	घुमेरी f., शिर में चक्कर m.	**nightblindness** नाइटब्लाईंडनेस	रतौंधी f.
dumbness डम्बनेस	गूँगापन m., मूकता m.	**paralysis** पेरालिसीस	लक़वा m., पक्षघात m.

Disease & Illness • रोग और माँदगी

perspiration पर्स्पिरेशन	पसीना m., प्रस्वेद m.	small pox स्मोलपोक्स	शीतला f., चेचक m.
piles पाईल्स	अर्श m., बवासीर m.	stroke स्ट्रोक	चोट f., दौरा m., आघात m.
pimple पिम्पल	फुड़िया f., फुंसी f., मुँहासा m.	stye स्टाय	अंजनी f., बिलनी f., मुहाई f.
plague प्लेग	तऊन m., प्लेग m.	swelling स्वेलिंग	सूजन f., शोथ m.
poison पोईझन	जहर m., विष m.	tonsillitis टोन्सिलाईटीस	गिलटी f., गलसुओंकी सूजन f.
poliomyelitis पोलियोमायलाइटीस	बाललकवा m., बालपक्षघात m.	typhoid टायफोइड	टाइफाइड m., आंत्रज्वर m.
purgative परगेटीव	जुलाब m., रेचक m.	typhus टायफस	कालाज्वर m.
ringworm रींगवर्म	दाद f.	vomitting वोमिटिंग	ओकाई f., वमन m.
scabies स्केबीझ	खाज m., खुजली f., खसरा m.	whooping cough व्हुपिंग कॉफ	काली खांसी f.

Marriage • विवाह

bachelor बेचलर	बिनव्याहा m., कुंआराm.	marriage invitation card मेरेज इन्वीटेशन कार्ड	आमंत्रण-पत्रिका f.
betrothal/engagement बीट्रोथल/ऐन्गेजमेंट	मँगनी f.,	marriage party of groom मेरेज पार्टी ऑफ ग्रुम	बारात f.
bride ब्राइड	कन्या f., दुलहन f.	priest performing marriageप्रिस्ट पर्फोमिंग मेरेज	पुरोहित m.
bridegroom ब्राईडग्रुम	वर m., दुलहा m.	marriage reception मेरेज रीसेप्शन	स्वागत-समारोह m.
dowry डावरी	दहेज m.	wedding वेडिंग	शादी f.,विवाह m.,ब्याह m.
husband हसबंड	पति m.	widow विडो	विधवा f., बेवा f.
invitation इन्वीटेशन	आमंत्रण m.	wife वाईफ	पत्नी f., घरवाली f., बीवी f.
temporary structure for marriage ceremony टेम्परारी स्ट्रकचर फोर मॅरेज सेरीमनी	मंडप, मंड़वा m.		

Relatives • रिश्तेदार

ancestor एन्सेस्टर	बाप-दादा m., पूर्वज m.
aunt आंट	
• father's sister फाधर्स सीस्टर	बुआ f., फूफी f.
• father's brother's wife फाधर्स ब्रधर्स वाईफ	चाची f.
• mother's brother's wife मधर्स ब्रधर्स वाईफ	मामी f.
• mother's sister मधर्स सीस्टर	मौसी f.
brother ब्रधर	भैया m., भाई m.
brother-in-law ब्रधर इन लॉ (wife's brother)	साला
husband's elder brothers हसबंडस एल्डर ब्रधर	जेठ m.
husband's sister's husband हसबंडस सीस्टर्स हसबंड	ननदोई m.
husband's younger brother हसबंडस यन्गर ब्रधर	देवर m.
sister's husband सीस्टर्स हसबंड	जीजाजी m., बहनोई m.
wife's brother वाईफ्स ब्रधर	साला m.
wife's sister's husband वाईफ्स सिस्टर्स हसबंड	साढू m.
caste कास्ट	जाति f., वर्ण m.
cousin कझीन	चचेरा m., ममेरा m.
daughter डॉटर	पुत्री f., बेटी f.
daughter-in-law डॉटर इन-लॉ	पुत्रवधू f.
descendent डिसेंडंट	वंशज m., संतति f.
family फेमिली	परिवार m.
father/daddy/pappa फाधर, डेडी, पापा	पिता m., पिताजी m.,

father-in-law फाधर-इन-लॉ	ससुर m.
friend फ्रेंड	मित्र m.
granddaughter ग्रांड डॉटर	पोती f., पौत्री f.
grand father ग्रांड फाधर	
• paternal पेटर्नल	दादा m.
• maternal मेटर्नल	नाना m.
grand mother ग्रांड मधर	
• paternal पेटर्नल	दादी f.
• maternal मेटर्नल	नानी f.
grandson ग्रांड सन	पोता m., पौत्र m
heir एर	उत्तराधिकारी m.
husband हसबंड	पति m.
in laws इन लॉस	श्वसुरपक्ष m.
lineage (root) लीनीएज (रूट)	वंशकुल m., वंशावली f.
mother/mummy मधर, मम्मी	माँ f., माता f.
mother-in-law मधर इन लॉ	सास f.
neighbour नेबर	पड़ौसी m.
nephew नेव्यु, नेफ्यू	
• brother's son ब्रधर्स सन	भतीजा m.
• sister's son सिस्टर्स सन	भानजा m
niece नीस	

Relatives • रिश्तेदार

• brother's daughter ब्रधर्स डॉटर	भतीजी f.	• wife's brother's wife वाइफ्स ब्रधर्स वाइफ	सलहज f.
• sister's daughter सिस्टर्स डॉटर	भानजी f.	son सन	पुत्र m., बेटा m.
parents पेरेंटस	माँबापm.,मातापिताm.	son-in-law सन-इन-लॉ	दामाद m.
sister सिस्टर	बहन f.	stepfather स्टेप फाधर	सौतेला बाप m.
sister-in-law सिस्टर-इन-लॉ		stepmother स्टेप मधर	सौतेली माँ f.
• brother's wife ब्रधर्स वाइफ	भाभी f.	uncle अंकल	
• husband's elder brother's wife हसबंड्स एल्डर ब्रधर्स वाइफ	जेठानी f.	• father's brother फाधर्स ब्रधर	चाचा m.
• husband's sister हसबंड्स सिस्टर	ननद f.	• father's sister's husband फाधर्स सिस्टर्स हसबंड	फूफा m.
• husband's younger brother's wife हसबंड्स यन्गर ब्रधर्स वाइफ	देवरानी f.	• mother's brother मधर्स ब्रधर	मामा m.
• wife's sister वाइफ्स सिस्टर	साली f.	• mother's sister's husband मधर्स सिस्टर्स हसबंड	मौसा m.

Note : 'in-law's who are not identified specifically, are addressed by adding 'जी' (jee) at the end of the relation. Use the blank space on this page and subsequent pages, to write in **Hindi**, the names of your family members and relatives indicating your relationship with each other.

Foodgrains • अनाज

barley/oats बार्ली/ओट्स	जौ m.	kind of grain used during fast काइंड ऑफ ग्रेन युझ्ड ड्युरिंग फास्ट	रजगीर m.
beans बीन्स	सेम f., बोड़ी m.	kidney bean किडनी बीन	राजमा m.
black beans ब्लेक बीन्स	उड़द m., माष m.	kind of pulse काइंड ऑफ पल्स	मोठ m.
corn/maize कोर्न, मेइझ	भुट्टा f., मकाई f.	millet मिलेट	बाजरा m., ज्वार f.
field pea फिल्ड पी	मटर m.	pigeon pea पिजियन पी	अरहर f., तूवर m.
gram ग्राम	चना m.	pulse पल्स	दलहनm.,द्विदल m.

Foodgrains • अनाज

raggy रेगी	नागली f.	sago सॅगो	साबुदाना m., सागूदाना m.
rice राइस	चावल m.	sovbean सोयाबीन	सोयाबीन m.
rice-broken राईस ब्रोकन	कनकी f.	wheat व्हीट	गेहूँ m., गोधूम m.
rye राय	गेहूँ के वर्ग का धान्य m.	white mustards used during fast व्हाइट मस्टर्ड्स युस्ड ड्युरींग फास्ट	नीवार m, तिन्नी f.

Grocery • किराना

asafoetida एसफीटिडा	हिंग f.	flour फ्लोर	आटा m.
bishop's seeds बिशप्स सीड्स	अजवाइन f.	granulous wheat flour ग्रेन्युलस व्हीट फ्लोर	रवा m.
black pepper ब्लेक पेपर	काली मिर्च f.	gur गर	गुड़ m.
cardamom कार्डेमम	इलायची f.	mustard seed मस्टार्ड सीड	राई f., सरसों f.
cinnamon सिनमन	तज f., दालचीनी, f.	nut नट	सुपारी f.
cloves क्लॉवस	लौंग m.	nutmeg नटमेग	जायफल m.
cumin seed क्युमीन सीड	जीरा m.	red pepper रेडपेपर	मिरची f.
dry date ड्राय डेइट	छुहारा m., खारिक f.	sugar सुगर	शर्करा f., शक्कर f., चीनी f.
fennel फीनल	सौंफ f.	tamarind टेमारिंड	इमली f.
fenugreek फीन्युग्रीक	मेथी f.	tea/coffee/cocoa टी, कॉफी, कोको	चाय f., कॉफी f., कोको m.
fine wheat flour फाइन व्हीट फ्लोर	मेंदा m.	turmeric टर्मरिक	हलदी f., हल्दी f.

Edibles • खाद्य पदार्थ

bread ब्रेड	पाँवरोटी f., रोटी f.	ice आइस	बर्फ f.
butter बटर	मक्खन m.	meat मीट	माँस, गोश्त m.
buttermilk बटर मिल्क	छाछ f.	milk मिल्क	दूध m.
butter-purified बटर प्योरिफाइड	घी m., घृत m.	oil ऑइल	तेल m.
cake केक	केक m.	pickles पिकल्स	अचार m.
coocked rice कूकूड राइस	भात m., चावल m.	preserve प्रिझर्व	मुरब्बा m.
curd/yogurt कर्ड/योगर्ट	दही m.	salad सलाड	कचूमर m., कचूम्बर m.
fat फेट	चरबी f., चर्बी f.	salt सॉल्ट	नमक m.
fried bread फ्राइड ब्रेड	पूरी f.	soup सूप	शोरबा m., शोखा m.
honey हनी	शहद m., मध m.	vinegar विनेगर	सिरका m.

Vegetables • तरकारी, सागभाजी

betel leaf बीटल लीफ	नागरवेल का पत्ताm., तांबूलm.	coriander leaves कोरिएंडर लीव्स	हरा धनिया f.
bittermelon/dumb-bell बिटर मेलन/डम-बेल	करेला m.	cucumber क्यूकम्बर	खीरा f.
brinjal/egg plant ब्रिन्जल/अेग प्लांट	बैंगन m.	garlic गार्लिक	लहसुन m.
bulbous root बल्बस रूट	सूरण m.	ginger जींजर	अदरक f.
cabbage कॅबेज	पत्तागोभीf., बन्धगोभीf., गोबीf.	lady's fingers, (okra) लेडीस फिन्गर	भींडी f.
carrot केरट	गाजर f.	lemon लेमन	नींबू m.
cauliflower कॉली फ्लावर	फूलगोभी f.	onion अनियन	प्याज़ f.
chilli चिली	मिरची f.	peas पीस	मटर m.
coconut कोकनट	नारियल m.	plate shaped leaves प्लेट शेप्ड लीव्स	अखी का पत्ता m.

Vegetables • तरकारी, सागभाजी

potatoes पोटेटोस	आलू m.	squash/gourd स्क्वाश/गार्ड	दूधी f., लोकी f., घीया m.
pumpkin पम्पकीन	कोला m. कद्दू, काशीफल	turnip टर्नीप	शलग़म m.
radish रेडिश	मूली f.	tomato टॉमेटो	टमाटर m.
spinach स्पिनेच	पालक m.	yam याम	रतालू m.
sweet potato स्वीट पोटेटो	शक्कर-कंद m.	vetches, string beans वेचीस, स्ट्रींग बीन्स	ग्वारफली f., ग्वार f.

Fruits • फल

achras sapota एक्रास सपोटा	चीकू m.	orange ओरेंज	नारंगी f.
apple एपल	सेब m.	olive ऑलीव	जैतून m.
banana बनाना	केला m.	papaya पपाया	पपीता m.
coconut कोकनट	नारियल m.	pear पेर	नाशपती m.
fig फिग	अंजीर m.	pineapple पाइनेपल	अनन्नास m.
fruit of an aquatic plant फ्रुट ऑफ एन एक्वाटिक प्लांट	सिंघाडा m., जलफल m.	plum प्लम	आलूबुख़ारा, बेरका फल m.
guava ग्वावा	अमरूद m., जमरुख m.	pomegranate पोम ग्रेनेट	अनार m.
grapes ग्रेइप्स	अंगूर m.	rose apples रोझ एपल्स	जामुन m.
mango मेंगो	आम m.	sugar-cane सुगर केन	गन्ना m.
musk-melon मस्क मेलन	खरबूज़ा m.	watermelon वॉटर मेलन	तरबूज़ m., मतीरा m.

Dry fruits • सूखे फल

almond आल्मंड	बादाम f.	kernel of cocoanut कर्नल ऑफ कॉकनट	खोपरा m.
apricot एप्रिकोट	जरदालू m., खूबानी f.	peanuts पीनट्स	मूँगफली f.
black raisin ब्लेक रेइसीन	मुनक्को m., बड़ी किशमिश f.	pistachio nuts पिस्ताशिओ नट्स	पिस्ता m.
cashew nut केश्यु नट	काजू m.	raisin रेइसीन	किशमिश f.
date डेइट	खजूर m.	walnut वॉलनट	अखरोट m.

Flowers • फूल

agave अगेव	केवड़ा m.	michelia मिचेलीया	चंपा f.
carnation कार्नेशन	गुलेअनार m.	rose रोझ	गुलाब m.
jasmine जेस्मिन, जास्मिन	जास्मिन f., मोगरा m.,चमेली f.	sunflower सनफ्लावर	सूर्यमुखी m.
lotus लोटस	कमल m.	tiny jasmine टाईनी जेस्मिन	जूही f.
marigold मेरी गोल्ड	गेंदे का फूल m.	zinnia झिनिआ	झिनिया m.

Colour • रंग

black ब्लेक	काला	gray/ash ग्रे / एश	चितकबरा भूरा
blue ब्लू	भूरा, नीला	light green लाइट ग्रीन	सौंफ़ सा हरा
crimson क्रिम्झन	गहरा लाल	orange ऑरेंज	नारंगी
darkpink डार्कपिंक	गहरा गुलाबी	pink पिंक	गुलाबी
golden गोल्डन	सुनहरा	purple परपल	जामुनी
green ग्रीन	हरा	red रेड	लाल

Colour • रंग

saffron सेफ्रन	केसरी	violet वायोलेट	जामुनी
silver सिल्वर	रुपहला	white व्हाइट	सफेद
sky blue स्काय ब्लू	(आकाशी) नीला	yellow येलो	पीला
tawny टाउनी, टॉनी	बादामी	yellowish green येलोइश ग्रीन	तोतई, धानी

Garments • पहनने के कपड़े, परिधान

a loose shirt अ लूझ शर्ट	कुर्ता m.	pajama पाजामा	पायजामा m.
banian /vest बनियन	बनियन f.,बनियान f.,अंगिया m.	saree सारी	साड़ी f.
blouse ब्लाउस	चोली f.	shorts शोर्ट्स	चड्डी f.
breeches ब्रीचीस	पायजामा m.	short dhoti शोर्ट धोती	धोती कछनी f., अँगोछी f.
cap कॅप	टोपी f.	tie टाई	टाई f.
dhoti धोती	धोती f.	turban टरबन	पगडी f.
jacket जॅकेट	छोटा कोट m.	underwear (top) अंडरवेर टोप	बंडी f.
mini saree मिनी सारी	चुनरी f.	underwear (bottom) अंडरवेर बोटम	निकर m., जांघिया m.
pants पेंट्स	पतलून f.	waistcoat वेस्टकोट	वास्कट m.
petticoat पेटीकोट	लहंगा m.		

House • घर

balcony बाल्कनी	झरोखा m.,बारजा m.,छज्जा m.	loft लोफ्ट	अटारी f.
barn/stroe-room बार्न/स्टोर रूम	कोठार m., तहखाना m.	platform प्लॅटफॉर्म	
bathroom बाथरूम	स्नानागार m.	• for water फोर वॉटर	पनसाल f., घडौंची f.
building बिल्डिंग	घर m., हवेली f., इमारत f.	• next to house नेक्स्ट टु हाउस	मचान m.
court-yard कोर्टयार्ड	आँगन m.	• around tree एराउंड ट्री	चबूतरा m.
door डोर	दरवाजा m., द्वार m.	prayer room प्रेयररूम	पूजाघर m.
drainage ड्रेइनेज	मोरी f.	roof रूफ	छत f.
drawing room ड्रोइंग रूम	दीवानखाना m.	room रूम	कमरा m.
floor फ्लोर	भूतल m., फर्श m.	shelf शेल्फ	आलमारी f., टाँड f.
garden गार्डन	फूलवारी f., बगीचा m.	terrace टेरेस	आलिन्द f., छत f.
kitchen किचन	रसोईघर m., रसोई f.	threshold थ्रेशोल्ड	चौखट f.
ladder/staircase लेडर / स्टेरकेइस	सीडी f., पायदान m.	wall वॉल	दीवार f., भींत f.
latrine/toilet लेट्रीन, टोइलेट	पायखानाm.,संडासm.,शौचालयm.	window विंडो	खिड़की f.

Household goods • गृहस्थी की सामग्री

basket बास्केट	टोकरी f., डलिया f.	fire फायर	अग्नि f., आग f.
bed बेड	खाट f., बिस्तर m.	flat big strainer फ्लेट बीग स्ट्रेईनर	झारा m.
bowl बॉल	कटोरी f.	grater ग्रेटर	कद्दूकश m., घियाकश m.
broom ब्रूम	झाडू m., बुहारी f.	iorn pan (flat)/ griddle आयर्न पान फ्लेट	तवा m.
cup कप	प्याला m.	jar जार	मिट्टी / काँच / प्लास्टीक का पात्र m.
door-mat डॉर मेट	पायंदाज़ m.	key की	कुंजी f., ताली f., चाबी f.

Household goods • गृहस्थी की सामग्री

knife नाइफ	चाकू m., छूरी f.	plate प्लेइट	थाली f.
ladle लॅडल	कलछी f., करछी f.	pot पोट	पत्तीली f., घट m.
lock लॉक	ताला m.	rolling pin रोलिंग पिन	बेलन m.
lamp लॅम्प	दीया m., दीपक m.	saucer सॉसर	रकाबी, शरावक
lid लीड	ढक्कन m.	sieve सीव	चलनी f.
metal dish to cover vessel मेटल डीश टु कवर वेसल	ढक्कन m.	small circular tripod for rolling rotis (tortillas)	चकला m.
mortar मॉर्टर	खरल m., खल m.	strainer स्ट्रेईनर	छलनी f., जाली f.
ornamental arch ओर्नामेंटल आर्च	तोरण m.	stove स्टोव,,स्टव	चूल्हा m., स्टव m.
picture पिक्चर	चित्र m.	vessel container with compartments for keeping condiments	मसाले का डिब्बा m.

Education • शिक्षा

book बुक	किताब f., पुस्तक f.	ink इंक	स्याही f.
class क्लास	कक्षा f., वर्ग m.	institute इन्स्टिट्यूट	संस्था f.
dormitory डोर्मिटरी	छात्रालय, छात्रवास m.	paper पेपर	कागज m.
examination एक्ज़ामिनेशन	परीक्षा f., इम्तहान m.	pen पेन	कलम f.
exercise एकसरसाईज	स्वाध्याय m. अभ्यास m.	principal प्रिन्सिपाल	प्राचार्य m.
fee फी	फी f., शुल्क m.	professor प्रोफेसर	प्राध्यापक, आचार्य m.
head master हेड मास्टर	मुख्य अध्यापक m.	result रीझल्ट	परिणाम m., नतीजा m.
home-work होमवर्क	गृहकार्य m.	scholarship स्कोलरशीप	शिष्यवृत्ति f.
hostel हॉस्टेल	छात्रालय m., छात्रावास m.	school स्कूल	शाला f., विद्याभवन m.

Education • शिक्षा

student स्टुडंट	छात्र m.	teacher टीचर	शिक्षक m., अध्यापक m.
study स्टडी	अध्ययन m., पढ़ाई f.	university युनिवर्सिटी	विद्यापीठ f.

Religious words • धर्मविषयक शब्द

abstinence एबस्टिनन्स	संयमपालन m., मदिरात्याग m.	fire temple फायर टेम्पल	अगियारी f.
alms आल्म्स	दान m., खैरात f.	forgiveness फर्गिवनेस	क्षमा f.
alter ऑल्टर	वेदी f., यज्ञवेदी f.	God गोड	ईश्वर m., भगवान m.
angel एंजल	देव m., फरिश्ता m., देवदूत m.	heaven हेवन	स्वर्ग f., देवलोक m.
celibacy सेलिबसी	ब्रह्मचर्य m.	hell हेल	नरक m.
charity चॅरिटी	दानधर्म m., उदारता f.	humanity ह्युमेनिटी	मानवता f.
church चर्च	गिरजाघर m.	idol, image आयडोल, इमेज	मूर्ति f., प्रतिमा f.
compassion कम्पेशन	करुणा f., कृपा f.	love लव	प्रेम m.
cross क्रोस	क्रूस m.	meditation मेडीटेशन	ध्यान m.
desirelessness डीझायरलेसनेस	अकामता f., अनासक्ति f.	mercy मर्सी	दया f.
devil डेविल	दैत्य m.	merit मेरिट	पुण्य m., अच्छाई f., पात्रता f.
devotee डिवोटी	भक्त m.	mosque मोस्क	मस्जिद f.
devotion डिवोशन	भक्ति f.	non-anger नॉन-एंगर	अक्रोध m.
donation डोनेशन	दान m., सखावत m.	non-greediness नोन ग्रीडीनेस	अलोभता f.
evil spirit इविल स्पिरीट	दुरित m., प्रेतात्मा f.	non-stealing नोन स्टीलिंग	अस्तेय m.
faith फेइथ	श्रद्धा f., विश्वास m.	non-violence नोन वायोलन्स	अहिंसा f.
fast फास्ट	उपवास m.	offering ओफरिंग	नैवैद्य m.

Religious words • धर्मविषयक शब्द

prayer प्रेयर	प्रार्थना f., बंदगी f.	service सर्विस	सेवा f., उपासनापद्धति f.
priest प्रीस्ट	पादरी m., पुरोहित m.	sikh temple सीख टेम्पल	गुरुद्वारा m.
purity/holiness प्युरीटी / होलीनेस	पवित्रता f.	sin सीन	पाप m.
religion रीलिजियन	धर्म m.	soul/spirit सोल / स्पिरीट	आत्मा f.
rite राइट	धार्मिक क्रिया f.	supreme soul सुप्रिम सोल	परमात्मा m.
ritual रिच्युअल	कर्मकांड m., विधि f.	synagogue सीनेगोग	यहूदी देवल m.
saint सेइंट	संत m.	temple टेम्पल	मंदिर m.
salvation साल्वेशन	मोक्ष f.	truth ट्रुथ	सत्य m.
scripture स्क्रिप्चर	धर्मग्रंथ m.	worship वर्शीप	पूजा f.

Periodical / Magazine • पत्रिका

artical आर्टिकल	लेख m.	poem पोएम	काव्य f., कविता f.
daily डेइली	दैनिक m., अखबार m.	poet पोएट	कवि m.
editor एडिटर	संपादक m.	press प्रेस	मुद्रणालय m., छपाईघर m.
editorial एडिटोरियल	संपादकीय m.	publisher पब्लिशर	प्रकाशक m.
fortnightly फोर्टनाईटली	पाक्षिक m.	quarterly क्वार्टर्ली	त्रैमासिक m.
manager मेनेजर	व्यवस्थापक m., मेनेजर m.	reader रीडर	पाठक m.
monthly मंथली	मासिक m., मासिक पत्रिका f.	short story शोर्ट स्टोरी	कहानी f.
news न्यूज़	समाचार m.	subscription सबस्क्रिप्शन	शुल्क f.
newspaper न्यूज़पेपर	समाचारपत्र m., अखबार m.	weekly वीकली	साप्ताहिक m.
novel नॉवेल	उपन्यास f.	writer राइटर	लेखक m.

Postal terms • डाक के शब्द

post पोस्ट	डाक m.	parcel पार्सल	पार्सल m.
post office पोस्ट ऑफिस	डाकघर m.	receipt रीसीप्ट	रसीद f.
postmaster पोस्टमास्टर	डाक-अधिकारी m.	address एड्रेस	पता m.
postman पोस्टमॅन	डाकिया m.	pin/zipcode पीन, झीपकोड	डाक के लिये क्रमांक m., पीन m
letter लेटर	पत्र m., खत m., चिट्ठी f.	postage पोस्टेज	डाक की दर f.
letter box/mail box लेटर बॉक्स/मेईल बॉक्स	डाकपेटी m.	ticket/stamp टिकेट/स्टेम्प	टिकट m.
card कार्ड	कार्ड m.	seal सील	मोहर f., मुहर f.
cover/envelope कवर /एन्वेलप	लिफाफा m.	sorting सोर्टिंग	डाक को छाँटना m., छाँटा m.
inland letter इनलेंड लेटर	अन्तर्देशीय पत्र m.	delivery डिलीवरी	डाक को बाँटना
aerogramme एरोग्राम	हवाई पत्र m.	express delivery एक्सप्रेस डिलीवरी	शीध्र बाँटा m., बाँटा m.
registered letter रजिस्टर्ड लेटर	रजिस्टर्ड पत्र m., रजिस्ट्री f.	speed mail स्पीड मेइल	त्वरित डाक सेवा m.
insured letter इन्स्योर्ड लेटर	बीमा किया हुआ पत्र m.	postage due पोस्टेज डयू	डाक का ऋण m.
money order form मनी ऑर्डर फॉर्म	मनी आर्डर फार्म m.	telegram टेलीग्राम	तार m.

Professions • व्यवसाय

actor एक्टर	अभिनेता m.	astrologer एस्ट्रोलोजर	ज्योतिषी m.
actress एक्ट्रेस	अभिनेत्री f.	auctioneer ऑक्शनीयर	नीलामवाला m.
agent एजंट	एजेंट m., कारिंदा m.	author ऑथर	लेखक m., ग्रंथकार m.
ambassador एम्बेसेडर	एलची m., राजदूत m.	baker बेकर	भडभूँजा m., रोटी बनानेवाला m.
artisan आर्टिझन	कारीगर m., दस्तकार m.	banker बेंकर	शराफ़ m.
artist आर्टिस्ट	कलाकार m.	barber बार्बर	नाई m.

Professions • व्यवसाय

black smith ब्लेक स्मीथ	लोहार m.	farmer फार्मर	किसान m.
broker ब्रोकर	दलाल m.	florist फ्लोरिस्ट	माली m.
butcher बुचर	कसाई m.	gardener गार्डनर	माली m., बागवान m.
businessman बिझनेसमॅन	व्यापारी m., ब्योपारी m.	goldsmith गोल्डस्मिथ	सुनार m.
carpenter कार्पेटर	बढ़ई m.	guide गाइड	गाइड m., मार्गदर्शक m.
chief चीफ	उपरी, सर्वोच्च अधिकारी m.	grocer ग्रोसर	किरानेवाला m.
clergyman क्लर्जीमॅन	धर्मगुरु m.	hunter हंटर	शिकारी m., बहेलिया m.
clerk क्लर्क	कारकुन m., मुनीम m.	jeweller ज्यूलर	जौहरी m.
cloth merchant क्लॉथ मरचंट	कपड़े का व्यापारी m.	jester जेस्टर	मसखरा m., विदुषक
cobbler कॉब्लर	चमार m.	journalist जर्नलिस्ट	पत्रकार m.
confectioner कंफेक्शनर	हलवाई m.	judge जज	न्यायाधीश m., जज m.
conjurer/juggler कोंजर/जग्लर	जादूगर m.	lawyer लॉयर	वकील m.
cook कूक	बावरचीm.	midwife मिडवाईफ	दाई m.
coppersmith कोपरस्मिथ	ठठेरा m., कसेरा m.	mason/bricklayer मेसन/ब्रिकलेयर	धवई m.
counsel काउन्सेल	धाराशास्त्री m.	merchant मर्चंट	व्यापारी m., ब्योपारी m.
dealer in gold and silver डीलर इन गोल्ड एंड सिल्वर	चौकसी m.	money lender मनी लेंडर	शराफ़ m.
doctor डॉक्टर	दाक्तर m., 'हकीम m., चिकित्सकm.	musician म्युजिशीयन	संगीतकार m.
doorkeeper डोरकीपर	दरवान m.	nurse नर्स	परिचारिका m.
dyer डायर	रंगरेज m.	oilman ऑइलमॅन	तेली m.
engineer एंजिनीयर	इजनेर m., अभियन्ता m.	politician पोलीटिशियन	राजनीतिज्ञ m.
examiner एक्झामिनर	परीक्षक m.	postman पोस्टमॅन	डाकिया m.

Professions • व्यवसाय

potter/brickmaker पोटर ब्रिकमेकर	कुम्हार m.	tailor टेइलर	दर्जी m.
sailor सेइलर	केवट m., मल्हार m., नाविक m.	vegetable marchant वेजीटिबल मर्चंट	सब्जीवाला m., काछी m.
servant सर्वंट	नौकर m.	weaver वीवर	बुनकर m., जुलाहा m.
slave स्लेव	गुलाम m.	washerman वोशरमॅन	धोबी m.

Office • कार्यालय

allowance अलावन्स	भत्ता m.	debit डेबिट	उधार m.
amount अमाउंट	रकम f.	deduction डीडक्शन	कटौती f.
application एप्लिकेशन	अरजी f.	deposit डिपोझिट	अमानत f.
appointment अपोइंटमेंट	नियुक्ति f.	disposal डिस्पोझल	निबटारा m.
audit ऑडिट	जाँच f.	draft ड्राफ्ट्	हुंडी f.
bonus बोनस	बढोतरी f.	election इलेक्शन	चुनाव m.
budget बजेट	अंदाजपत्र m.	employee एम्प्लोई	सेवक m., नौकर m., कर्मचारी m.
capital केपीटल	मूलधन m.	employment एम्प्लोयमेंट	नौकरी f.
cash book केश बुक	रोकड बही f.	inquiry इन्क्वायरी	पूछताछ f.
certificate सर्टिफिकेट	प्रमाणपत्र m.	gain गेइन	लाभ m., फायदा m.
circular सर्क्युलर	परिपत्र m.	gum गम	गोंद m.
clerk क्लर्क	मुनीम m.	headquarters हेड कवार्टर्स	मुख्यालय m.
copy कॉपी	नकल f.	increment इनक्रीमेंट	बढती f., वेतनवृद्धि f., इजाफ़ा m.
credit क्रेडिट	जमा f.	industry इंडस्ट्री	उद्योग m.
daily book डेईली बूक	रोजनामचा m.	interim इंटरिम	मध्यवर्ती,,बीचका m., अंतरिम adj.

Office • कार्यालय

loss लॉस	नुकसान m.	recovery रीकवरी	वसूली f.
majority मेजॉरिटी	बहुमत m.	redtapism रेडटेपीझम	नियमपूजा f.
misappropriation मिसअप्रोप्रिएशन	गोलमाल m.	remuneration रेम्युनरेशन	प्रतिफल m., पारिश्रमिक m.
motion/proposal मोशन/प्रपोझल	प्रस्ताव m., दरखास्त f.	resignation रेझिग्नेशन	इस्तीफा m., त्यागपत्र m.
muster-roll मस्टर रोल	हाजिरीपत्रक m.	retirement रीटायरमेंट	निवृत्ति f., अवकाश m.
oath ओथ	शपथ f.,, सौगन्ध f.	resolution रिझोल्युशन	प्रस्ताव m., निश्चय m.
pay/wages पे/वेजिस	वेतन m., तनख्वाह f.	revenue रेवन्यु	राजस्व m.
pin पीन	टाँचनी f.	scarcity स्केर्सिटी	न्यूनता f., कमी f.
peon प्यून	चपरासी m.	security सीक्योरिटी	जामिन m.
permanent advance पर्मेनंट एडवान्स	पेशगी f.	signature सिग्नेचर	हस्ताक्षर m.
planning प्लानिंग	आयोजन m.	temporary टेम्परी	अस्थायी, अल्पकालिक adj.
press note प्रेसनोट	प्रेसनोट m.	wall clock वॉल क्लोक	दीवार-घड़ी f.
profit प्रोफिट	मुनाफा m.	work वर्क	कार्य m.
record रेकर्ड	लिपबध्य m. ,अंकित करना	worker वर्कर	कर्मचारी m.

Death • मृत्यु

cemetery सेमेटरी	कब्रिस्तान m., स्मशान m.
ceremony of death at anniversary सेरीमनी ऑफ डेथ एट एनीवर्सरी	श्राद्ध m.
ceremony on first anniversary of death सेरीमनी ओन फर्स्ट एनीवर्सरी ऑफ डेथ	बरसी f.
ceremony on ninth day after death सेरीमनी ओन नाईन्थ डे आफ्टर डेथ	मातमपुरसी f.

Death • मृत्यु

cremation क्रिमेशन	अग्निसंस्कार m.
funeral ceremony फ्युनरल सेरीमनी	अंतिम क्रिया m.
funeral procession फ्युनरल प्रोसेशन	स्मशानयात्रा f., शवयात्रा f.
ninth day after death नाइन्थ डे आफटर डेथ	नौमी f.

Synonyms • समानार्थ शब्द

and एंड	और, तथा	intention इंटेन्शन	आशयm., मुराद f., इरादा m.
anxiety एंक्साईटी	उचाट m., चिंता f., फिक्र f.	loss/deficit लॉस, डेफिसीट	टोटा m., घाटा m., कमी f.
care कॅर	देखभाल f., संभाल f.	maintenance मेइंटेनन्स	गुजारा m., निभाव m., निर्वाह m.,
complete/entire कम्प्लीट/एंटायर	पूर्ण, संपूर्ण, पूरा	mud मड	कीचड़ m., गिली मिट्टी f.
control कंट्रोल	अंकुश m., काबू m., नियंत्रण m.	outright आउटराइट	सर्वथाadv., खुलेआम adv.
dawn डॉन	प्रभात m., सवेरा m., सुबह f.	promptly प्रोम्प्टली	शीघ्रता से, फुर्ती से adv.
definite डेफिनेट	अवश्य, जरूर, निश्चित	separate सेपरेट	जुदा, अलग, भिन्न adj.
entreaty एंट्रीटी	प्रार्थना f., बिनती f., अरजी f.	shortage शोर्टेज	कमी f., न्यूनता f., तंगी f.
fragrance फ्रेग्रन्स	सुवास f., खुश्बू f., महक f., सुगंध f.	solution सॉल्युशन	फैंसला m., निराकरण m.
gluttonous ग्लुटनस	खाऊ, पेटू, भुक्खड़	speed स्पीड	गति f., वेग m.
hospitality होस्पिटालिटी	आदर-सत्कार m., आतिथ्य m.	suit स्यूट	दावा m., नालिश f.
information इनफोर्मेशन	जानकारी f., सूचना f.	teacher टीचर	शिक्षक, अध्यापक, गुरु m.

Antonyms • विरुद्धार्थ शब्द

before-after बीफोर-आफ्टर	आगे-पीछे adv.	large-small लार्ज-स्मॉल	बड़ा-छोटा adj.
bottom-top बॉटम-टॉप	नीचे-ऊपर adv.	less-more लेस-मॉर	कम-ज्यादा adj.
clean-dirty क्लीन-डर्टी	स्वच्छ-अस्वच्छ adj.	light-darkness लाइट-डार्कनेस	उजाला-अंधेरा m.
deep-shallow डीप-शॅलो	गहरा-छिछला adj.	narrow-wide नॅरो-वाइड	संकरा-चौड़ा adj.
early-late अर्ली-लेट	जल्दी-देर से adv.	new-old न्यू-ओल्ड	नया-पुराना adj.
easy-difficult इझी-डिफिकल्ट	आसान-कठिन, मुश्किल adj.	retail-wholesale रीटेइल-होलसेल	फुटकर-थोक adj.
increase-decrease इन्क्रीस-डीक्रीझ	बढ़ाव m., घाटा m.	right-wrong राइट-रॉन्ग	सच्चा-झूठा, सही-गलत, adj.
insanity-sanity इन्सॅनिटी-सॅनिटी	पागलपन m., सयानापन m.	sick-healthy सिक-हेल्थी	बीमार-चंगा, अस्वस्थ-स्वस्थ adj.

English words used in Hindi • हिन्दी में प्रयुक्त अंग्रेजी शब्द

appeal अपील	अपील f.	money order मनीऑर्डर	मनीआर्डर m.
bill बिल	बिल m.	muffler मफलर	मफलर m.
bank बॅन्क	बैंक f.	minute मिनिट	मिनिट, मिनट f.
chimney चिमनी	चिमनी f.	mill मिल	मिल f.
coffee कॉफी	कॉफी f.	pen पेन	पेन f.
conductor कंडक्टर	कंडक्टर m.	pencil पेन्सिल	पेन्सिल f.
cheque चेक	चैक m.	radio रेडियो	रेडियो m.
cinema सिनेमा	सिनेमा m.	railway रेलवे	रेलवे f.
driver ड्राइवर	ड्राईवर m.	registered रजिस्टर्ड	रजिस्ट्री f.
engine एंजिन	एन्जिन m.	ration रॅशन	रेशन, राशन m.
fee फी	फी f.	stove स्टोव	स्टव m.

English words used in Hindi • हिन्दी में प्रयुक्त अंग्रेजी शब्द

station स्टेशन	स्टेशन m.	**telephone** टेलीफोन	टेलीफोन m.

Some Hindu Gods & Goddesses • कुछ हिन्दू देव और देवियाँ

ब्रह्मा	God of creation
विष्णु	God of preservation
महेश	God of destruction
राम	Incarnation of Lord Vishnu
कृष्ण	Incarnation of Lord Vishnu
गणेश (गणपति)	God of wisdom & siddhis, remover of obstacles, so invoked first in every ritual
हनुमान	God of strength & prowess, (Monkey God)
कामदेव	God of love and beauty
यमदेव	God of death
सरस्वती	Goddess of speech and learning
लक्ष्मी	Goddess of wealth, wife of Lord Vishnu

Gods and Saints in some religions • कुछ धर्मों के संत एवं देव

धर्म - religion	धर्मप्रवर्तक - founder	पद - title
ईसाई	क्राइस्ट (ईसा मसीह)	पिता
इस्लाम	मुहम्मद	पैगंबर
सिक्ख	नानक	गुरु
शैव	शंकराचार्य	जगद्‌गुरु
वैष्णव	रामानुज, माधव, वल्लभ	आचार्य
वैष्णव (शुद्ध भक्ति)	चैतन्य	महाप्रभु
कृष्णभावना	प्रभुपाद (इस्कोन)	गुरु
सर्व धर्म	रामकृष्ण	परमहंस
जैन	महावीर (ऋषभदेव)	तीर्थंकर
बौद्ध	गौतम बुद्ध	भगवान
स्वामिनारायण	सहजानंद	आचार्य (भगवान), स्वामी
पारसी (जरथोस्ती)	जरथुष्ट्र	पैगंबर
कबीरपंथ	कबीर	गुरु साहब

• You may write here the names of other Gods and Saints used in your household and friend-circle :

Idioms • मुहावरे

अँगूठा दिखाना	(इन्कार कर देना ।) To deny, To reject forcibly.
अंधे की लकड़ी	(एक मात्र सहारा ।) The helpless person's only resource / support.
अंक में भरना	(प्रेम से गोदी में उठाना ।) To hug and carry with love in lap.
अँधेरे घर का उजाला	(एकलौता पुत्र / पुत्री।) The only son / daughter.
अक्ल का अंधा	(एकदम मूर्ख ।) Extremely foolish.
अक्ल के पीछे लट्ठ लिए फिरना	(बार-बार समझने पर भी नादानी करना ।) Behaving foolishly inspite of being wise, demanding tribute of the dead.
अक्ल चरने चली जाना	(समझदारी से काम न लेना ।) Working without understanding, To be out of one's head.
अपना उल्लू सीधा करना	(स्वार्थ पूरा करना ।) Working selfishly.
अपनी खिचड़ी अलग पकाना	(दूसरों से एकदम अलग ढंग से काम करना ।) To have one's own style of work unlike others, To follow own way / method.
अपने पाँव पर कुल्हाड़ी मारना	(अपनी हानि स्वयं करना ।) Self-destructive act.
अपने मुँह मियाँ मिट्ठू बनना	(स्वयं अपनी प्रशंसा करना ।) To wash mouth with one's own praise, Self praise is no recommendation.
आँखें चार होना	(एक-दूसरे को देखकर मुग्ध होना ।) Love at first sight.
आँखें चुराना	(लज्जा या डर के कारण सामने न आना ।) Do not appear because of fear or shame, To avoid being observed / sighted by.
आँखों का तारा	(बहुत प्रिय ।) A dearest one, Darling.
आँख की किरकिरी	(खटकनेवाली वस्तु ।) An obstacle.
आँखों में धूल झोंकना	(छल करना ।) To make fraud, To cheat.
आँचल पसारना	(दीन बनना ।) To become helpless.
आकाश के तारे तोड़ना	(असंभव कार्य को संभव कर दिखाना ।) To make it possible, something that is impossible.
आकाश-पाताल एक करना	(कठोर परिश्रम करना ।) To work hard, To make a Herculean attempt.
आसमान सिर पर उठाना	(बहुत शोर मचाना ।) Loud outcry, To create tumult.
आस्तीन का साँप	(कपटी मित्र ।) A fraudulent friend.
ईंट से ईंट बजाना	(तबाह कर देना ।) To ruin.
ईद का चाँद होना	(बहुत लम्बे समय तक दिखाई न देना ।) Not to be seen since long time.
उँगली उठाना	(निंदा करना, दोष लगाना ।) To abuse, to blame.

Idioms • मुहावरे

उँगली पर नचाना (पूरी तरह वश में कर लेना ।) To take the hold of.

उन्नीस-बीस का अंतर होना (बहुत साधारण फर्क होना ।) A slightest difference, Slightly better or worse.

उलटी गंगा बहाना (लोक-रीति या परंपरा के विरुद्ध सोचना ।) To go against the customs or traditions..

उल्लू बोलना (उजाड़ होना ।) To be barren.

कच्चा चिट्ठा खोलना (सारे रहस्य प्रकट कर देना ।) To disclose the secrets at a wrong time.

कफन सिर पर बाँधना (जान जाने की परवाह न करना ।) Not worried about one's own life.

कमर कसना (दृढ़ निश्चय कर लेना ।) To be determined.

कलई खुलना (भीतरी वास्तविकता प्रकट हो जाना ।) To desclose internal secrets, To be exposed.

कलेजा मुँह को आना (आंतरिक पीड़ा का अनुभव होना ।) To feel tremendous pain, To be restless on account of grief.

कलेजे पर पत्थर रखना (धैर्यपूर्वक विपत्ति सह लेना ।) To tolerate any calamity with patience.

काठ का उल्लू होना (एकदम बुद्धू होना ।) Extremely stupid.

कान पर जूँ तक न रेंगना (बहुत कहने पर भी ध्यान न देना ।) Unattentive even being told more often.

कान भरना (बिना कारण चुगली करना ।) To complain without any reason.

खाला का घर न होना (काम आसान न होना ।) A difficult task.

खून पसीना एक करना (कठिन परिश्रम करना ।) To work labouriously.

गड़े मुर्दे उखाड़ना (बीती बातों को बेकार दोहराना ।) Unnecessarily repeating the past things, To rake up the long lost past.

गहरी छनना (पक्की दोस्ती होना ।) Being good friends.

गुदड़ी का लाल होना (ऊपर से साधारण दिखना पर गुणों में महान् होना ।) Simple living high thinking.

गोबर गणेश होना (एकदम बुद्धू या आलसी होना ।) Being a stupid or idle.

घोड़े बेच कर सोना (एकदम निश्चिंत हो जाना ।) To be relaxed, To go in deep carefree sleep.

चाँद का टुकड़ा (बहुत सुन्दर ।) Extremely beautiful, Lovely face.

चार चाँद लगना (शोभा और बढ़ जाना ।) Looking beautiful.

चिकना घड़ा (जिस पर किसी के उपदेश का असर न हो ।) Unaffected by all advice.

चुल्लू भर पानी में डूब मरना (अत्यन्त लज्जा अनुभव करना ।) To be ashamed of.

Idioms • मुहावरे

छक्के छुड़ाना (बुरी तरह परास्त करना ।) To defeat badly, To put out of gear.

छठी का दूध याद आना (बहुत अधिक दुर्दशा होना ।) Being in a worst situation.

छाती पर मूँग दलना (ढीठ बनकर सताते रहना ।) To harass someone.

छाती पर साँप लोटना (ईर्ष्या से जलना ।) To be jealous of, To burn with jealousy.

जली-कटी सुनाना (कठोर शब्द कहना ।) To talk harsh.

जले पर नमक छिड़कना (किसी दुःखी व्यक्ति को और सताना ।) To harass unhappy person, To add insult to injury.

ज़हर उगलना (बहुत कठोर बातें कहना ।) Tongue is not steel yet it cuts.

जान हथेली पर रखना (मृत्यु से न डरना ।) Act without fear of death.

जूती चाटना (खुशामद करते रहना ।) To flatter, brown nosing.

झंडा गाड़ना (धाक जमाना ।) To be authoritative, To achieve victory.

टाँग अड़ाना (बाधा डालना ।) To obstruct.

टस से मस न होना (अपनी जिद न छोड़ना ।) To be obstinate.

टेढ़ी खीर (अत्यन्त कठिन काम ।) A dificult task.

ढोल की पोल (ऊपरी महानता के भीतर हीनता ।) More show than substance.

तलवे चाटना (अपना सम्मान खोकर भी चापलूसी करना ।) To frown upon inspite of loosing self respect flattering others.

तिनके का सहारा (मुसीबत में कोई उम्मीद नज़र आना ।) To be optimistic.

तिल का ताड़ बनाना (साधारण-सी बात को बढ़ा-चढ़ा कर कहना ।) To be pompous, To make a mountain of a mole.

दाँत खट्टे करना (बुरी तरह हराना ।) To give a worst defeat, To force enemy in a tight corner.

दाल न गलना (सफलता न मिलना ।) To remain unsuccessful, To effect little.

दाल में कुछ काला होना (संदेह का आभास होना ।) To be doubtful, To have something wrong.

दूज का चाँद (कभी-कभी दिखाई देना ।) To be seen only once in a while.

दूध का धुला (बहुत ईमानदार ।) Very honest.

दो घोड़ों पर सवार होना (एक साथ दो कामों में उलझना ।) Riding on two horses at a time.

धज्जियाँ उड़ाना (बुरी तरह परास्त करना ।) To give a great defeat.

Idioms • मुहावरे

धूल में मिला देना (बरबाद कर देना ।) To ruin someone.

नमक-मिर्च लगाना (किसी बात को बढ़ा-चढ़ाकर कहना ।) To talk big, Add salt & pepper to a story.

नाक काटना (अपमानित करना ।) To insult, To defame.

नाक पर मक्खी न बैठने देना (अपने पर कोई दोष न आने देना ।) To remain faultless.

नाक रगड़ना (बड़ी दीनता से अनुनय-विनय करना ।) To request with modesty.

नाकों चने चबवाना (बुरी तरह परास्त करना ।) To defeat badly.

नींव का पत्थर होना (मूल आधार होना ।) Being a base.

नौ-दो ग्यारह होना (एकदम भाग जाना ।) To escape, To turn tails.

पत्थर की लकीर होना (अटल होना ।) To remain firm.

पलकें बिछाना (आनन्द और उत्साह से स्वागत करना ।) To welcome with joy and happiness.

पहाड़ टूट पड़ना (बहुत बड़ी विपत्ति आना ।) To experience a great calamity.

पाँचों उँगलियाँ घी में होना (हर प्रकार से लाभ होना ।) Advantageous in every way.

पानी का बुलबुला (अस्थायी ।) Temporary, Unstable.

पानी-पानी होना (बहुत लज्जा अनुभव करना ।) To feel shy, To be overwhelmed with shame.

पानी फेर देना (बेकार कर देना ।) To make useless.

पानी में आग लगाना (असंभव काम को संभव कर दिखाना ।) To make something possible which is impossible.

पापड़ बेलना (बहुत तरह के काम करते हुए भटकना ।) Poor suffer all the worng.

पारा चढ़ना (बहुत क्रोध आना ।) To be very angry.

पेट काटना (भूखे रहना ।) To remain hungry, To save money by imposing self restraint.

पेट में चूहे दौड़ना (बहुत भूख लगना ।) To feel hungry.

पेट में दाढ़ी होना (कम उम्र में ही बहुत होशियार होना ।) Being smart at a young age.

फूला न समाना (अत्यन्त हर्षित होना ।) To be extremely happy.

बहती गंगा में हाथ धोना (अवसर से लाभ उठाना ।) Ready mouth for ripe cherry, To make hay while the Sun shines.

बाँह पकड़ना (सहारा देना ।) To support.

Idioms • मुहावरे

बाल बाँका न होना (तनिक भी हानि न पहुँचना ।) To escape all injuries.

बाल-बाल बचना (मुसीबत में फँसते-फँसते बचाव हो जाना ।) To escape the danger.

बालू की भीत (अस्थिर ।) Temporary, Unstable.

बीड़ा उठाना (जिम्मेदारी लेना ।) To accept the challenge, To bid.

भाड़े का टट्टू (धन के लोभ से साथ देनेवाला ।) To co-operate for the sake of money.

भीगी बिल्ली बनना (कायर बन जाना ।) To be a coward.

मक्खन लगाना (चापलूसी करना ।) To flatter.

मक्खियाँ मारना (निकम्मे बैठे रहना ।) To remain unemployed.

मिट्टी का माधो (एकदम बुद्धू ।) Extremely stupid.

मुँह में पानी भर आना (लालच होना ।) A greedy dog.

मुँह लटकाना (नाराज़ हो जाना ।) To be displeased.

मुँह से फूल झड़ना (बातें करना ।) To be talkative

मुट्ठी गर्म करना (रिश्वत देना ।) To offer a bribe.

रंग में भंग होना (सुख के वातावरण में अचानक दुःख आ जाना ।) Adversity in prosperity, To mar a happy occasion.

रँगा सियार होना (ढोंगी होना ।) To be hypocrite.

राई से पर्वत करना (तनिक-सी बात को बढ़ा-चढ़ाकर कहना ।) To talk big, To make a mountain of a mole.

रोड़ा अटकाना (बाधा डालना ।) To obstruct.

लकीर का फकीर होना (बिना सोचे-समझे रूढ़ियों को मानना ।) Belief in customs without understanding them.

लोहा मानना (प्रभाव की महानता स्वीकार करना ।) Accepting one's power.

लोहा लेना (डटकर मुकाबला करना ।) To fight with courage.

लोहे के चने चबाना (बहुत मुसीबत झेलना ।) Very difficult task.

विष उगलना (बुराई करना ।) To abuse.

श्रीगणेश करना (शुभ आरम्भ करना ।) To begin well.

सिर-माथे पर बैठाना (बहुत आदर देना ।) To respect.

Proverbs • कहावतें

अंत भला सो भला All is well that ends well.

अंधों में काना राजा In agroup of blinds a person with one eye is the leader, A figure among Cyphers.

अंधेर नगरी चौपट राजा One cannot expect a free and fair judgement in anarchy.

अधजल गगरी छलकत जाय One who is less capable will speak more, Deep waters are silent shallow brooks are noisy.

अकेला चना भाड़ नहीं फोड़ सकता One person cannot lead to the success.

आँखों के अंधे, नाम नयनसुख Name and the qualities don't go together.

आम के आम गुठलियों के दाम Fully advantageous. Earth's joy and Heaven's combined.

आसमान से गिरा खजूर पे अटका Escaping one problem the other is awaiting.

आये थे हरि भजन को, ओटन लगे कपास Good words without deeds are rushes and reeds.

उलटा चोर कोतवाल को डाँटे A thief fighting a case of police.

ऊँट के मुँह में जीरा Fill the mouth with empty spoon, A drop in the ocean.

ऊंची दुकान फीका पकवान Great braggers, little doers, Great cry little wool, Great boast, little roast.

एक और एक ग्यारह होते हैं Union is strength.

एक तो करेला, दूसरे नीम चढ़ा Greedy folks have long arms.

एक पंथ दो काज To achieve two goals with a single effort, To kill two birds with one stone.

एक मछली सारे तालाब को गंदा करती है A spoiled person would spoil the whole society, One fish infects the whole water.

एक म्यान में दो तलवारें नहीं समा सकतीं You cannot have two swords in one scabbard, Two of a trade seldom agree.

एक हाथ से ताली नहीं बजती Both are responsible when they fight, It takes two to make quarrel.

एक ही थेली के चट्टे-बट्टे They are like copies of the same newspaper, Cast in the same mould.

Proverbs • कहावतें

ओखली में सिर दिया तो मूसलों से क्या डरना	Good things are hard.
ओछे की प्रीत जैसे बालू की भीत	One cannot trust a fraudulent friend.
कहाँ राजा भोज कहाँ गंगू तेली	There is no comparison of a king and a common man.
काठ की हँडिया बार-बार नहीं चढ़ती	You cannot fool all the people all the time.
काला अक्षर भैंस बराबर	To be an illiterate (Uneducated).
कोयलों की दलाली में मुँह काला	No benefits in the company of wicked people.
खोदा पहाड़ निकली चुहिया	More pain, less gain.
गेहूँ के साथ घुन भी पिस जाती है	In the company of wicked person even gentleman has to suffer, When the buffalloes fight, crops suffer.
घर का भेदी लंका ढाए	Wounded by the well-wishers, Traitors are the worst enemy.
चमड़ी जाए पर दमड़ी न जाए	To remain a miser inspite harming one's own self.
चार दिन की चाँदनी फिर अँधेरी रात	Fortunes keep fluctuating, A nine days wonder !
चोर की दाढ़ी में तिनका	Guilty conscience is a self-accuser.
चोर-चोर मौसेरे भाई	Greedy folks have long arms.
छछूंदर के सिर में चमेली का तेल	The more wicked sometimes the more fortunate.
जाको राखे साइयाँ, मार सके न कोय	Whom God protects, no frost can kill.
जिसकी लाठी उसकी भैंस	Might is right.
जो गरजते हैं सो बरसते नहीं	Barking dogs seldom bite.
डूबते को तिनके का सहारा	Drowning person hangs onto a straw.

Proverbs • कहावतें

तेते पाँव पसारिए जेती लम्बी सौर One should spend as pocket permits. Cut your coat according to your cloth.

थोथा चना बाजे घना All that glitters is not gold. Empty vessels make much noise.

दूर के ढोल सुहावने To feel envy of others. Distant drums sound well.

दीवारों के भी कान होते हैं It is said that even walls have ears. Hedges have eyes and walls have ears.

नाच न जाने आंगन टेढ़ा Bad workman finds fault with his tools.

भागते चोर की लँगोटी ही भली When you are loosing everything be satisfied with what has remained.

मुँह में राम-राम बगल में छुरी Good man with bad intentions can do more harm.

मान न मान मैं तेरा महेमान An uninvited guest.

रस्सी जल गई पर बल न गया Inspite of being ruined one would not leave pride.

हाथ कंगन को आरसी क्या Something that is visible doesn't need a proof.

हाथी के दांत, खाने के और, दिखाने के और Saying and doing are two different things.

धोबी का कुत्ता न घर का न घाट का A person at two locations, never has a place.

न रहेगा बाँस न बजेगी बाँसुरी Act at the root cause of the problem, and it will be solved automatically.

मन चंगा तो कठौती में गंगा Life is a pilgrimage.

मुँह में राम बगल में छुरी To have a dual personality - Acting like an angle, behaving like a devil.

सौ सुनार की एक लुहार की An unskilled person has to work thousand times more than skilled person.

होनहार बिरवान के होत चीकने पात Symptoms of greatness can be seen in the child. Coming events cast their shadows before.

7. Conversation In Hindi • हिन्दी में बातचीत

कन्वर्सेशन इन हिन्दी • hindī meṃ bāta cīt

Note : This chapter serves several purposes :

- The person who wants to learn just the conversational Hindi, it provides an opportunity to learn through transliteration. Also for Hindi speaking person who does not know English, it provides a mean to communicate with English speaking person.
- This provides reading and pronunciation exercises because a person knowing English can read Hindi transliteration and familiarize with the Hindi script and associated pronunciation which is known. Similarly for Hindi speaking person for English.
- This forms a quick reference guide for person travelling or attending a social function where either English or Hindi language is used.

1 A phrase in English is given first and it's Hindi translation is given on the right side. Transliteration for each is given directly underneath, i.e. for Hindi speaking person to read the English phrase, it is written in Hindi and for English speaking person to read the Hindi phrase it is written in English. See pages 14 and 15 for key to pronunciation.
2 See Pages 92 and 201 for instruction to sentence construction in Hindi.
3 Spellings for proper nouns are unchanged and do not follow the transliteration key used for the rest of the text.
4 Generally the last 'a' has been dropped in transliteration as it is not pronounced distinctly.
5 Refer to Adjectives (Pages 78 to 84), Verbs (Pages 85 to 91) and 'Vocabulary' chapter 6 (Pages 93 to 131); as needed for creating your own phrases. Create at least ten phrases of your choice in each category.

Compiled by : Sunita S. Chaudhary

General Expressions • हररोज़ की सामान्य बातचीत

जनरल अेक्स्प्रेशन्स • hararoj kī sāmanya bātcīt

Good Morning Mr. Gandhi ! गुड मॉर्निंग मिस्टर गांधी !	**नमस्ते श्री गांधी !** Namaste śrī Gāṃdhī !
Good Evening Mr. Patel ! गुड ईवनिंग मिस्टर पटेल !	**नमस्ते श्री पटेल !** Namaste śrī Patel !
Good Night Mr. Chaudhari ! गुड नाइट मिस्टर चौधरी !	**चलते हैं / नमस्ते श्री महेता !** Calate haiṃ / Namaste śrī Caudharī !
How do you do ? How are you ? हाउ डु यू डु ? हाउ आर यू ?	**आप कैसे हैं ?** Āp kaise haiṃ ?
Sir / Madam / Mr / Mrs सर /मॅडम /मिस्टर /मीसीस	**श्रीमान् / श्रीमतीजी /श्री** śrīmān / śrīmatījī / śrī
Ladies and Gentlemen लेड़ीज एंड जेंटलमेन	**सज्जनो और सन्नारियो** Sajjano aur Sannāriyo
Brothers and Sisters ब्रधर्स एंड सिस्टर्स	**भाइयो और बहनो** Bhāiyo aur Bahano
I am very pleased to meet you ! आइ ॲम वेरी प्लीज्ड टु मीट यू !	**आपको मिलकर बहुत आनंद हुआ !** Āpako milakar bahut ānaṃd huā !
Thank you; Please ! थॅन्क यू; प्लीज़ !	**आभार / धन्यवाद; कृपया /मेहरबानी !** Ābhār/Dhanyavād. Kripayā / Meharbānī
Thank you very very much ! थॅन्क यू वेरी वेरी मच !	**आभार ! बहुत बहुत धन्यवाद !** Ābhār ! bahut bahut dhanyavād
Good-bye; Nice meeting you ! गुड बाय; नाइस मीटिंग यू !	**नमस्ते ! आपको मिलकर खुशी हुई !** Namaste ! āpako milakar khuśī huī !
Looking forward to meeting you again लूकिंग फोरवर्ड टु मीटींग यू अगेइन	**आपको फिरसे मिलनेकी ख्वाहीश है ।** Āpako firase milanekī khvāhiś hai

Visits And Introductions
विज़िट्स एंड ईन्ट्रोडक्शन्स

- **मुलाकात और परिचय**
- mulākāt aur paricay

Do you know him / them? डु यू नो हिम /धेम ?	**क्या आप उसे / उन्हें जानते है / हैं ?** Kyā āp use / unheṃ jānate hai / haiṃ ?
May I introduce him/her मे आइ इंट्रोड्युस हिम / हर	**आइये मैं इनसे परिचय करवाऊँ** Āaiye maiṃ inse paricay karavāuṃ
And now, let me introduce myself एंड नाउ लेट मी इंट्रोड्युस मायसेल्फ	**और अब मैं (आपको) अपना परिचय दूँ ।** Aur ab maiṃ (āpako) apanā paricay dūṃ
May I know your name please ? मे आई नो यॉर नेइम प्लीज़ ?	**आपका शुभ नाम ?** Āpakā śubh nām ?
Here is my card / My identification हीअर इज़ माय कार्ड/माय आइडेंटिफिकेशन	**यह मेरा कार्ड है / मेरा परिचयपत्र है** Yah merā cārd hai / merā paricayapatr hai
I am pleased to meet you आइ ॲम प्लीज्ड़ टु मीट यू	**आपसे मिलकर खुशी हुई** Āpse milakar khuśī huī
Are you Mr. Chaudhary ? आर यू मिस्टर चौधरी ?	**क्या आप ही श्री चौधरी हैं ?** Kyā āp hī śrī Chaudharī haiṃ ?
I am from America आइ ॲम फ्रॉम अमेरिका	**मैं अमरिका से आया हूँ** Maiṃ Amaricā se āyā huṃ
How is your son / brother ? हाउ इज़ यॉर सन / ब्रधर ?	**आपका बेटा / भाई कैसा है ?** Āpkā beṭā / bhāī kaisā hai ?
How is your daughter / sister ? हाउ इज़ यॉर डॉटर / सिस्टर ?	**आपकी बेटी / बहन कैसी है ?** Āpkī beṭī / bahan kaisī hai ?
How is your family ? हाउ इज़ यॉर फॅमिली ?	**आपका परिवार कैसा है ?** Āpakā parivār kaisā hai ?
Is everybody happy at home ? इज़ ॲवरीबड़ी हॅपी ॲट होम ?	**घर पर सब प्रसन्न हैं ?** Ghar par sab prasanna haiṃ ?

Visits And Introductions

विज़िट्स एंड ईन्ट्रोडक्शन्स

- **मुलाकात और परिचय**
- mulākat aur paricay

How is your father ? हाउ इज़ यॉर फाधर ?	**आपके पिताजी कैसे हैं ?** Āpake pitājī kaise haiṃ ?
How is your mother ? हाउ इज़ यॉर मधर ?	**आपकी माताजी कैसी हैं ?** Āpakī mātājī kaisī haiṃ ?
How is your husband ? हाउ इज़ यॉर हसबंड ?	**आपके पति कैसे हैं ?** Āpake pati kaise haiṃ ?
How is your wife ? हाउ इज़ यॉर वाइफ ?	**आपकी पत्नी कैसी हैं ?** Āpakī patnī kaisī haiṃ ?
Do you know English / Hindi ? डु यू नो इंग्लिश / हिन्दी	**क्या आप अंग्रेज़ी / हिन्दी जानते हैं ?** Kyā āp Aṃgrejī / Hindī jānate haiṃ ?
Do you speak English / Hindi ? डु यू स्पीक इंग्लीश / हिन्दी ?	**क्या आप अंग्रेज़ी / हिन्दी बोलते हैं ?** Kyā āp Aṃgrejī / Hindī bolate haiṃ ?
Yes, a little bit / little / broken यस, अ लिटल बिट / लिटल / ब्रोकन	**जी, थोड़ी बहुत / थोडी टूटीफूटी** Jī, thodī bahut / thodī tūtī fūtī
I don't speak your language very well आइ डोंट स्पीक यॉर लेंग्वेज वेरी वेल	**मैं आपकी भाषा ठीक तरह नहीं बोल पाता** Maiṃ āpkī bhāṣa thīk tarah nahīṃ bol pātā
Would you please speak slowly ? वूड यू प्लीज़ स्पीक स्लोली ?	**आप कृपया धीरे / आहिस्ता बोलिये !** Āp kripayā dhīre / āhistā boliye !
Would you please Repeat ! वूड यू प्लीज़ रिपीट !	**आप कृपया दोहराइए** Āp kripayā doharāie
I beg your pardon ! आइ बेग यॉर पार्डन !	**कृपया फिरसे बतायें** Kripayā firase batāyeṃ
Excuse me for interrupting. अेक्सक्यूज़ मी फॉर इंटरप्टिंग ।	**रुकावट के लिए क्षमा चाहता हूँ** Rukāvaṭ ke lie kśamā cāhatā huṃ

Visits And Introductions
विज़िट्स एंड ईन्ट्रोडक्शन्स

- **मुलाकात और परिचय**
- mulākāt aur paricay

Will you please come to my house ? विल यू प्लीज़ कम टु माय हाउस ?	**कृपया आप मेरे घर पधारें !** Kripayā āp mere ghar padhāreṃ
Breakfast is at 8:00 A.M. ब्रेकफास्ट इज़ एट एइट ए.एम.	**नाश्ता, सुबह आठ बजे होगा** Nāśtā, subah āṭh baje hogā
You are invited to Lunch यू आर इन्वाइटेड टु लंच	**दोपहर के भोजन के लिए आप आमंत्रित हैं** Dopahar ke bhojan ke lie āp āmaṃtrit haiṃ
Coffee, with cream and sugar कॉफी विथ क्रीम एंड सुगर	**कॉफी, दूध और चीनी के साथ** kofī, dūdh aur cīnī ke sāth
Come for tea and snacks ! कम फॉर टी एंड स्नॅक्स !	**चाय और नाश्ते के लिए पधारिये** Cāy aur nāśte ke lie padhāriye
Cocktails from 5 p.m. to 7 p.m. कॉकटेइल्स फ्रॉम फाइव पी.एम. टु सेवन पी.एम.	**कॉकटेइल्स शाम को पाँच से सात बजे तक उपलब्ध होंगे** Koktails śāmko pāṃc se sāt baje tak upalabdh hoṃge
Entire family is invited for Dinner एंटायर फेमिली इज़ इंवाइटेड फोर डिनर	**रात के भोजन पर आप सपरिवार आमंत्रित हैं** Rāt ke bhojan par āp saparivār āmaṃtrit haiṃ
Is Mrs. Shah at home ? इज़ मिसिस शाह ॲट होम ?	**क्या श्रीमती शाह घर पर हैं ?** Kyā śrīmatī śāh ghar par haiṃ ?
When will she be back ? वॅन विल शी बी बॅक ?	**वह कब लौटेंगी ?** Vah kab lauṭeṃgī ?
Not sure, may not come here नॉट श्योर, मे नॉट कम हीअर	**कुछ तय नहीं, शायद यहाँ न भी आयें** Kuch tay nahīṃ, śāyad yahāṃ na bhī āyeṃ
Please come in ! be seated ! प्लीज़ कम इन ! बी सीटेड !	**कृपया अंदर आइये ! बैठिये !** Kripayā aṃdar āiye ! Baiṭhiye
Would you come in and wait ? वुड यू कम इन एंड वेइट	**कृपया आप अंदर आकर / बैठकर प्रतीक्षा करेंगे ?** Kripayā āp aṃdar ākar/baiṭhakar pratīkṣā kareṃge ?

Visits And Introductions
विज़िट्स एंड ईन्ट्रोडक्शन्स

- **मुलाकात और परिचय**
- mulākāt aur paricay

May I offer you something to eat/drink ?
मे आइ ऑफर यू समथिंग टु इट / ड्रिंक ?

आप क्या लेंगे ? नाश्ता ? या कुछ पीयेंगे ?
Āp kyā leṃge ? Nāśtā yā kuch pīyeṃge ?

What would you like cold or hot ?
वॉट वुड यू लाइक कोल्ड ऑर हॉट ?

आप क्या लेना पसंद करेंगे ? कुछ गरम ? ठंडा ?
Āp kyā lenā pasaṃd kareṃge ? Kuch garam ? Ṭhaṃḍā ?

Would you like/take spicy tea ?
वुड यू लाइक/टेइक स्पाइसी टी ?

क्या आप मसालेदार चाय पसंद करेंगे ?
Kyā āp masāledār cāy pasaṃd kareṃge ?

No. I prefer coffee
नो ! आइ प्रीफर कॉफी

नहीं । मुझे कॉफी ज़्यादा पसंद है
Nahīṃ. Mujhe kofī jyādā pasaṃd haiṃ

It has been a long time since I saw you last
इट हॅज़ बीन अ लॉन्ग टाइम सिन्स आइ सॉ यू लास्ट

बहुत लम्बे समय से मैंने आपके दर्शन नहीं किये
Bahut lambe samay se maiṃne āpke darśan nahī kiye

We met after a long time
वी मेट आफ्टर अ लॉन्ग टाइम

हम बड़े लम्बे अरसे के बाद मिले
Hum baḍe lambe arase ke bād mile

Please convey my regards to your family !
प्लीज़ कन्वे माय रिगार्ड्स् टु यॉर फेमिली !

अपने परिवार को मेरा नमस्कार कहिए / कहना
Apane parivār ko merā namaskār kahiye/kahanā

Please come again / visit again !
प्लीज़ कम अगेइन / विज़िट अगेइन !

कृपया पुनः पधारें
Kripayā punh padhāreṃ

Coffee / Tea was very good
कॉफी /टी वॉज़ वेरी गुड

कॉफी / चाय अच्छी थी
Kofī / cāy acchī thī

Good-bye ! I had a delightful time !
गुड बाय ! आइ हॅड अ डीलाइटफुल टाइम !

नमस्कार ! आपके साथ आनंद आया
Namaskār ! āpake sāth ānaṃd āyā

Good-bye ! I also enjoyed
गुड बाय ! आइ ऑलसो एंजोय्ड

नमस्कार ! मुझे भी बहुत आनंद आया
Namaskār ! mujhe bhī bahut ānaṃd āyā

Inquiries On The Street
इंक्वायरीज़ ऑन ध स्ट्रीट

- **रास्ते पर पूछताछ**
- rāste par pūchatāch

Where is the drug / medical store ? व्हॅर इज़ ध ड्रग / मेडिकल स्टोर ?	**दवाई की दुकान दिखा सकेंगे ? / कहाँ है ?** Davāī kī dukān dikhā sakeṃge ? / kahāṃ hai ?
Where is American Embassy ? व्हॅर इज़ अमेरिकन ॲम्बसी	**अमरिकन राजदूत की कचहरी कहाँ पर है ?** Amarican rājadūt kī kacaharī kahāṃ par hai?
Please show me the departmental store! प्लीज़ शो मी ध डिपार्टमेंटल स्टोर !	**कृपया मुझे डिपार्टमेंटल स्टोर का रास्ता दिखायेंगे ?** Kripayā mujhe dipārṭmenṭal sṭore kā rāstā dikhāyeṃge ?
Is there a police station nearby ? इज़ धेर अ पोलिस स्टेशन नीयरबाय ?	**यहाँ आसपास कहीं कोई पुलिस-स्टेशन होगा ?** Yahāṃ āsapās kahīṃ koī pulis-steśan hogā ?
How far the park is from here ? हाउ फार ध पार्क इज़ फ्रॉम हीअर ?	**बाग यहाँ से कितनी दूरी पर है ?** Bāg yahāṃ se kitanī dūrī par hai ?
The radio station ध रेडिओ स्टेशन	**रेडियो स्टेशन / आकाशवाणी** Redio steśan / Akāśavaṇī
The railroad station ध रेइलरोड स्टेशन	**रेलवे स्टेशन** Relave steśan
The Red Cross ध रेड क्रॉस	**रेड क्रॉस** Reḍ cross
Please show me on this map प्लीज़ शो मी ऑन धिस मॅप	**कृपया मुझे इस नकशे में दिखाइए** Kripayā mujhe is nakaśe meṃ dikhāie
What is the name of this street ? वॉट इज़ ध नेइम ऑफ धिस स्ट्रीट ?	**इस रास्ते का नाम क्या है ?** Is rāste kā nām kyā hai ?

Personal Needs	• **निजी आवश्यकताएँ**
पर्सनल नीड्ज़	• nijī āvaśyakatāyeṃ

Where is the super market ?	**सुपर मार्केट कहाँ है ?**
व्हॅर इज़ ध सुपर मार्केट ?	Supar mārket kahāṃ hai ?
I want to buy some fruits	**मुझे कुछ फल खरीदने हैं**
आइ वोंट टु बाय सम फ्रूटस	Mujhe kuch fal kharīdane haiṃ
From where can I buy meat ?	**मैं माँस कहाँ से खरीद सकता हूँ ?**
फ्रॉम व्हॅर कॅन आइ बाय मीट ?	Maiṃ māṃs kahāṃ se kharīd sakatā hūṃ ?
From where can I get eggs ?	**मुझे अंडे कहाँ मिल सकते हैं ?**
फ्रॉम व्हॅर कॅन आइ गेट एग्स ?	Mujhe aṃde kahāṃ mil sakate haiṃ ?
I want to buy vegetables	**मैं सब्जी खरीदना चाहता हूँ**
आइ वोंट टु बाय वेजिटेबल्स	Maiṃ sabjī kharīdanā cāhatā hūṃ

Time	• **समय**
टाइम	• samay

What is the time ? What time is it ?	**क्या समय हुआ है ?**
वॉट इज़ ध टाइम ? वॉट टाइम इज़ इट ?	Kyā samay huā hai ?
It is quarter past three in the afternoon	**दोपहर के सवा तीन बजे हैं**
इट इज़ क्वार्टर पास्ट थ्री, इन ध आफ्टरनून	Dopahar ke savā tīn baje haiṃ
It is six forty five, in the morning	**सुबह के पौने सात बजे हैं**
इट इज़ सिक्स फोर्टी फाइव, इन ध मोर्निंग	Subah ke paune sāt baje haiṃ
It is half past twelve, after midnight	**मध्यरात्रि के साढ़े बारह बजे हैं**
इट इज़ हाफ पास्ट ट्वेल्व, आफ्टर मिडनाइट	Madhyarātrī ke sāḍhe bārah baje haiṃ
It is seven o'clock in the evening	**शाम के सात बजे हैं**
इट इज़ सेवन ऑक्लॉक इन ध इवनिंग	Śām ke sāt baje haiṃ

Colors /Colours
कलर्स

- **रंग**
- raṃg

What color is this ? It is blue
वॉट कलर इज़ धिस ? इट इज़ ब्लू

यह रंग कौन-सा है ? यह नीला रंग है
Yah raṃg kaun-sā hai ? Yah nīlā raṃg hai

Can you show me a red sweater ?
कॅन यू शो मी अ रेड स्वेटर ?

क्या आप मुझे लाल रंग का स्वेटर दिखाय़ेंगे ?
Kyā āp mujhe lāl raṃg kā sveṭar dikhāyeṃge ?

The color of this pen is green
ध कलर ऑफ धिस पेन इज़ ग्रीन

इस पेन / कलम का रंग हरा है
Is pen/kalam kā raṃg harā hai

Yellow is my favourite colour
येलो इज़ माय फेवराइट कलर

पीला मेरा प्रिय रंग है
Pīlā merā priy raṃg hai

At the entertainment places
ॲट ध एंटरटेइनमेंट प्लेसीस

- **मनोरंजन के स्थलों पर**
- Manoraṃjan ke sthaloṃ par

Where is the theatre / concert hall ?
वॅर इज़ ध थीअेटर / कॉन्सर्ट हॉल ?

थीयेटर / संगीतभवन कहाँ पर है ?
Thīyetar/Saṃgīt bhavan kahāṃ par hai

Will you please book two tickets ?
विल यू प्लीज़ बूक टु टिकिट्स ?

कृपया मेरे दो टिकट बुक करेंगे ?
Kripayā mere do tikat buk kareṃge ?

This is a good seat / place
धिस इज़ अ गुड सीट /प्लेस

यह अच्छी बैठक / जगह है
Yah acchī baiṭhak/jagah hai

What play is scheduled next week ?
वॉट प्ले इज़ स्केड्युल्ड नेक्स्ट वीक ?

अगले सप्ताह कौन सा नाटक है ?
Agale saptāh kaun sā nātak hai ?

Is it a comedy or tragedy ?
इज़ इट अ कॉमेडी ओर ट्रॅजेडी ?

क्या वह प्रहसन है या त्रासदी
Kyā vah prahasan hai yā trāsdī

Where is the football park ?
व्हॅर इज़ ध फूटबोल पार्क ?

फूटबॉल पार्क कहाँ है ?
Fūtbol pārk kahāṃ hai ?

At The Entertainment Places • मनोरंजन के स्थलों पर

ॲट ध एंटरटेइनमेंट प्लेसीस • manoraṃjan ke sthaloṃ par

Which way is to Tajmahal ?	**ताजमहल का रास्ता किस ओर है ?**
विच वे इज़ टु ताजमहल ?	Tajamahal kā rāstā kis or hai ?
Could you show me the cultural centre?	**संस्कार-केन्द्र का रास्ता दिखायेंगे ?**
कुड यू शो मी ध कल्चरल सेंटर ?	Saṃskār kendra kā rāstā dikhāyeṃge ?

At The Hotel • होटल पर

ॲट ध होटेल • hotal par

What are the charges of a deluxe room ?	**डिलक्स कमरे का किराया क्या है ?**
वोट आर ध चार्जीस ऑफ अ डीलक्स रूम ?	Ḍilaks kamare kā kirāyā kyā hai ?
Do you have an air-conditioned room ?	**क्या आपके पास वातानुकूलित कमरा है ?**
डु यू हॅव ॲन एरकडिशंड रूम ?	Kyā āpake pās vātānukūlit kamarā hai ?
Better / Cheaper / Larger	**बेहतर / सस्ता / बड़ा**
बेटर / चीपर /लार्जर	Behatar / sastā / baḍā
Smaller / More quiet	**छोटा / ज़्यादा शान्त**
स्मॉलर / मॉर क्वायट	Choṭā / jyādā śānt
I want hot / cold water	**मुझे गरम / ठंडा पानी चाहिए**
आइ वॉन्ट हॉट / कोल्ड वॉटर	Mujhe garam / ṭhaṃḍā pānī cāhie
I want some ice / drinking water	**मुझे थोड़ी बर्फ चाहिए / पीने का पानी चाहिए**
आइ वॉन्ट सम आइस /ड्रिंकिंग वोटर	Mujhe thoḍī barf cāhie / Pīne kā pānī cāhie
An insecticide / A pillow	**जंतुनाशक / तकिया**
ॲन इन्सेक्टिसाइड / अ पिलो	Jantunāśak / Takiyā
A Towel / Soap / Toilet paper	**तौलिया / साबुन / टॉइलेट पेपर**
अ टॉवेल /सोप /टॉइलेट पेपर	Tauliyā / Sābun / Ṭoilet pepar

At The Hotel	• **होटल पर**
ॲट ध होटेल	• hotal par
Another blanket / bed sheet	**एक और कम्बल / चद्दर**
अनधर ब्लॅन्केट /बेड शीट	Ek aur kambal / caddar
Please wake me up at 5 a.m.	**कृपया मुझे सुबह पाँच बजे जगायेंगे ?**
प्लीज़ वेइक मी अप ॲट फाइव ए.एम.	Kripayā mujhe subaha pāṃc baje jagāyeṃge?
Where is the Indian restaurant ?	**इन्डियन रेस्टोराँ कहाँ है ?**
व्हॅर इज़ ध इंडियन रेस्टोरंट ?	Indiyan resṭorāṃ kahāṃ hai ?
Bathroom / Rest room / Shower	**बाथरूम / शौचालय / स्नानागार**
बाथरूम /रेस्टरूम /शावर	Bāthrūm / śaucālay / snānāgār
Barber shop / Hair dresser	**सलून / बाल काटने की दुकान / नाई**
बार्बर शॉप /हेर ड्रेसर	Salūn / bāl kāṭane kī dukān / nāī
Please have these clothes washed/ironed	**ये कपड़े धुलाई / इस्त्री के लिए भेजेंगे ?**
प्लीज़ हॅव धीज़ क्लोथ्स वॉश्ड /आयर्न्ड	Ye kapaḍe dhulāī / istrī ke lie bhejeṃge ?
When can I have the clothes back ?	**कपड़े कब वापस मिलेंगे ?**
व्हॅन कॅन आइ हॅव ध क्लोथ्स बॅक ?	Kapaḍe kab vāpas mileṃge ?
I want a key for my room	**मुझे अपने कमरे की चाबी चाहिए**
आइ वॉन्ट अ की फोर माय रूम	Mujhe apane kamare kī cābī cahie
Where are you going ?	**आप कहाँ जा रहे हैं ?**
व्हॅर आर यू गोइंग ?	Āp kahāṃ jā rahe haiṃ ?
Town / City / Airport / Station	**गाँव / शहर / हवाई अड्डा / स्टेशन**
टाउन /सिटी / ॲरपोर्ट /स्टेशन	Gāṃv / śahar / Havāī aḍḍā / sṭeśan
Will you please forward my mail ?	**कृपया आप मेरी डाक भेज देंगे ?**
विल यू प्लीज़ फॉरवर्ड माय मेइल ?	Kripayā āp merī ḍāk bhej deṃge ?
I am leaving tomorrow	**मैं कल जा रहा हूँ**
आइ ॲम लीविंग टुमोरो	Maiṃ kal jā rahā hūṃ

At The Hotel • होटल पर

ॲट ध होटेल • hotal par

Can I see the manager ?	**मैं मैनेजर से मिल सकता हूँ ?**
कॅन आइ सी ध मॅनेजर ?	Maiṃ mainejar se mil sakatā hūṃ ?
May I have my bill please ?	**कृपया मेरा बिल देंगे ?**
मे आइ हॅव माय बिल प्लीज़ ?	Kripayā merā bil deṃge ?
Please call a taxi	**कृपया टेक्सी बुलायेंगे ?**
प्लीज़ कॉल अ टेक्सी	Kripayā ṭeksi bulāyeṃge ?

At The Restaurant • अल्पाहार-गृह में

ॲट ध रेस्टोरंट • alpāhār-grīha maiṃ

May I see the menu ?	**ज़रा मेनू देंगे ?**
मे आइ सी ध मेन्यु ?	Jarā menū deṃge ?
One plate of idli please !	**एक प्लेट इड्ली लायेंगे ?**
वन प्लेट ऑफ इडली प्लीज़ !	Ek pleṭ iḍlī lāyeṃge ?
A cup / A fork / A glass	**एक कप / कांटा / गिलास**
अ कप / अ फॉर्क /अ ग्लास	Ek kap / kāṃṭā / gilās
A knife / A plate / A spoon	**छूरी / थाली / चम्मच**
अ नाइफ / अ प्लेट / अ स्पून	Churī / thālī / cammac
Pepper / Salt / Sugar	**काली मिर्च / नमक / चीनी**
पेपर / सॉल्ट / शुगर	Kālī mirca / namak / cīnī
Vinegar / Salād dressing	**सिरका / रायता / चटनी**
विनेगर / सलाड ड्रेसिंग	Sirakā / Rāytā / caṭanī
Bread (Wheat/white) and butter	**पावरोटी (गेहूँ की / मैदे की) और मक्खन**
ब्रेड (व्हीट /व्हाइट) एंड बटर	Pāvrotī (Gehuṃ kī / Maide kī) aur makkhan

At The Restaurant **ॲट ध रेस्टोरंट**	• **अल्पाहार-गृह में** • Alpāhār-grīha maiṃ
Please get me the bill/check प्लीज़ गेट मी ध बिल/चेक	**कृपया बिल/चैक देंगे ?** Kripayā bil/caik deṃge ?
Weather **वेधर**	• **मौसम** • mausam
How is the weather today ? हाउ इज़ ध वेधर टु डे ?	**आज मौसम कैसा है ?** Āj mausam kaisā hai ?
How will be the weather tomorrow ? हाउ विल बी ध वेधर टुमोरो ?	**कल मौसम कैसा होगा ?** Kal mausam kaisā hogā ?
It is smoggy / It is raining इट इज़ स्मॉगी /इट इज़ रेइनिंग	**कोहरा छाया हुआ है / बारिश हो रही है** Kohrā chāyā huā hai / Bāriś ho rahī hai
It is hailing / It is lightning इट इज़ हेइलिंग /इट इज़ लाइटनिंग	**ओले पड़ रहे हैं / बिजली चमक रही है** Ole paḍ rahe haiṃ / Bījalī camak rahī hai
At The Customs **ॲट ध कस्टम्स**	• **कस्टम्स में** • kasṭams meṃ
This is my baggage धिस इज़ माय बॅगेज	**यह मेरा सामान है** Yah merā sāmān hai
I have nothing to declare आइ हॅव नथिंग टु डिक्लेर	**आयातशुल्क भरने योग्य मेरे पास कुछ नहीं** Āyātśulka bharane yogya mere pās kuch nahī
Is this duty free ? इज़ धिस ड्युटी फ्री ?	**यह चीज़ आयातशुल्क से मुक्त है ?** Yah cīj āyātśulka se mukta hai ?

At The Customs • कस्टम्स में

ॲंट ध कस्टम्स • kasṭams meṃ

May I pack my bags now ?	**मैं अपने बैग बंद कर दूँ ?**
मे आई पॅक माय बेग्स नाउ ?	Maiṃ apane baig band kar dūṃ ?
Trunk / Suitcase / Handbag	**ट्रंक / सूटकेस / हॅन्डबॅग**
ट्रंक / सूटकेस / हॅन्डबॅग	Ṭrank / Sūiṭkes / Hanḍbag
Where do I have to pay the duty ?	**मुझे शुल्क कहाँ देना है ?**
व्हेर डु आइ हेव टु पे ध ड्युटी ?	Mujhe śulk kahāṃ denā hai ?
I think that the duty is unreasonable	**मुझे लगता है कि शुल्क वाज़िब नहीं है**
आइ थिन्क धेट ध ड्युटी इज़ अनरीज़नेबल	Mujhe lagatā hai ki śulk vāzib nahiṃ hai.
May I appeal to your supervisor for consideration?	**इस संदर्भ में क्या मैं आपके ऊपरी अधिकारी से मिल सकता हूँ?**
मे आइ अपील टु यॉर सुपरवाइज़र फॉर कन्सीडरेशन?	Is sandarbh maiṃ kyā āpke ūparī adhikārī se mil saktā hūṃ ?
Thank you very much for your kind co-operation	**आपके सुंदर सहकार के लिए आभारी हूँ**
थॅन्क यु वेरी मच फॉर यॉर काइंड को-ऑपरेशन	Āpake sundar sahakār ke lie ābhārī hūṃ

At The Bank • बैंक में

ॲंट ध बॅन्क • baink meṃ

Please give me some change !	**कृपया मुझे कुछ खुले पैसे दीजिए ।**
प्लीज़ गिव मी सम चेइंज़ !	Kripayā mujhe kuch khule paise dījiye
Do you keep travellers' checks ?	**क्या आप ट्रावेलर्स चैक्स रखते हैं ?**
डु यू कीप ट्रावेलर्स चैक्स ?	Kyā āp trāvelars' caiks rakhate haiṃ ?
What is the currency exchange rate ?	**मुद्रा-विनिमय की दर क्या है ?**
वॉट इज़ ध करन्सी अेक्सचेइन्ज रेइट ?	Mudrā-vinimay kī dar kyā hai ?
I want to open an account.	**मुझे (अपना) अकाउंट खोलना है ।**
आई वोंट टु ओपन एन अकाउंट.	Mujhe (apanā) akāuṃṭ kholnā hai.
I want to buy a money order.	**मैं मनीऑर्डर खरीदना चाहता हूँ ।**
आई वोंट टु बाय अ मनीऑर्डर।	Maiṃ Manīorder kharīdnā cahatā huṃ.

Means Of Transportation
मीन्स ऑफ ट्रान्सपोर्टेशन

• यातायात के साधन
• yātāyāt ke sādhan

From where can I rent a car ? फ्रॉम व्हेर कॅन आई रेन्ट अ कार ?	**मुझे कार कहाँ से किराये पर मिल सकती है ?** Mujhe kār kahāṃ se kirāye par mil saktī hai ?
Bicycle / Boat / Bus बाइसिकल / बोट /बस	**साइकिल / नौका / बस** Sāikil / Naukā / Bas
Motorcar / Horse carriage मोटरकार /होर्स केरेइज़	**मोटर / टांगा** Moṭar / Ṭaṃgā
Aeroplane / Taxi / Sledge ॲरोप्लेन /टॅक्सी /स्लेज	**विमान / टैक्सी / स्लेजगाड़ी** Vimān / Ṭaiksī / Slejagādī

At The Post Office
ॲट ध पोस्ट ऑफिस

• डाक-घर / पोस्ट ऑफिस
• dāk-ghar / posṭ ophis

Where can I mail this air letter ? व्हेर कॅन आइ मेइल धिस ॲर लेटर ?	**मैं यह एयर लेटर कहाँ पोस्ट करूँ ?/डालूँ ?** Maiṃ yah eyar letar kahāṃ posṭ karūṃ ?/ Dālūṃ?
Send this parcel by surface/sea mail सेंड धिस पार्सल बाय सरफेइस/सी मेइल	**यह पार्सल/बंडल जलमार्ग से भेजिए** Yah parsal/banḍal jalmārg se bhejiye
Insure for the declared value इन्श्योर फोर ध डिक्लेर्ड वेल्यू	**नियत कीमत का वीमा लीजिए** Niyat kīmat kā vīmā lījiye
May I have five postage stamps ? मे आइ हॅव फाइव पोस्टेज स्टेम्प्स ?	**मुझे पाँच डाक टिकट देंगे ?** Mujhe pāṃc dāk ṭikaṭ deṃge ?
Postcard / Letter / Parcel पोस्टकार्ड /लेटर /पार्सल	**पोस्टकार्ड / पत्र / पुलिंदा** Postkārḍ / Patra / Pulindā
What is the quickest way to mail ? वॉट इझ ध क्वीकेस्ट वे टु मेइल ?	**डाक जल्दी से भेजने का क्या तरीका है ?** Ḍak jāldīse bhejanekā kyā tarīkā hai ?
When is the last pickup ? वॅन इझ ध लास्ट पीकअप ?	**डाक ले जाने का अंतिम समय ?** Ḍak le jānekā aṃtim samay ?

At The Telephone Booth	• **टेलिफोन बूथ पर**
ॲट ध टेलिफोन बूथ	• teliphon būth par

May I use this phone ?	**क्या मैं यह फोन इस्तेमाल कर सकता हूँ ?**
मे आइ युज़ धिस फोन ?	Kyā maiṃ yah phon istemāl kar saktā huṃ ?
Please get this number for me !	**कृपया यह नंबर मिला दीजिए**
प्लीज़ गेट धिस नंबर फोर मी !	Kripayā yah nambar milā dījiye
What number are you calling ?	**आप कौन-सा नंबर मिला रहे हैं ?**
वॉट नंबर आर यू कॉलिंग ?	Āp kaun-sā nambar milā rahe haiṃ ?
I want to make a long distance call	**मैं ट्रंककॉल करना चाहता हूँ**
आइ वॉन्ट टु मेइक अ लॉन्ग डिस्टन्स कॉल	Maiṃ ṭrankakol karanā cāhatā huṃ
It is out of state / country	**क्या दूसरे राज्य में / देश में**
इट इज़ आउट ऑफ स्टेट /कंट्री	Kyā dūsare rājya meṃ / deś meṃ
Where is the telephone/telephone directory?	**टेलिफोन / टेलिफोन डिरेक्टरी कहाँ है ?**
व्हेर इज़ ध टेलिफोन / टेलिफोन डिरेक्टरी ?	Ṭeliphon / Ṭeliphon ḍirekṭarī kahāṃ hai ?

Railway Travel	• **रेल की यात्रा**
रेलवे ट्रावेल	• rel kī yātrā

Where is the railway station ?	**रेलवे स्टेशन कहाँ है ?**
व्हेर इज़ ध रेलवे स्टेशन ?	Relave sṭaśan kahāṃ hai ?
Where is the information desk ?	**पूछताछ की खिड़की कहाँ है ?**
व्हेर इज़ ध इन्फर्मेशन डेस्क ?	Pūchatāch kī khiḍakī kahāṃ hai ?
Please give me the timetable !	**कृपया मुझे समयपत्रक देंगे ?**
प्लीज़ गिव मी ध टाइमटेबल !	Kripayā mujhe samaypatrak deṃge ?
What is the fare to New Jersey ?	**न्यू जर्सी का किराया क्या है ?**
वॉट इज़ ध फेर टु न्यू जर्सी ?	Nyū Jarsī kā kirāyā kyā hai ?

Railway Travel
रेलवे ट्रावेल

- **रेल की यात्रा**
- rel kī yātrā

First class / Second class फर्स्ट क्लास / सेकंड क्लास	**प्रथम श्रेणी / द्वितीय श्रेणी** Pratham śreṇī / Dvitīya Shreṇī
Is this the train to London ? इज़ धिस ध ट्रेइन टु लंडन ?	**क्या यह ट्रेन लंडन जायेगी ?** Kyā yah ṭren Laṃḍan jāyegī ?
What time the train to Chicago leaves? वॉट टाइम ध ट्रेइन टु शिकागो लीव्स ?	**शिकागो के लिए ट्रेन कब छूटती है ?** Śicāgo ke liye ṭren kab chūṭatī hai ?
Is there a dining cār in this train ? इज़ धेर अ डाइनिंग कार इन धिस ट्रेइन ?	**क्या इस ट्रेन में डाइनिंग कार है ?** Kyā is tren meṃ dāiniṃg cār hai ?
Is smoking permitted in this compartment ? इज़ स्मोकिंग परमिटेड इन धिस कम्पार्टमेंट ?	**क्या इस डिब्बे में धूम्रपान की इजाज़त है ?** Kyā is ḍibbe meṃ dhūmrapān kī ijāzat hai?
What is the name of this station ? वॉट इज़ ध नेइम ऑफ धिस स्टेशन ?	**यह कौन सा स्टेशन है ?** Yah kaun-sā sṭeśan hai ?
How long does the train stop here ? हाउ लोंग डज़ ध ट्रेइन स्टोप हीअर ?	**ट्रेन यहाँ कब तक रुकेगी ?** Ṭren yahāṃ kab tak rukeṃgī ?
Let me take my baggage लेट मी टेइक माय बॅगेज	**मुझे अपना सामान लेने दीजिए** Mujhe apanā sāmān lene dījiye
How many more stops before Chicago ? हाउ मेनी मॉर स्टॉप्स बीफोर शिकागो ?	**शिकागो से पहले अन्य कितने स्टेशनों पर ट्रेन रुकेगी ?** Śikāgo se pahale anya kitane sṭeśanoṃ par ṭren rukegī?

To The Airport
टु ध ॲरपोर्ट

- **हवाई अड्डा जाते हुए**
- havāī aḍḍā jāte hue

Where is the airport ? व्हेर इज़ ध ॲरपोर्ट	**हवाई अड्डा कहाँ है ?** Havāī aḍḍā kahāṃ hai ?

To The Airport
टु ध ॲरपोर्ट

- **हवाई अड्डा जाते हुए**
- havāī aḍḍā jāte hue

What does a taxi to the airport cost ? वॉट डज़ अ टेकसी टु ध ॲरपोर्ट कोस्ट?	हवाई अड्डा जाने के लिए टेक्सी का किराया कितना होगा? Havāī aḍḍā jāne ke liye ṭeksī kā kirāyā kitanā hogā?
Is there any cheaper transportation than a taxi? इज़ धेर ॲनी चीपर ट्रान्सपोर्टेशन धॅन अ टेक्सी?	**टेकसी से सस्ता कोई साधन सुलभ है ?** Ṭeksī se sastā koī sādhan sulabh hai ?
Where is the passport and customs check-point ? वॅर इज़ ध पासपोर्ट एंड कस्टम्स चेकपोइंट ?	**पासपोर्ट और कस्टम्स जाँच के केन्द्र कहाँ हैं ?** Pasport aur kastams jāṃc ke kendra kahāṃ haiṃ ?
At what time does the flight from India arrive? ॲट वॉट टाइम डज़ ध फ्लाइट फ्रॉम इंडिया अराइव ?	**भारत से आनेवाली फ्लाइट कितने बजे पहुँचती है ?** Bhārat se ānevālī flāiṭ kitane baje pahuṃcatī hai?
What time the flight to Goa departs ? वॉट टाइम ध फ्लाइट टु गोवा डीपार्ट्स?	**गोवा जानेवाली फ्लाइट कितने बजे छूटती है ?** Govā jānevālī flāit kitane baje chūṭatī hai ?

Driving An Automobile
ड्रायविंग ॲन ऑटोमोबाइल

- **वाहन चलाते हुए**
- vāhan calāte hue

Do you know the road to the south ? डु यू नो ध रॉड टु ध साऊथ ?	**क्या आप दक्षिण का रास्ता दिखा सकते हैं ?** Kyā āp dakśiṇ kā rāstā dikhā sakte haiṃ ?
Is the road good Bad / Passable ? इज़ ध रोड गूड / बॅड /पासेबल	क्या रास्ता अच्छा है ? खराब है, पार किया जा सकता है ? Kyā rāstā acchā hai? Kharāb hai? Pār kiyā jā saktā hai?
Is the bridge safe for truck ? इज़ ध ब्रिज सेइफ फोर ट्रक ?	**क्या यह पुल ट्रक के लिए सुरक्षित है ?** Kyā yah pul ṭrak ke liye surakśit hai ?
What is the name of this street ? वॉट इज़ ध नेइम ऑफ धिस स्ट्रीट ?	**इस रास्ते का नाम क्या है ?** Is rāste kā nām kyā hai ?
Turn right/Turn left/Go straight ahead टर्न राइट /टर्न लेफ्ट /गो स्ट्रेइट अहेड	**दाहिने मुडिये / बायें मुडिए / सीधे चले जाइये** Dāhine muḍiye / bāyeṃ muḍiye / sīdhe cale jāiye
How far is Santacruz from here ? हाउ फार इज़ सान्ताक्रुझ फ्रॉम हीअर ?	**सान्ताक्रुझ यहाँ से कितनी दूर है ?** Sāntākruz yahāṃ se kitanī dūr hai ?

Driving An Automobile • वाहन चलाते हुए

ड्रायविंग ॲन ऑटोमोबाइल • vāhan calāte hue

How can we cross the river / bay?	**नदी / खाड़ी को किस तरह पार कर सकते हैं ?**
हाउ केन वी क्रॉस ध रीवर / बे ?	Nadī / khāḍī ko kis tarah pār kar sakate haiṃ ?
Is there a ferry service to cross ?	**पार करने के लिए क्या फेरी सर्विस है ?**
इज़ धेर अ फेरी सर्विस टु क्रॉस ?	Pār karane ke liye kyā ferī sarvis hai ?
North / South / East / West	**उत्तर / दक्षिण / पूर्व / पश्चिम**
नॉर्थ /साऊथ /इस्ट /वेस्ट	Uttar / Dakśiṇ / Pūrva / Pascim
What town does this road lead to ?	**यह सड़क किस कस्बे की ओर ले जायेगी ?**
वॉट टाऊन डज़ धिस रोड लीड टु ?	Yah sadak kis kasbe kī or le jāyegī ?
How far is Montreal from here ?	**मोन्ट्रीयल यहाँ से कितना दूर है ?**
हाउ फार इज़ मोन्ट्रीयल फ्रॉम हीअर ?	Montrīyal yahāṃ se kitanā dūr hai ?
Excuse me, I am lost	**माफ़ कीजिए, मैं रास्ता भूल गया हूँ**
ॲक्सक्यूझ मी, आइ ॲम लोस्ट	Māf kījīye, maiṃ rāstā bhūl gayā huṃ
Can you help me ?	**आप मेरी मदद कर सकते हैं ?**
कॅन यू हेल्प मी ?	Āp merī madad kar sakate haiṃ ?
Do you have a map ?	**आपके पास नक्शा है ?**
डु यू हॅव अ मॅप ?	Āpake pās nakśa haiṃ ?
Can you find me a guide ?	क्या आप मेरे लिए गाइड / मार्गदर्शक का इंतज़ाम कर सकते हैं ?
कॅन यू फाइंड मी अ गाइड ?	Kyā āp mere lie gāiḍ / mārgadarśak kā intazām kar sakte haiṃ?
Is there a gasoline pump nearby ?	**यहाँ नज़दीक में कोई पेट्रोल पम्प होगा ?**
इज़ धेर अ गॅसोलिन पम्प नीअरबाय?	Yahāṃ najadīk maiṃ koī petrol pump hogā ?
A police station / A hospital	**पुलिस चौकी / अस्पताल**
अ पुलिस स्टेशन / अ हॉस्पिटल	Pulis caukī / Aspatāl
A dispensary / doctor	**दवाखाना / डाक्टर**
अ डिस्पेन्सरी / डॉक्टर	Davākhānā / Ḍācṭar

In An Accident
इन एन एक्सिडंट

• **दुर्घटना का भोग**
• durghaṭnā ka bhog

I have an emergency : an accident !
आइ हेव ॲन इमर्जन्सी : ॲक्सिडंट !
मैं दुर्घटना का भोगी बना !
Maiṃ durghatnā ka bhogī banā !

Come quickly ! He is bleeding.
कम क्वीक्ली ! ही इज़ ब्लीडिंग ।
तुरन्त आ जाइए ! उसका लहू बहुत बह रहा है ।
Turant ā jāie ! Uskā lahū bahut bah rahā hai.

Call the police / an ambulance, now!
कॉल ध पोलिस / ॲम्बुलन्स, नाऊ ?
पुलिस को सूचित कीजिए । एम्ब्युलन्स बुलाइए, अभी ।
Pulis ko sūcit kījie. Ambulans bulāie. Abhī

There has been an accident.
धेर हॅज़ बीन ॲन ॲक्सिडंट ।
एक दुर्घटना हो गई है।
Ek durghatnā ho gaī hai.

It happened when I was driving.
इट हेपंड वेन आइ वॉज़ ड्राइविंग ।
मैं वाहन चला रहा था तभी यह हुआ ।
Maiṃ vāhan calā rahā thā tabhī yah huā.

The vehicle was moving very fast.
ध वीहिकल वॉज़ मूविंग वेरी फास्ट ।
वाहन बड़े भारी वेग से जा रहा था ।
Vāhan baḍe bhārī veg se jā rahā thā.

I was driving at the speed limit.
आइ वॉज़ ड्राइविंग ॲट ध स्पीड लिमिट
मैं नियत गति की मर्यादा में चला रहा था ।
Maim niyat gati kī maryādā meṃ calā rahā thā.

At the curve, I tried to slow down
ॲट ध कर्व, आइ ट्राइड टु स्लो डाऊन ।
मोड़ पर मैंने गति कम करने का प्रयत्न किया ।
Moḍ par maiṃne gati kam karane ḳa prayatna kiyā.

The right-of-way was not honored
ध राइट-ऑफ-वे वॉज़ नॉट ऑनर्ड ।
दाहिने चलने के नियम का पालन नहीं हुआ था ।
Dahine calane ke niyam kā pālan nahīṃ huā thā.

The oncoming vehicle was...
ध ऑन कमिंग वीहिकल वॉज़...
सामने से आता हुआ वाहन...
Sāmanese ātā huā vāhan...

There are no witnesses.
धेर आर नो विटनेसीस ।
गवाह कोई नहीं
Gavāh koī nahīṃ.

My daughter / son / nephew fell.
माय डॉटर / सन / नेव्यू फेल ।
मेरी बेटी / मेरा बेटा / भानजा गिर गया ।
Merī betī / merā betā / bhānjā gir gayā.

This vehicle ran the red light / stop sign.
धिस वीहिकल रॅन ध रेड लाइट / स्टॉप साइन ।
वाहन लाल बत्ती का उल्लंघन कर गया ।
Vāhan lāl battī kā ullaṃghan kar gayā.

In An Accident • दुर्घटना का भोग

इन एन एक्सिडंट • durghaṭnā ka bhog

He / she hurt his / her knee. ही / शी हर्ट हिज़ / हर नी ।	**उसके घुटनों को चोट पहुँची ।** Usake ghuṭanoṃ ko coṭ pahuṃcī.
He / she is bleeding (severely). ही / शी इज़ ब्लीडिंग (सीवीअरली)।	**उसका लहू चिन्ताजनक रूप से बह रहा है ।** Usakā lahū cintājanak rūp se bah rahā hai.
He / She is unconscious. ही / शी इज़ अनकॉन्शिअस ।	**वह अचेत है ।** Vah acet hai.
He / she is not breathing. ही / शी इज़ नॉट ब्रीथिंग ।	**वह साँस नहीं ले पाता / पाती ।** Vah sāṃs nahīṃ le pātā / pātī.
He / She drowned / got electrocuted. ही / शी ड्राऊँड / गॉट इलेक्ट्रोक्युटेड ।	वह डूब गया / गई । बिजली के करंट से मर गया / गई । Vah dūb gayā/gāī. Bijalī ke karaṃṭ se mar gayā / gaī.
He / she is badly injured to... ही / शी इज़ बॅडली इन्जर्ड टु..	**वह भी बुरी तरह से घायल है ।** Vah bhī burī tarah se ghāyal hai.
Call my husband / wife.... कॉल माय हसबंड / वाइफ...	**मेरे पति को / पत्नी को बुलाइए ।** Mere pati ko / patnī ko bulāie.
I have been bitten by a snake (cobra). आइ हेव बीन बिटन बाय ए स्नेक (कोब्रा) ।	**मुझे साँप ने काटा है । साँप सूंघ गया है ।** Mujhe sāṃp ne kaṭā hai / sāṃp sūṃgha gaya hai.
Swollen / infected / tender स्वॉलन / इन्फेक्टेड / टेंडर	**निगल गया / छूत की बीमारी / नरम** Nigal gayā / chūt kī bīmāri / naram.
My son /daughter / swallowed poison माय सन / डॉटर स्वॉलोड पॉइज़न ।	**मेरे बेटे / बेटी ने ज़हर पी लिया ।** Mere bete / betī ne jahar pī liyā.
I can't move due to my injury. आइ कांट मूव ड्यु टु माय इंजरी ।	**मैं अपनी ईजा के कारण चल नहीं सकता ।** Maiṃ apanī ījā ke kāraṇ cal nahīṃ sakatā.
Does anyone know CPR ? डज़ ॲनीवन नो सीपीआर ?	**कोई सीपीआर को जानता है ?** Koī CPR ko jānatā hai ?
Does anyone have a first aid kit ? डज़ ॲनीवन हेव ए फर्स्ट एड किट ?	**किसी के पास प्राथमिक उपचार का डिब्बा है ?** Kisī ke pās prāthamik upacār kā ḍibbā hai ?

At The Hospital
एट ध हॉस्पिटल

- **अस्पताल में**
- aspatāl meṃ

Where is the nearest hospital ? वेर इज़ ध नीयरेस्ट हॉस्पिटल ?	**यहाँ सब से नज़दीक अस्पताल कहाँ है ?** Yahāṃ sab se najadīk aspatāl kahāṃ hai ?
Can you take me (us) to the hospital? कॅन यू टेइक मी (अस) टु ध हॉस्पिटल ?	**क्या आप मुझे / हमें अस्पताल ले जा सकते हैं ?** Kyā āp mujhe / hameṃ aspatāl le jā sakate haiṃ ?
Where is the emergency room ? वेर इज़ ध इमरजन्सी रूम ?	**आपदकालीन इलाज का कमरा कहाँ है ?** Āpadkālīn ilāj kā kamarā kahāṃ hai ?
Where / Who is the doctor in charge ? वेर / हू इज़ ध डॉक्टर इन चार्ज ?	**इस विभाग के डॉक्टर कहाँ हैं ? कौन हैं ?** Is vibhāg ke ḍokṭar kahāṃ hai ?
How is the patient doing ? हाऊ इज़ ध पेशंट डुइंग ?	**मरीज़ कैसा है ?** Marīj kaisā hai ?
I am in pain, particularly in the chest. आइ ॲम इन पेइन पर्टीक्युलरली इन ध चेस्ट ।	**मुझे दर्द है, खास कर के छाती में ।** Mujhe dard hai khās kar ke chātī meṃ.
I can't sleep / eat / drink / swallow. आइ कांट स्लीप / ईट / ड्रिंक / स्वॉलो ।	**मैं सो / खा / पी / निगल नहीं सकता ।** Maiṃ so / khā / pī / nigal nahīṃ sakatā.
Where/When can I see (visit) him/her ? वेर/वेन कॅन आइ सी (विज़िट) हिम / हर?	**मैं इसे कहाँ / कब मिल सकता हूँ ?** Maiṃ ise kahāṃ / kab mil sakatā hūṃ ?
What are the visiting hours ? वॉट आर ध विज़िटिंग अवर्स ?	**मिलने का समय कौन-सा है ?** Milane kā samay kaun sā hai ?
How long will he / she be hospitalized ? हाऊ लोंग विल ही / शी बी हॉस्पिटलाइज़्ड ?	**उसे अस्पताल में कब तक रहना होगा ?** Use aspatāl meṃ kab tak rahanā hogā ?
I have an infection / an allergy to.... आइ हैव ॲन इन्फेक्शन / ॲन ॲलर्जी टु	**मुझे छूत की बीमारी है, एलर्जी है ।** Mujhe chūt kī bīmārī hai, elarjī hai .
Can you call a nurse, I need assistance ? कॅन यू कॉल ए नर्स ? आइ नीड आसिस्टन्स ।	**कृपया नर्स को बुलाएँ, मुझे मदद चाहिए ।** Kripaya nars ko bulāeṃ, mujhe madad cāhie.

At The Hospital
एट ध हॉस्पिटल

- **अस्पताल में**
- aspatāl meṃ

I am diabetic; it is hereditary.
आइ ॲम डायाबीटिक; इट इज़ हेरीडिटरी ।

मुझे मधुप्रमेह है, वह आनुवंशिक है ।
Mujhe madhuprameh hai, vah ānuvaṃśik hai.

Do you have medical insurance ?
डू यू हेव मेडिकल इन्स्योरन्स ?

क्या आपने मेडिकल बीमा लिया है ?
Kyā āpane medical bīmā liyā hai ?

What form do I need to fill out ?
वॉट फोर्म्स डु आइ नीड टु फिल आउट ?

मुझे कौन से आवेदनपत्र भरने होंगे ?
Mujhe kaun se āvedanpatra bharane hoṇge ?

When can he / she leave the hospital?
वेन कॅन ही / शी लीव ध हॉस्पिटल ?

वह कब अस्पताल छोड़ सकेगा / सकेगी ?
Vah kab aspatāl choḍ sakegā / sakegī ?

What is the diagnosis ?
वॉट इज़ ध डायग्नॉसिसी ?

निदान क्या है ?
Nidān kyā hai ?

Could you have a look at....
कूड यू हेव ए लूक एट...

आप कृपया ज़रा देख लेते...
Āp krupyā jarā dekh lete...

It really hurts in my lower back.
इट रीअली हर्ट्स इन माय लॉअर बॅक ।

पीठ के नीचे के भाग में मुझे सचमुच कष्ट हो रहा है ।
Pīth ke nīce ke bhāg meṃ mujhe sacamuc kaṣṭ ho rahā hai.

Please notify my family, now.
प्लीज़ नोटिफाय माय फॅमिली नाऊ

कृपया मेरे परिवार को अभी नामांकित कीजिए ।
Krupayā mere parivār ko abhī nāmaṃkit kījiye.

I need a receipt for my health insurance.
आइ नीड ए रीसीप्ट फॉर माय हेल्थ इन्स्योरन्स ।

मुझे अपने स्वास्थ्य-बीमा के लिए रसीद चाहिए ।
Mujhe apane svāsthya-bīmā ke lie rasīd cāhie.

How much do I owe you ?
हाऊ मच डु आई ओ यू ?

आपका कितना कर्ज मुझे देना है ?
Āpaka kitana karj mujhe denā hai ?

Where does it hurt ? above / below ?
वेर डज़ इट हर्ट ? अबव / बीलो ?

कहाँ पीडा हो रही है ? ऊपर ? नीचे ?
Kahāṃ pīdā ho rahī hai ? Upar ? Nīce ?

Should I get an X-ray right away ?
शूड आइ गेट ॲन एक्स-रे राइट अवे ?

क्या मैं एक्स-रे अभी प्राप्त कर सकता हूँ ?
Kyā maiṃ eksa-re abhī prāpt kar sakatā huṇ ?

The patient's full name is....
ध पेशंट्स फुल नेइम इज़...

मरीज़ का पूरा नाम है...
Marīj kā pūrā nām hai ...

At The Doctor's Office	• **डॉक्टर के कार्यालय में**
अॅट ध डॉक्टर्स ऑफिस	• dōkṭar ke kāryālaya meṃ

I am not feeling well; I am sick.	**मुझे ठीक नहीं है; मैं बीमार हूँ ।**
आइ एम नोट फीलिंग वेल; आइ एम सिक ।	Mujhe ṭhīk nahīṃ hai, maiṃ bīmār hūṃ
I have a temperature of 101^0F.	**मुझे बुखार है १०१° डिग्री ।**
आइ हेव ए टेम्परेचर ऑफ १०१° एफ ।	Mujhe bukhār hai, 101^0 F.
He / She has been vomiting.	**उसे उलटी हो रही है ।**
ही / शी हॅज़ बीन वॉमिटिंग ।	Use ulaṭī ho rahī hai.
I am constipated / I have got diarrhoea.	**मुझे कब्ज है / मुझे दस्त हो रहे हैं ।**
आई एम कॉन्स्टीपेटेड / आई हेव गॉट डाएरीआ ।	Mujhe kabja hai / mujhe dasta ho rahe haiṃ
I have breathing difficulties.	**मुझे साँस लेने में तकलीफ है ।**
आइ हेव ब्रीथिंग डिफिकल्टीज़ ।	Mujhe sāṃs lene meṃ takalīph hai.
I had a stroke years ago.	**कुछ वर्ष पहले मुझे दौरा पड़ा था ।**
आइ हेड ए स्ट्रोक यर्स अगो ।	Kuch varṣ pahale mujhe daurā paḍā thā.
I have high / low blood pressure.	**मुझे ऊँचा / नीचा रक्तचाप है ।**
आइ हेव हाई / लो ब्लड प्रेशर	Mujhe ūṃcā / nīcā raktacāp hai.
I have menstrual pains / cramps.	**मुझे मासिक पीडा है । मुझे हिचकी है ।**
आइ हेव मेंस्ट्रुअल पेइन्स / क्रॅम्पस ।	Mujhe māsik pīḍā hai. Mujhe hicakī hai.
I am on the birth control pill.	**मैं गर्भनिरोधक गोलियाँ लेती हूँ ।**
आइ एम ऑन ध बर्थ कंट्रोल पिल ।	Maiṃ garbhanirodhak goliyāṃ letī hūṃ.
I have missed my period for now...	**मैं मासिक/रजोधर्म चुक गई इस बार...**
आइ हेव मिस्ड माय पीरियड फोर नाऊ...	Maiṃ māsik / rajodharm cuk gaī is bār.
How long have you been feeling sick ?	**कब से आप अस्वस्थ हैं ?**
हाऊ लोंग हेव यू बीन फीलिंग सिक ?	Kab se āp asvastha haiṃ ?
Give me medicine to stop the pain !	**इस दर्द को रोकने के लिए मुझे दवा दीजिए !**
गिव मी मेडिसिन टु स्टॉप ध पेइन !	Is dard ko rokane ke lie mujhe davā dījiye.
I have digestive problems.	**मुझे अपच की तकलीफ है ।**
आइ हेव डाइजेस्टिव प्रॉब्लेम्स ।	Mujhe apac kī takalīph hai.

At The Doctor's Office • डॉक्टर के कार्यालय में

ॲट ध डॉक्टर्स ऑफिस • dōkṭar ke kāryālaya meṃ

Can you call the doctor immediately? कॅन यू कॉल ध डॉक्टर इमीडिएटली ?	**कृपया डॉक्टर को तुरन्त बुलाएँ !** Kripayā dokṭar ko turaṃt bulāeṃ.
I need an English speaking doctor ! आइ नीड एन इंग्लिश स्पीकिंग डॉक्टर !	**मुझे अंग्रेजी भाषी डॉक्टर चाहिए ।** Mujhe amgrejī bhāṣī dokṭar cāhie.
I experience pain all around here. आइ एक्सपीरियन्स पेइन ऑल अराऊंड हीयर ।	**इसके आसपास मुझे पीडा हो रही है ।** Isake āsapās mujhe pīḍā ho rahi hai.
I think I have a broken / bruised.... आइ थिंक आइ हेव ए ब्रोकन / ब्रस्ड	**लगता है कि मैंने तोड़ा है / कुचला है...** Lagatā hai ki maiṃne toḍā hai / kuclā hai.
When will the doctor arrive ? वेन विल ध डॉक्टर अराइव ?	**डॉक्टर कब आ पहुँचेंगे ?** Dokṭar kab ā pahuṃcemgē ?
When is the doctor available ? वेन इज़ ध डॉक्टर अवेइलेबल ?	**डॉक्टर से मिलने का समय क्या है ?** Dokṭar se milane kā samay kyā hai ?
No, that time is not suitable to me. नो, धेट टाइम इज़ नॉट स्युटेबल टु मी ।	**जी नहीं, वह समय मुझे अनुकूल नहीं है ।** Jī nahīṃ, vah samay mujhe anukūl nahīṃ hai.
How do you feel today ? हाऊ डु यू फील टुडे ?	**आज आप को कैसा लगता है ?** Āj āp ko kaisā lagatā hai ?
Is this the first time this happened ? इज़ धिस ध फर्स्ट टाइम धिस हेपंड ?	**क्या यह पहली बार हुआ ?** Kyā yah pahalī bār huā ?
Give me your medical history ! गीव मी योर मेडिकल हिस्ट्री !	**मुझे आप अपने स्वास्थ्य का ब्योरा दीजिए !** Mujhe āp apne svāsthya kā byorā dījiye.
Remove all clothes down to the waist. रीमूव ऑल क्लोथ्स डाऊन टु ध वेस्ट ।	**कमर तक सारे कपड़े उतार दें ।** Kamar tak sāre kapaḍe utār deṃ.
Lie / sit down on this table. लाई / सिट डाऊन ऑन धिस टेबल ।	**सो जाइए / बैठिए इस टेबल पर ।** So jāie / baiṭhie is ṭebal par.
Open your mouth wide, now more. ओपन यॉर माऊथ वाइड, नाऊ मोर ।	**मुँह खोलिए, अभी और...** Muṃh kholie, abhī aur..

At The Doctor's Office अॅट ध डॉक्टर्स ऑफिस	• डॉक्टर के कार्यालय में • dōkṭar ke karyālaya meṃ
Stick out your tongue and say "Aaah !" स्टिक आउट योर टंग अॅन्ड से "आह !"	जीभ बाहर निकाल कर बोलिए - "आह !" Jībh bāhar nikāl kar bolie "Āh !"
Breath deeply, and hold your breath. ब्रीध डीपली, अॅन्ड होल्ड योर ब्रेथ ।	गहरी साँस लीजिए और साँस रोकिए । Gaharī sāṃs lījie aur sāṃs rokie.
Is it contagious through contact ? इज़ इट कंटेजियस थ्रू कॉन्टेक्ट ?	क्या यह रोग स्पर्शजन्य है ? Kyā yah rog sparśajanya hai ?
You need an injection / shot. यू नीड अॅन इंजेक्शन / शॉट ।	आपको इन्जेक्शन / शॉट लेना होगा । Āpako injekśan śoṭ lenā hogā.
Please provide a sample of urine. प्लीज़ प्रोवाइड ए सेम्पल ऑफ युरिन ।	कृपया पेशाब का नमूना दीजिए। Kripayā peśāb kā namūnā dījie.
You must stay in bed for... यू मस्ट स्टे इन बेड फॉर...	... तक आपको आराम के लिए सोते रहना होगा... Tak āpako ārām ke lie sote rahanā hogā.
Come back for another check up in... कम बॅक फॉर अनधर चेक अप इन...	दुबारा जाँच के लिए... आ जाइए । Dubārā jāṃc ke lie... ā jāie.
Are you on any medication ? आर यू ऑन अॅनी मेडिकेशन ?	क्या आप कोई दवा ले रहे हैं ? Kyā āp koī davā le rahe haiṃ ?
Do I need a prescription for this ? डु आइ नीड ए प्रीस्क्रिप्शन फॉर धिस ?	क्या इसके लिए प्रीस्क्रिप्शन जरूरी है ? Kyā isake lie prīskripśan jarūrī hai ?
Are there any side effects ? आर धेर अॅनी साइड इफेक्ट्स ?	क्या इसका कोई अवांछित असर होगा ? Kyā isaka koī avāṃchit asar hogā ?
Do I need to see a specialist ? डु आइ नीड टु सी ए स्पेश्यालिस्ट ?	क्या मुझे किसी निष्णात से मिलना होगा ? Kyā mujhe kisī niṣṇāt se milanā hogā ?
Cardiologist/Gynecologist/Urologist कार्डियॉलॉजिस्ट/गायनेकॉलॉजिस्ट/युरॉलॉजिस्ट	कार्डियॉलॉजिस्ट / गायनेकॉलॉजिस्ट / युरॉलॉजिस्ट Kārdiolojist / gāynekolojist / urolojist
Ophthalmologist/Gastroentrologist/Surgeon ऑफ्थॅल्मोलॉजिस्ट / गॅस्ट्रोएंट्रोलॉजिस्ट / सर्जन	ऑफ्थल्मोलॉजिस्ट / गॅस्ट्रोएंट्रोलॉजिस्ट / सर्जन Ophthalmolojist / gestroemṭrolojist / sarjan

At The Dentist • दंत चिकित्सक के यहाँ

ॲट ध डेंटिस्ट • dant cikitsak ke yahāṃ

Can you recommend a good dentist? कॅन यू रेकमंड ए गूड डेंटिस्ट ?	**क्या आप किसी अच्छे दंत चिकित्सक का नाम बता सकते हैं ?** Kyā āp kisī acche dant cikitsak ka nām batā sakate haiṃ?
I need to see a dentist now. आइ नीड टु सी ए डेंटिस्ट नाऊ ।	**मुझे अभी दंत चिकित्सक से मिलना पड़ेगा ।** Mujhe abhī dant cikitsak se milanā paḍegā.
Do you have any earlier openings ? डु यू हेव ॲनी अर्लीअर ओपनिंगस ?	**क्या इससे पहले आप समय दे सकते हैं ?** Kyā isase pahale āp samay de sakate haiṃ ?
I have an abscess / bleeding gums आइ हेव ॲन ॲब्सेस / ब्लीडिंग गम्स ।	**मुझे फोडा हुआ है / मेरे मसूड़े से रक्तस्राव है ।** Mujhe phodā huā hai / Mere masūḍe se raktasrāv hai.
Even touching this tooth hurts ! इवन टचिंग धिस टूथ हर्ट्स !	**इस दांत को छूने पर भी पीड़ा होती है ।** Is dāṃt ko chūne par bhī pīḍā hotī hai.
Can you fix it temporarily ? कॅन यू फिक्स इट टेम्पररीली ?	**क्या तत्कालिक आप इसे बैठा सकते हैं ?** Kyā tatkālik āp ise baithā sakate haiṃ ?
I don't want that tooth taken out. आइ डोंट वॉन्ट धेट टूथ टेकन आऊट ।	**मैं वह दाँत निकलवाना नहीं चाहता ।** Maiṃ vah dāṃt nikalvānā nahīṃ cāhatā.
Can you give me some pain killer ? कॅन यू गिव मी सम पेइन किलर ?	**क्या आप मुझे कुछ पीडानाशक दवा दे सकते हैं ?** Kyā āp mujhe kuch pīḍānāśak davā de sakate haiṃ ?
How much the full denture costs ? हाऊ मच ध फुल डेंचर कॉस्ट्स ?	**पूरे डेन्चर की कीमत क्या होगी ?** Pūre ḍencar kī kīmat kyā hogī ?
What filling is good for the cavity ? वॉट फिलिंग इज़ गूड फॉर ध कॅविटी ?	**दाँत का पोला भाग भरने के लिए क्या ठीक रहेगा ?** Dāṃt kā polā bhāg bharne ke liye ṭhīk rahegā ?
How long will I need braces ? हाऊ लोंग विल आइ नीड ब्रेसीस ?	**मुझे ब्रेसीस / जोड का उपयोग कब तक करना पड़ेगा?** Mujhe bresīs / joḍ kā upayog kab tak karanā paḍegā ?
Can I eat and drink normally ? कॅन आई इट ॲन्ड ड्रिंक नॉर्मली ?	**क्या मैं सहज रूप से खा-पी सकूँगा ?** Kyā maiṃ sahaj rūp se khā-pī sakūṃgā ?

At The Pharmacy	• **फार्मसी में**
अॅट ध फार्मसी	• pharmcī meṃ

Where is the nearest drugs store ? वेर इज़ ध नीअरेस्ट ड्रग्स स्टोर ?	**सब से नज़दीक दवा की दुकान कहाँ है ?** Sub se nazadīk davā kī dukān kahāṃ hai ?
Can you fill this prescription ? कॅन यू फिल धिस प्रिस्क्रिप्शन ?	**क्या आप इस प्रिस्क्रीप्शन की पूर्ति कर सकेंगे ?** Kyā āp is priskrīpśan kī pūrti kar sakeṃge ?
How much does this medication cost ? हाऊ मच डज़ धिस मेडिकेशन कोस्ट ?	**इस दवा का खर्च क्या होगा ?** Is davā kā kharc kyā hogā ?
Can I get a refill on this medication? कॅन आइ गेट अ रीफिल ऑन धिस मेडिकेशन?	**ये दवा मुझे दुबारा मिल सकती है ?** Ye davā mujhe dubārā mil sakatī hai ?
Does the insurance cover this medicine ? डज़ ध इन्स्योरन्स कवर धिस मेडिसिन ?	**इस दवा के लिए बीमा मिलेगा ?** Is davā ke lie bīmā milegā ?
Do you deliver medicine at home ? डु यू डिलिवर मेडिसिन अॅट होम ?	**क्या आप दवाएँ घर पहुँचाते हैं ?** Kyā āp davāeṃ ghar pahuṃcate haiṃ ?
Are you open on weekends ? आर यू ओपन ऑन वीकएंड्ज़ ?	आपकी दुकान साप्ताहिक छुट्टी के दिन भी खुली रहती है ? Āpakī dukān sāptāhik chuṭṭī ke din bhī khulī rahatī hai ?
Who else can fill this prescription ? हु एल्स कॅन फिल धिस प्रिस्क्रिप्शन ?	**इस प्रीस्क्रिप्शन की पूर्ति और कौन कर सकता है ?** Is prīskripśan kī pūrti aur kaun kar sakatā hai ?
How should I take the medicine ? हाऊ शूड आई टेइक ध मेडिसिन ?	**मुझे यह दवा किस तरह लेनी होगी ?** Mujhe yah davā kis tarah lenī hogī ?
Are there any side effects ? आर धेर ॲनी साइड ईफेक्ट्स ?	**इसका कोई अवांछित असर ?** Iskā koī avāṃchit asar ?
Should I take this with a meal ? शूड आइ टेइक धिस विथ अ मील ?	**क्या मुझे इसे भोजन के साथ लेनी होगी ?** Kyā mujhe ise bhojan ke sāth lenī hogī ?
Should I take this on an empty stomach ? शूड आई टेइक धिस ऑन एन एम्टी स्टमक ?	**क्या मुझे यह खाली पेट लेनी होगी ?** Kyā Mujhe yah khālī pet lenī hogī ?
Do you bill the insurance directly ? डू यू बिल ध इन्स्योरन्स डिरेक्टली ?	**क्या आप बिल सीधे बीमा कंपनी को भेजते हैं ?** Kyā āp bil sīdhe bīmā kaṃpanī ko bhejate haiṃ?

Pertaining To The Insurance • बीमा लेने के विषय में
पर्टेइनिंग टु ध इनस्योरन्स • bīmā lene ke viṣay meṃ

Do you have medical insurance ? डु यू हैव मेडिकल इन्स्योरन्स ?	**आपने स्वास्थ्य-बीमा लिया है ?** Āpane svasthya-bīmā liyā hai ?
Does insurance cover this illness ? इज़ इन्स्योरन्स कवर धिस इलनेस ?	**इस बीमारी का खर्च बीमा में शामिल है ?** Is bīmārī kā kharc bīmā meṃ śāmil hai ?
Please, contact my insurance agent ! प्लीज़, कॉन्टेक्ट माय इन्स्योरन्स एजंट !	**कृपया मेरे बीमा एजंट का संपर्क करें ?** Kripayā mere bīmā ejaṇṭ kā sampark kareṃ !
The patient's full name iṣ... ध पेशंट्'स फुल नेइम इज़...	**मरीज़ का पूरा नाम है...** Mariz kā pūrā nām hai...
The insurance policy number is... ध इन्स्योरन्स पॉलिसी नंबर इज़...	**बीमा-पॉलिसी का नंबर है...** bīmā-policī kā naṃbar hai...
The primary physician / gynecologist iṣ.... ध प्राइमरी फीजिस्यन / गायनेकॉलॉजिस्ट इज़...	**प्राथमिक फिज़िश्यन / गायनेकॉलॉजिस्ट** Prāthamik fiziśyan / Gāyanekolojist
My insurance claim number is... माय इन्स्योरन्स क्लेइम नंबर इज़...	**मेरा बीमा क्लेइम नंबर...** Merā bīmā klaim nambar...
I am sending a proof of claim आइ एम सेंडिंग ए प्रूफ ऑफ क्लेइम	**मैं क्लेइम का प्रूफ भेज रहा हूँ...** Maiṃ klaim kā prūf bhej rahā hūṃ...
When will I get my money ? व्हेन विल आइ गेट माय मनी ?	**मुझे अपनी राशि कब मिलेगी ?** Mujhe apanī rāśi kab milegī ?
Do you have another insurance ? डु यू हेव अनधर इन्स्योरन्स ?	**आप के पास दूसरा बीमा भी है ?** Āp ke pās dūsarā bīmā bhī hai ?
Which will be the primary insurance? विच विल बी ध प्राइमरी इन्स्योरन्स ?	**प्राथमिक बीमा कौन-सा होगा ?** Prāthamik bīmā kaun sā hoga ?
We need the death certificate. वी नीड ध डेथ सर्टिफिकेट	**हमें मृत्यु-प्रमाणपत्र चाहिए ।** Hameṃ mrityu pramāṇ patra cāhiye.
This is my insurance policy. धिस एस माय इन्स्योरन्स पॉलिसी ।	**यह मेरी बीमा-पॉलिसी है ।** Yah merī bīmā-policī hai.

A Conversation with unknown in Hindi
अ कन्वर्सेशन वीथ अननोन इन हिन्दी

- **हिन्दी में अनजान से बातचीत**
- hindī meṃ anajān se bāta cīt

Ajay	Hello, are you waiting for somebody ?	**अजय**	नमस्ते ! क्या आप किसी का इन्तज़ार कर रहे हैं ?
अजय	हलो ! आर यु वेइटिंग फॉर समबडी ?	**Ajay**	Namaste ! Kyā Āp kisī kā intajār kar rahe haiṃ ?
Bharat	Yeah, I am waiting for a guest.	**भरत**	जी, मैं एक मेहमान के इन्तज़ार में हूँ ।
भरत	या आई एम वेइटिंग फॉर अ गेस्ट ।	**Bharat**	Jī, maiṃ ek mehamān ke intajār meṃ hūṃ.
Ajay	It seems that you are from India.	**अजय**	लगता है आप भारत से आये हैं ।
अजय	इट सीम्स धेट यू आर फ्रॉम इंडिया ।	**Ajay**	Lagatā hai āp bhārat se āye haiṃ.
Bharat	Yeah, I am an Indian and a Gujarati. My name is Bharat Patel, what is your name ?	**भरत**	जी, मैं भारतीय हूँ और गुजराती । मेरा नाम भरत पटेल है, आप का शुभ नाम ?
भरत	या, आई एम एन इंडियन एंड अ गुजराती । माय नेइम इज़ भरत पटेल, वॉट इज़ यॉर नेइम ?	**Bharat**	Jī, maiṃ bhāratīy hūṃ aur Gujarātī. Merā nām Bharat Patel hai, āpakā śubh nām ?
Ajay	I am Ajay Shah. Glad to see you.	**अजय**	मुझे अजय शाह कहते हैं । आप से मिलकर खुशी हुई ।
अजय	आई एम अजय शाह । ग्लेड टु सी यू ।	**Ajay**	Mujhe Ajay Shāh kahate haiṃ. Āp se milakar khuśī huī.
Bhatat	Thanks, oh the guest has come.	**भरत**	धन्यवाद, अरे, मेहमान आ पहुँचे ।
भरत	थेंक्स, ओह, ध गेस्ट हेज़ कम !	**Bharat**	Dhanyavād, are, mehamān ā pahuṃce.
Ajay	We came to receive the same guest.	**अजय**	हम इसी मेहमान को लेने आये हैं ।
अजय	वी केइम टु रिसीव ध सेइम गेस्ट ।	**Ajay**	Ham isī mehamān ko lene āye haiṃ.
Renuka	Hello Ajay, hello Bharat, How do you do ? Am I late ?	**रेणुका**	नमस्ते अजय, नमस्ते भरत, आप कैसे हैं ? क्या मैं देर से आई ?
रेणुका	हलो अजय, हलो भरत, हाउ डु यू डु ? एम आई लेइट ?	**Reṇuka**	Namaste Ajay, namaste Bharat, āp kaise haiṃ ? Kyā maiṃ der se āī ?

A Conversation with unknown in Hindi • हिन्दी में अनजान से बातचीत

अ कन्वर्सेशन वीथ अननोन इन हिन्दी • hindī meṃ anajān se bāta cīt

Bharat	No, We were earlier !	**भरत**	जी नहीं, हम कुछ पहले आ पहुँचे थे ।
भरत	नो, वी वेर अर्लीयर !	**Bharat**	Jī nahīṃ, ham kuch pahale ā pahuṃce the.
Renuka	Then, you must be knowing each other.	**रेणुका**	तब तो आप दोनों एक दूसरे को जानते होंगे ।
रेणुका	धेन, यू मस्ट बी नोइंग इच अधर।	**Reṇuka**	Tab to āp donoṃ ek dūsare ko jānte hoṃge!
Ajay	No, We just met, help us.	**अजय**	जी नहीं, आप हमारी मदद कीजिए ।
अजय	नो, वी जस्ट मेट । हेल्प अस ।	**Ajay**	Jī nahīṃ, āp hamārī madad kījie.
Renuka	That will be my pleasure. One may divide, one may unite, by the grace of God.	**रेणुका**	मेरे लिए यह खुशी की बात होगी । कोई अलग कर सकता है, कोई मिला सकता है, ईश्वर की कृपासे ।
रेणुका	धेट वील बी माय प्लेज़र । वन मे डिवाइड, वन मे युनाइट, बाय ध ग्रेस ऑफ गॉड ।	**Renuka**	Mere lie yah khuśī kī bāt hogī. Koī alag kar sakatā hai, koī milā sakatā hai, Īśvarakī kripā se.
Bharat	Would you like to take tea or coffee ?	**भरत**	क्या आप चाय या कॉफी लेंगी ?
भरत	वुड यु लाइक टु टेइक टी ऑर कॉफी ?	**Bharat**	Kyā āp cāy yā kophī leṃgī ?
Renuka	Do you stay nearby ?	**रेणुका**	क्या आप पास में रहते हैं ?
रेणुका	डु यु स्टे नीयर बाय ?	**Reṇuka**	Kyā āp pās meṃ rahate haiṃ ?
Bharat	No. We shall reach home in the evening. Let us go to a restaurant.	**भरत**	जी नहीं, हम शाम को घर पहुँचेंगे । चलिए रेस्टराँ चलें।
भरत	नो। वी शेल रीच होम इन ध इवनिंग। लेट अस गो टु अ रेस्टोरंट।	**Bharat**	Jī nahīṃ, ham shāmako ghar pahuṃceṃge, calie resṭarāṃ caleṃ.

कुछ शब्द

इन्तज़ार (प्रतीक्षा)	waiting	मेहमान	guest
भारत	India (Bhārat)	शुभ नाम	name, good name
खुशी (प्रसन्नता)	gladness, pleasure	धन्यवाद	thanks
एक दूसरे को	each other	सहायक	helper
ईश्वर की कृपा	the grace of God	पास में (निकट)	near
घर	home	शाम	evening

8. Fundamentals of Grammar • व्याकरण के मूल सिद्धांत

Study grammar carefully and do not proceed further until all the given exercises are completed in each section. Key is given in chapter 12

I. शब्दभेद • Parts of Speech

वर्ण = (a letter) - क, म, ल, (makes no sense.), शब्द = (a word) - कमल (a lotus) (makes a sense)
वाक्य = (a sentence) - कमल पानी में खिलता है । (makes a complete sense.) (A lotus grows in water.)
A word or a group of words that makes a sense is called a sentence. e.g. दौड़ो (Run);
अच्छा लड़का मातपिता का सम्मान करता है । A good boy respects his parents.
Note : The sense or meaning may not be complete but a sentence must be complete grammatically.

Words are of eight kinds :

No	शब्द का प्रकार	Kind of word	Page	No	शब्द का प्रकार	Kind of word	Page
१	संज्ञा	Noun	163	५	क्रियाविशेषण अव्यय	Adverb	191
२	सर्वनाम	Pronoun	173	६	संबंधसूचक अव्यय	Preposition	195
३	विशेषण	Adjective	176	७	समुच्चयबोधक अव्यय	Conjunction	197
४	क्रिया	Verb	179	८	विस्मयादिबोधक अव्यय	Interjection	198

१. संज्ञा • Noun

A Noun is the name of a person or thing e.g. 'boy', 'class', 'clay', 'justice'.

Nouns are of five kinds as tabulated below :

Kind of noun	Description	Example
१. जातिवाचक संज्ञा Common Noun	पूरे वर्ग तथा प्रत्येक अंग को सूचित करती है । denotes a person or thing in common	आदमी, नदी Man, River
२. व्यक्तिवाचक संज्ञा Proper Noun.	किसी व्यक्ति, स्थान या वस्तुविशेष का बोध हौता है । denotes one particular person, place or thing.	कृष्ण, गंगा Krişņa, The Ganga.
३. समूहवाचक संज्ञा Collective Noun	व्यक्ति या वस्तु के समूह का बोध (निर्देश) होता है । denotes a Collection of similar persons.	सभा, सेना Assembly, Army.
४. द्रव्यवाचक संज्ञा Material Noun	पदार्थ का निर्देश होता है । denotes the matter or substance.	गेहूँ, दूध wheat, milk.
५. भाववाचक संज्ञा Abstract Noun	व्यक्ति या वस्तु के गुण, अवस्था और कार्यव्यापार का निर्देश होता है । denotes Quality, state or action abstracted from (drawn off) a person or thing	गुण- मधुरता Sweetness अवस्था - गरीबी Poverty क्रिया - हास्य Laughter

The First Four kinds of nouns can be perceived by senses, while Abstract nouns can be understood by mind only.
Abstract nouns are formed from adjectives, other nouns and verbs :

(i) From Adjectives :

Adjective	Suffix	Abstract noun
मधुर (Sweet)	ता	मधुरता (Sweetness)
मधुर (Sweet)	त्व	मधुरत्व (Sweetness)
मधुर (Sweet)	य	माधुर्य (Sweetness)
गरीब (Poor)	ई	गरीबी (Poverty)
गहरा (Deep)	ई	गहराई (Depth)
भला (Kind)	ई	भलाई (Kindness)
मीठा (Sweet)	आस	मिठास (Sweetness)

(ii) From Nouns:

Noun	Suffix	Abstract noun
पुरुष (man)	त्व	पुरुषत्व (Manliness)
स्त्री (woman)	त्व	स्त्रीत्व (Womanhood)
मनुष्य (man)	त्व	मनुष्यत्व (Humanity)
इन्सान (Human being)	इयत	इन्सानियत (Humanity)
पंडित (a Scholor)	आई	पंडिताई (Scholorship)

(iii) FromVerbs :

Verb	Suffix	Abstract noun
भजना (to worship)	अन	भजन (hymn)
थरथराना (to tremble)	हट	थरथराहट (trembling)
घबराना (to be confused)	हट	घबराहट (confusion)
उतरना (to descend)	आई	उतराई (descent)
चढ़ना (to ascend)	आई	चढ़ाई (ascent)

Exercise 1

Classify the following Hindi nouns in the table:

भलाई	kindness	हिमालय	the Himalayas	पानी	water
रेगिस्तान	a desrt	नौसेना	fleet	आनंद	joy
गांव	village	संघ	league	चुनाव	election
स्वतंत्रता	freedom	कोयला	coal	लड़की	a girl
चावल	rice	दया	mercy	पर्वत	a mountain
कारवाँ	a caravan	समुद्र	a sea	चांदी	silver
जवानी	youth	पारा	mercury	जुलूस	a procession
कालिदास	kalidas	वाराणसी	banaras	कृष्णा	Goddess

जातिवाचक	व्यक्तिवाचक	समूहवाचक	द्रव्यवाचक	भाववाचक

Nouns (and pronouns) have **(अ)** Gender **(लिंग)**, **(ब)** number **(वचन)** and **(क)** case **(कारक)**.

(अ) लिंग • Gender

Nouns are of two genders :

(i) पुल्लिंग (masculine gender) - m.

(ii) स्त्रीलिंग (feminine gender) - f.

Nouns ending in 'अ,' 'आ' & names of males, mountains, countries and seas are of masculinegender :

घर (a house), लड़का (a boy), कृष्ण (kriśna), हिमालय (the Himalayas), भारत (India), पेसिफिक ।

Nouns ending in 'इ' or 'ई' and names of females and rivers are of the feminine gender :

सुरभि (fragrance), लड़की, गार्गी, यमुना ।

तत्सम (same as sanskrit words) and तद्भव (derived from Sanskrit words) - Nouns ending in 'अ' & 'आ' are of the feminine gender :

क्षमा (forgiveness), आत्मा (soul), नाक (a nose), दया (kindness), आँख (an eye), भीख (begging) ।

Nouns ending in 'न', 'क', 'स', 'ह' and 'र' are generally feminine :

जलन (burning), सूजन (swelling), मरन (death), ठंडक (coldness), महक (fragrance), प्यास (thirst), आस (hope), चाह (desire), छाँह (shade), नज़र (a look), ठोकर (stumbling).

We have feminines of nouns in masculine gender in two ways :

(i) Using different words		(ii) Using suffixes		
(अलग) विशिष्ट शब्दसे		प्रत्यय लगानेसे		
पुल्लिंग (m.)	स्त्रीलिंग (f.)	पुल्लिंग (m.)	स्त्रीलिंग (f.)	प्रत्यय (suffix)
नर	मादा	देव	देवी	ई
पिता	माता	दास	दासी	ई
तोता	मैना	शिष्य	शिष्या	आ
बैल	गाय	माली	मालिन	निन
भाई	बहन	बाघ	बाघिन	निन
मोर	मोरनी	सेठ	सेठानी	आनी
विधुर	विधवा	नौकर	नौकरानी	आनी
राजा	रानी	बेटा	बेटी	ई
मर्द	औरत	रस्सा	रस्सी	ई
ससुर	सास	भील	भीलनी	नी
विद्वान	विदुषी	बूढा	बुढ़िया	इया
सम्राट	साम्राज्ञी	कवि	कवयित्री	इत्री (पूर्व 'इ' के स्थान पर 'अय')
पति	पत्नी	साला	साली	ई
युवक	युवती	अभिनेता	अभिनेत्री	री (अंत्य 'आ' का लोप 'र' का आगम)
बादशाह	बेगम	विद्यार्थी	विद्यार्थिनी	नी (पूर्व इ ह्रस्व)

Some nouns are used in either gender :

चाय m. f., तम्बाकू f. m., वसंत f. m.

Some words of daily use with their genders :

पुल्लिंग : नेपकीन, साबुन, तौलिया, कोट, पटा, गॅस, नास्ता, रस (फल का), दरवाजा, कागज, विराम, रास्ता, रेडियो, बिस्तर , बल्ला, खत, पेट्रोल ।

स्त्रीलिंग : टाई, हेट(टोपी), पेन, रोटी, ब्रेड, गाडी, मोटर, ऑफिस, चाबी, कुरसी, फाईल, घंटी, चाय, कॉफी, नींद ।

Exercise 2

Rewrite the following sentences changing the gender of the nouns :

१. शिक्षक लड़कों को पढाते हैं ।	१.
२. रमण के चाचा लेखक हैं ।	२.
३. मामा नौकर के साथ अच्छा व्यवहार करते हैं ।	३.
४. पिता अपने पुत्र के साथ खेलते हैं ।	४.
५. यह अच्छा अभिनेता है ।	५.

(ब) वचन • Number

Nouns have two numbers : **Singular** (एकवचन) & **Plural** (बहुवचन). The Singular number denotes **ONE** thing and the Plural number denotes **TWO** or **MORE** things.

एकवचन	बहुवचन
कौआ घोंसला बनाता है ।	कौए घोंसले बनाते हैं ।
A crow builds a nest	Crows build nests.

The common noun has a plural form; other nouns are generally used in singular.

(i) Plural of masculine nouns :

(a) The plural of masculine nouns ending with 'आ' is formed by changing the final 'आ' to 'ए'.

एकवचन	बहुवचन	एकवचन	बहुवचन
घोड़ा horse	घोड़े	कपड़ा cloth	कपड़े
लड़का boy	लड़के	लोटा jug	लोटे
बेटा son	बेटे	रास्ता way	रास्ते
भतीजा nephew	भतीजे	पंखा fan	पंखे
बापदादा forefathers	बापदादा	पत्ता leaf	पत्ते
बापदादा forefathers	बापदादे	बच्चा child	बच्चे

(b) Excepting nouns ending in 'आ', other masculine nouns in hindi have the same plural forms as singular, e.g.,

एकवचन	बहुवचन	एकवचन	बहुवचन
बालक child	बालक	कशिपु pillow	कशिपु
टेकान prop	टेकान	जानू thigh	जानू
ऋषि sage	ऋषि	डाकू robber	डाकू
राही traveller	राही	विद्वान learned man	विद्वान

(ii) Plural of feminine nouns :

(a) Plural of feminie nouns ending in अ is formed by changing अ to एं:

बहिन (sister)	बहिनें	चील (kite)	चीलें
बात (talk)	बातें	चोंच (beak)	चाँचें

(b) Plural of feminine nouns ending in आ is formed by endding 'एँ' to the noun :

माता (mother)	माताएँ	रंगशाला (theatre)	रंगशालाएँ
माला (garland)	मालाएँ	लता (creeper)	लताएँ

(c) Plural of feminine nouns ending in इ is formed by adding याँ to the noun : रैनि (night) - रैनियाँ, रीति (Method) - रीतियाँ

(d) Plural of feminine nouns ending in ई is formed by changing ई to इ and then adding याँ to the noun :

लड़की (girl)	लड़कियाँ	बेटी (daughter)	बेटियाँ
बुहारी (broom)	बुहारियाँ	बीबी (wife)	बीबियाँ

(e) Plural of feminine nouns ending in ऊ is formed by changing ऊ to उ and then adding एँ to the noun :

वस्तु (thing)	वस्तुएँ	ऋतु (season)	ऋतुएँ

(f) Plural of feminine nuons ending in ऊ to उ & then adding एँto the noun :

बहू (wife)	बहुएँ	चमू (army)	चमुएँ

(g) Feminine nouns ending in ओं & औं remain the same in plural :

सरसों (mustard)	सरसों	जोखों (danger)	जोखों

(h) Plural of feminine nouns ending in या is formed by putting the dot (nasal sign) on the last letter :

गुड़िया (doll)	गुड़ियाँ	बुढिया (dame)	बुढ़ियाँ
गुरिया (necklace-bead)	गुरियाँ	चिड़िया (bird)	चिड़ियाँ

Exercise 3 :

Give the plural forms of the following nouns :

साला		कपड़ा		बहू		वस्तु	
लड़का		बच्चा		माता		नौकर	
पुस्तक		रास्ता		दशा		डाली	

(क) कारक • Case

'Case is the form of a noun which shows its relation to some other word in a sentence.'

There are eight cases (कारक) in Hindi - कर्ता, कर्म, करण, संप्रदान, अपादान, संबंध, अधिकरण और संबोधन ।

Case - Signs (Suffix, Affix) in Hindi are written separately after noun forms, e.g.

राम ने फल खाया । (Ram ate a fruit.)

विभक्ति Case - Signs

(1) 'ने' is a sign of the Nominative Case. (कर्ताकारक) ।

Final 'आ' of a masculine noun is Changed to 'ए' before Case-Signs, e. g. लड़का - लड़के ने, लड़के को ।

'ने' is used with the Subject of a Transitive Verb in its past participle form and the Verb agrees with object in number and gender, e. g.

लडके ने रोटी खाई । The boy ate a loaf of bread.

समीर ने फल खाये । Samir ate fruits.

'ने' is not used with the subject of an intransitive Verb in its present participle form, e.g.

लड़की सोती है । The girl is sleeping.

(2) 'को' is a sign of the Accusative Case. (कर्मकारक) ।

It is generally used with the object of a Transitive Verb, e. g.

समीर ने सेजल को रुलाया । Samir caused Sejal to weep.

'को' is used with बुलाना (to call), कोसना (to Scold), सुलाना(to put to bed), जगाना (to wake), बनाना (to make) etc. e. g.,

गांधीजीने भारतीयों को निर्भय बनाया । Gandhiji made Indians fearless.

If there are two objects, 'को' is used with the person - objects, e. g.,

माता बच्ची को दूध पिलाती है । Mother is feeding the baby girl with milk.

(3) 'से' is the Case-sign for the Instrumental Case. (करणकारक) ।

वह चाकू से रोटी काटता है । He is cutting the bread with knife.

मैं कलम से लिखता हूँ । I write with a pen.,

'से' May stand for 'by' or 'with' in English as an Instrumental Case :

लड़के से भूल हुई । Mistake is committed by the boy.

(4) 'को' is a case Sign of the Dative Case. (संप्रदान) ।

'के लिए' is also used in the sense of 'for'.

आशा ने उषा को कपड़े दिये । Asha gave clothes to Usha.

रमेश ने अपने भाई के लिए यह काम किया । Ramesh did this work for his brother.

(5) 'से' is the case sign for the Ablative case. (अपादान) ।

मैं गाँव से अभी आया हूँ । I came from the village just now.

लड़का पेड़ से गिरा The boy fell from the tree.

'से' does not give the meaning of 'out of' in Hindi. We have to use **'में से'** (Locative and Ablative Signs) to convey the sense of 'out of'

वह कमरे में से एक कुरसी निकालता है । He is taking a chair out of the room.

(6) **'का'**, **'की'** and **'के'** are the signs of Genitive Case.'(संबंधकारक) । These are equivalent to "'s" or 'of' in English.

किरीट का घर । The house of kirit. (m. singular)

किरीट के भाई । Kirit's brothers (m. plural)

वसंत की बहन । Vasant's sister. (f. singular)

वसंत की बहनें । Vasant's sisters. (f., plural)

(7) 'में' is the locative Case. (अधिकरण) । It gives the sense of in, within, into and some times 'at'

सीता कमरे में है । Sita is in the room.

वह कमरे में गया है । He went into the room.

मैंने यह किताब दस रूपये में खरीदी । I bought this book at ten rupees.

यह पुस्तक उसने पांच दिन में पूरी पढ़ी । He read this book compeletely within five days.

'पर' and 'ऊपर' are also locative signs in the sense of at, on, up, upon and over :

वह दुकान पर है । He is at the shop.

वह नाइल के तट पर रहता है । He lives on the bank of the Nile.

पंखा मेज पर है । The fan is on the table

पंखा सिर के ऊपर है । The fan is over the head.

(8) **'ऐ'** and **'ओ'** are used with nouns to address somebody. Hence these are called Vocativecase :

ए लड़के ! यहाँ आ ।　　O boy ! come here.

ओ ईश्वर ! उनको माफ़ करना ।　　O God, forgive them.

The eight cases in Hindi are summarized in the following table :

नं. No	**कारक का नाम** Name of the case	**प्रत्यय** Suffix	**अर्थ** Relation	**उदाहरण** Example	**प्रश्न** Question
१.	कर्ताकारक Nominative case	ने	कर्ता के अर्थ में ।	१. शीला पढती है । २. पुस्तक लिखी जायगी । ३. लड़की ने काम किया ।	कौन ?
२.	कर्मकारक Accusative (objective) case	को	कर्म के अर्थ में ।	१. तुम लड़के को बुलाओ । २. लड़का फल तोडता है ।	क्या ?
३.	करणकारक Instrumental case	से के द्वारा	साधन के अर्थ में ।	१. नौकर कुल्हाड़ी से लकड़ी काटता है ।	किसके द्वारा ?
४.	संप्रदानकारक Dative case	को, के लिए	देने के अर्थ में ।	१. मैंने उषा को पुस्तक दी । २. राजाने ब्राह्मण को धन दिया । ३. माँ ने बेटे के लिए खाना बनाया ।	किसको ?
५.	अपादानकारक Ablative case	से	अलग होने के अर्थ में ।	१. पेड़ से फल गिरा । २. आसमान से तारा टूटा ।	कहाँ से ?
६.	संबंधकारक Genitive(Possessive) case	का, के की	संबंध के अर्थ में ।	१. राजा का पुत्र राजा के पुत्र (ब.व.) २. लड़की की पुस्तक लड़के की पुस्तकें (ब. व.) ३. घर का आदमी घर के लोग (ब. व.)	किसका
७.	अधिकरणकारक Locative case	में, पर	स्थान के अर्थ में	१. लोटे में पानी है । २. बंदर पेड पर चढ़ा	कहाँ ?
८.	संबोधनकारक Vocative case	ऐ ओ	संबोधन के अर्थ में ।	१. लड़के, इधर आ २. हे भाईयो ! मेरी बात सुनो !	किसे ?

Exercise 4

Name the case with its relation of the underlined words in :

Sentence	First underlined word	Second underlined word
१. इस दुकान में सुन्दर किताबें हैं।	अधिकरणकारक - स्थान के अर्थ में	कर्ताकारक - कर्ता के अर्थ में
२. रमेश मृत्यु से बच गया ।		
३. भाइयों, नशा करना आपके लिए बहुत बुरा है ।		
४. समरथ को नहीं दोष गुसाई ।		
५. चिड़िया जंगल से दूर एक पेड़ पर बैठ गई ।		
६. लड़के पतंग उडाते हैं ।		
७. हम उसको बुलायेंगे, तब वहआयेगा ।		
८. धन परिश्रम से सभी को प्राप्त होता है ।		

Exercise 5

Fill in the blank with the right case form of the word given in the bracket :

१. भारत को स्वतंत्रता __________ (गांधीजी) मिली ।

२. हम __________ (मोहन) पहचानते हैं ।

३. पिताने __________ (बालक) खिलौने दिये ।

४. नौकर __________ (गांव) आया ।

५. सिपाही ने __________ (तलवार) उसका शिर अलग किया ।

६. मेरा काम एक __________ (वर्ष) पूरा होगा ।

७. मैंने __________ (पारुल) खाना बनाया है ।

८. यह किसी __________ (जंगल) जानवर मालूम होता है ।

९. श्री हनुमानजी ने __________ (सीता) ढूंढ निकाला ।

१०. यह काम __________ (तुम) नहीं होगा ।

२. सर्वनाम • Pronoun

Pronoun is a word used instesd of the noun. It saves the repetition of nouns. It takes the number, gender and case of the noun it stands for. Most of the pronouns remain the same in all genders. There are seven types of pronouns as described below :

सर्वनाम के भेद - Kind of Pronouns

(1) **पुरुषवाचक सर्वनाम** Personal Pronoun. They are three :

No.	Person	Sing.	Plu.	Example	
1st	उत्तम पुरुष 1st Personal Pronoun. बोलनेवाला - Speaker	मैं (I)	हम (We)	मैं जाता हूँ । हम जाते हैं ।	I go. We go.
2nd	मध्यम पुरुष 2nd Personal Pro. सुननेवाला - Listener	तू (Thou)	आप (You)	तू जाता है । आप पढ़ाते हैं । (आदरसूचक - to show respect)	You go. You teach.
3rd	अन्य पुरुष 3rd Personal Pro.	वह (He, She, It)	वे (They)	वह लिखता है । वह (she) लिखतीहै । वे लिखते हैं ।	He writes. She writes. They write.

- तुम, not तू, is used for the person spoken to. तू is used for God, mother, Friend and child.

  हे ईश्वर । तू दयालु है ।	O God. Thou art merciful.

  बच्चे ! तू वहाँ मत जा ।	Child ! don't go there.

- आप is used to show respect and as a reflexive pronoun (निजवाचक).

  (i) आप मेरे भगवान हैं ।	You are my God. (आदरसूचक)

  (ii) मैं अपने आप आऊँगा ।	I myself will come. (निजवाचक)

- अपने आप as a reflexive pronoun is used with any person - 1st, 2nd or 3rd.

Personal pronouns remain the same in all genders, but change with number and case. The following table shows it :

Person	Case Pronoun	कर्ता	कर्म	करण	संप्रदान	अपादान	संबंध	अधिकरण	उदाहरण
1st	Sing मैं I	मैं, मैंने	मुझे मुझको me	मुझसे by me	मुझे, मुझको to me	मुझसे from me	मेरा, मेरी, मेरे my, mine	मुझमें in मुझ पर on me	उसने मुझे बुलाया।
	Plu. हम We	हम, हमने	हमें, हमको	हमसे	हमें, हमको	हमसे	हमारा, हमारी	हममें, हम पर	हम बाहर जायेंगे ।
2nd	Sing. तू thou	तू, तूने	तुझको, तुझे	तुझसे	तुझको, तुझे	तुझसे	तेरा, तेरी	तुझमें, तुझ पर	तुमसे यह काम होगा ?
	Plu. तुम You	तुम, तुमने	तुमको, तुम्हें	तुमसे	तुमको, तुम्हें	तुमसे	तुम्हारा, तुम्हारी, तुम्हारे	तुममें, तुम पर	तुमसे यह काम होगा ?
3rd	Sing. वह he, she	वह, उसने	उसको, उसे	उससे	उसके लिए	उससे	उसका, उसकी, उसके	उसमें उस पर	उसने बहुत अच्छा काम किया।
	यह It	यह, उसने	इसको, इसे	इससे	इसको, इसे	इससे	इसका, इसकी, इसके	इसमें इस पर	यह गुलाब का फूल है ।
	Plu. वे they	उसने, उन्होंने	उनको, उन्हें	उनसे	उनको उन्हें	उनसे	उनको, उनकी, उनके	उनमें उन पर	उन्होंने मुझे एक सुंदर चीज़ दिखायी।

(2) **दर्शक सर्वनाम :** नजदीक या दूर की किसी व्यक्ति, वस्तु या पदार्थ का निर्देश करता है ।
Demonstrative Pronoun.

Demonstrative Pronoun points out a preson or thing. This pronoun points to a noun going before and is used instead of it. यह (this), ये (these), वह (that), वे (those) are the Demonstrative Pronouns in Hindi.

(i) यह तुम्हारा घर है ।	This is your house.	(iii) वह मेरी मेज़ है ।	That is my table.
(ii) ये आपके बच्चे हैं ।	These are your children.	(iv) वे कौन हैं ?	Who are they ?

(3) **स्ववाचक (निजवाचक) सर्वनाम :** स्वयं, खुद, आप
Reflexive Pronouns

Reflexive Pronouns - myself, yourself, himself, themselves.

मैं खुद उसे मिलने गया । I myself went to meet him. (makes the pronoun 'I' more emphatic)

(4) **प्रश्नवाचक सर्वनाम :** प्रश्न करने के लिए प्रयुक्त होते हैं ।
Interrogative Pronouns

Interrogative Pronouns are used to ask a question. They are : कौन ? क्या ? कौन - सा ? कौन-सी ? किसका ? कहाँ ?

Who ? What ? Which ? Whose ? Where ?

वहाँ कौन है ? Who's there ?

आपने क्या कहा ? What did you say ?

मेरे पास चार किताबें हैं । आप कौन सी लेंगे ? I have four books. Which will you take ?

(5) **अनिश्चयवाचक सर्वनाम :** किसी निश्चित व्यक्ति या वस्तु का निर्देश नहीं होता है ।
Indefinite Pronouns

Indefinite Pronouns show no definite person or thing. They are : कोई, कुछ

somebody, any, anything, something.

कोई आया है । Somebody has come.

वह कुछ लाया है । He has brought something.

(6) **अन्योन्यवाचक सर्वनाम :** एक दूसरे के अर्थ में प्रयुक्त होते हैं ।
Reciprocal Pronouns

Reciprocal Pronouns denote that two or more persons act reciprocally.

आपसमें, एक-दूसरे को, अन्दर ही अंदर

each-other, one-another, mutually.

उन्होंने आपसमें समझौता कर लिया ।

They mutually settled the matter.

(7) **संबंधवाचक सर्वनाम:** जो, सो
Relative Pronouns

Relative Pronouns : who, which, that.

जो देता है सो पाता है । He who gives gets.

आप जो कहते हैं वह सच है । What you say is true.

Exercise 6

Select the pronouns from the following sentences. also state their kind and case.

वाक्य	सर्वनाम (Pronoun)	प्रकार (Kind)	कारक (Case)
१. वह मेरा प्रिय शिष्य है ।			
२. जो उसके गुणको जानता है, वह उसे आदर देता है ।			
३. ऐसा कौन होगा जो खुद को न पहचानेगा ?			
४. हमें आपस में लड़ना नहीं चाहिए ।			
५. आपको उनकी बात माननी पड़ेगी ।			
६. उसका कुछ खो गया है ।			
७. यह तुम्हारी अलमारी (cupboard) नहीं है			
८. कौन सब जान सका है ?			
९. मुझसे वह ड़रता है ।			

३. विशेषण • Adjective

An Adjective qualifies a noun, or adds to the meaning of a noun.

A good boy. Here 'good' is an adjective and 'boy' is a noun qualified (a substantive).

'अच्छा लड़का' में 'अच्छा' विशेषण है और 'लड़का' उसका विशेष्य है ।

For a list of frequently used adjectives see chapter 5, pages 78 to 84.

विशेषण के भेद Kinds of adjectives :

There are five basic kind of adjectives. गुणवाचक, संख्यावाचक, परिमाणवाचक, क्रियावाचक, सार्वनामिक ।

(1) **गुणवाचक विशेषण :** व्यक्ति या वस्तु के गुण का निर्देश होता है ।

Adjective denotes the quality of a person or thing.

चालाक लड़का । A smart boy

बड़ा घर । A large house

(2) **संख्यावाचक विशेषण :** वस्तुओं की संख्या का बोध होता है ।

Adjective of number denotes the number of things.

दो, दूसरा, दुगुना, दोनों, आधा, डेढ़, अढ़ाई,

two, second, double, both, half, one & half, two & half,

प्रत्येक, हरएक, अनेक, बहुत, सब, थोड़ा, कुछ, कुछेक

each, every, diverse, many, all, a few, some, several.

दोनों मित्र मिले ।	Both the friends met.	दुगुना मुनाफा ।	Double the profit
दस आज्ञाएँ ।	ten commandments.	तीसरी मंज़िल ।	Third floor
सेंकड़ों घर ।	Hundereds of houses.	आधा रुपया ।	Half a rupee.

(3) **परिमाणवाचक विशेषण :** संख्या नहीं किन्तु परिमाण निर्देशित करता है ।

This adjective denotes extent & mesurement of a thing & mostly used with material (द्रव्यवाचक), collective (समूहवाचक) and abstract (भाववाचक) nouns.

बहुत, थोड़ा, कुछ, पर्याप्त, सब — very much, little, some, enough, all, whole

मुझे बहुत भूख लगी है । I am very hungry.

"बहुत" और "थोड़ा" can be used as संख्या and परिमाण, which shown in the following examples :

संख्या - Number	**परिमाण (मापतौल) Quantity**
वर्ग में बहुत से लड़के थे । (many)	कुएँ में बहुत पानी है । (much)
मुझे थोड़े रुपये देना । (a few)	मुझे थोड़ा रस देना (a little)

(4) **क्रियावाचक (कृदंत) विशेषण :** संज्ञा के पहले प्रयुक्त होनेवाले कृदंत कृदंतविशेषण हैं । Participles (कृदंत) followed by nouns are treated as adjectives :

उड़ती चिड़िया -	A flying sparrow.	दौड़ती गाड़ी -	A Running train.
उच्चारित शब्द -	Spoken words.	गाते पंछी -	Singing birds.

(5) **सार्वनामिक विशेषण :** संज्ञा के पहले आनेवाले सर्वनाम को विशेषण माना जाता है ।

Pronominal Adjectives - Pronouns followed by nouns are treated as adjectives :

(i) **दर्शकवाचक विशेषण** यह, ये, वह, वे, ऐसा

Demonstrative Adjectives -	This, That, such.
ये लड़कियाँ अच्छा गाती हैं ।	These girls sing well.
वे पंछी उड़ते हैं ।	Those birds are flying.

(ii) **प्रश्नार्थवाचक विशेषण** क्या ? कौनसा ? किसका ?

Interrogative Adjectives -	What ? which ? whose ?
तुम्हें मेरा क्या काम है ?	What work have you with me ?
कौन आदमी आया है ?	Which man has come ?

(iii) **अनिश्चयवाचक विशेषण -** कोई, कुछ, सभी

Indefinite Adjectives -	No one, anyone, all
कोई भी मनुष्य संपूर्ण नहीं है ।	No one is perfect.
सभी मनुष्य महान नहीं हो सकते ।	All men cannot be great.

(iv) **संबंधक विशेषण -** जो - सो

Relative Adjectives - Who, that.

जो लोग चले गये, वे वापस नहीं आयेंगे । People who have gone will not come back.

अविकारी और विकारी विशेषण

Some adjectives change with the number and gender of the substantive.

They are called Declinable Adjectives (विकारी विशेषण). Those that do not change are called Indeclinable Adjectives (अविकारी विशेषण).

(i) **अविकारी विशेषण - सफेद** (white)

Indeclinable Adjecticves

सफ़ेद घोड़ा - घोड़े	White horse - horses.
सफ़ेद घोड़ी - घोड़ियाँ	White mare - mares.
सफ़ेद फूल - फूलों	White flower - flowers.

(ii) **विकारी विशेषण - गोरा** (white), **काला** (Black)

गोरा घोड़ा	White horse	काला घोड़ा	Black horse.
गोरे घोड़े	White horses	काली घोड़ी	Black mare.
गोरी घोड़ियाँ	White mares	गोरी घोड़ी	White mare.

Adjectives ending in '**आ**' are Declinable (विकारी) अच्छा-अच्छी, अच्छे; सच्चा-सच्ची, सच्चे; बुरा-बुरी, बुरे ।

Adjectives ending in '**अ**' are Indeclinable

सुन्दर, लाल, होनहार

Exercise 7 Point out the adjectives in the following sentences and state their kind :

वाक्य	विशेषण	प्रकार
१. परिश्रमी मनुष्य सुखी होता है ।		
२. आज छाछ अच्छी बनी है ।		
३. हमें कुछ काम अवश्य करना चाहिए ।		
४. नरेश को स्वादिष्ट खाना पसंद है ।		
५. कड़ुआ औषध स्वास्थ्य के लिए लाभदायी है ।		
६. मैंने दुगुने पैसे देकर आम खरीदे ।		
७. एकलव्य का कोई गुरु नहीं बना ।		
८. भैरवी को गाते पंछी अच्छे लगते हैं ।		

Exercise 8 Fill in the blank with appropriate forms of adjectives given in brackets :

1. __________ सागभाजी खाईए । (ताज़ा)
2. यह पहलवान __________ है । (तगड़ा)
3. ये सभी __________ लड़कियाँ हैं । (चंचल)
4. शिवाजी ने __________ अफजलखान को मार डाला । (कपटी)
5. पंडित सुखलालजी __________ थे । (अंधा)
6. __________ मनुष्य दौड़ नहीं सकता । (बीमार)
7. गर्मीयों के दिनों में __________ पानी पीना चाहिए । (ठंडा)
8. मंगल पांडे भारत का __________ क्रांतिकारी था । (पहला)
9. औरंगझेब __________ बादशाह था । (निर्दय)
10. __________ काम करेगा वह सुख पायेगा । (जो)
11. सरोजिनी नायडू एक __________ कवयित्री थी। (प्रसिद्ध)
12. मैं __________ मजले पर रहता हूँ । (पहला)
13. चोरी करने पर चोर को __________ दंड मिला । (दुगुना)
14. यह गाय __________ है । (काला)

४ क्रिया • Verb

- क्रिया बतानेवाले शब्द को 'क्रिया' कहते हैं ।
  A Verb is a word showing an action.
- क्रिया के अधिकांश पद क्रिया बताते हैं, जैसे कि वह गाता है । वह घर गया । Most verbs show an action, e.g., He sings. He went home.
- कई क्रियाएँ स्थिति बताती हैं, जैसे कि वह डाक्टर हुआ । बालक खुश लगता है । Some verbs show a state, e. g., He became a doctor. The child seems happy.
- हरेक वाक्य में क्रिया होनी चाहिए । हरेक क्रिया के कर्ता होना चाहिए । Every sentence must contain a verb and every verb must have a subject.
- कर्ता क्रिया को करनेवाला है और कर्म क्रिया का फल है । 'वह किताब पढ़ता है' में 'पढ़ता है' क्रिया है । 'वह' कर्ता है और 'किताब' कर्म है । A subject is a doer of an action and 'an object' is a person or thing upon which the action of a verb is performed. In 'He reads a book' 'reads' is a verb, 'He' is a subject and 'a book' is an object.

(I) क्रिया के भेद • Kinds of verbs

क्रिया के प्रमुख दो प्रकार हैं : सकर्मक और अकर्मक । इसके अलावा और दो प्रकार की क्रियाए हैं : सहायक और संयुक्त । Verbs are of two main classes Transitive and Intransitive. Besides these there are two more kinds of verbs - Auxiliary & Compound.

(i) **सकर्मक क्रिया** में कर्म होना ही चाहिए । कर्म के बिना उसका अर्थ पूर्ण नहीं होता है, जैसे कि 'उसने बनाया' इस वाक्य में अर्थ अधूरा है । 'उसने **घर** बनाया' - कर्म **'घर'** रखने से अर्थ पूर्ण होता है ।
A Transitive verb must have an object without which its sense is incomplete, 'He built' - this sentence is quite incomplete, but in 'He built **a house**,' by adding the

object 'a house' its sense becomes complete.
कई सकर्मक क्रियाएँ, दो कर्म लेती हैं, जैसे कि 'उसने मुझे किताब दी ।' यहाँ 'किताब' प्रधान कर्म है और 'मुझे' गौण कर्म है । ऐसी क्रियाओं को द्विकर्मक क्रियाएँ कहते हैं ।
Some Transitive verbs take two objects, e.g., He gave '**a book**' to **me**. Here 'a book' is a direct object and 'me' is an indirect object.

(ii) अकर्मक क्रिया को अपना अर्थ पूर्ण करने के लिए कर्म की आवश्यकता नहीं रहती । जैसे, वह घर गया । सूर्य पूर्व में उदित होता है । An Intransitive verb requires no object to make its sense complete, e. g., He went home. The sun rises in the East.
जाना, आना, होना, बैठना, उठना, खड़ा रहना, जीना, आदि अकर्मक क्रियाएँ हैं । Verbs like go, come, become, sit, get up, stand, live etc. are intransitive.

(iii) सहायक क्रिया प्रमुख क्रिया को काल, अर्थ या प्रयोग के रूप बनाने में सहाय करती है । An Auxiliary verb helps the Principal verb in forming a tense, mood or voice 'होना' धातु के रूप है, हूँ, हो, होगा, हुआ आदि सहायक क्रियाएँ हैं ।
In English, be, have, do, shall-will, can, may, must etc. are Auxiliary verbs.

तुम पढ़ते हो ।	You are reading.
तुम्हें जल्दी जाग्रत होना चाहिए ।	You should get up early.

(iv) संयुक्त क्रिया A compound verb

(a) संयुक्त क्रिया में दो क्रियाएँ - मुख्य क्रिया कृदंत के रुप में और सहायक क्रिया काल के रूप में आती हैं ।

A Compound verb consists of two verbs - one principal verb in the form of a participal and the other an Auxiliary verb showing a tense.

पाचक रसोई बना रहा है ।	The cook is preparing food.
मेहमान कल चले जायेंगे ।	The guest will leave tomorrow.

(बना) & चला are Principal Verbs; रहा है and जायेंगे are Auxiliary Verbs that are used in making a Compound verb.

(b) Sometimes two verbs combine giving a different sense:

खाओ Eat - खा जाओ ।	Finish the dish.
लिखो Write - उसे लिख दो ।	Write to him.

Exercise 9 Select the verbs and state their kinds.

वाक्य	क्रिया	प्रकार
१. मैंने गरीब को दान किया ।		
२. मुझे यहाँ अच्छा नहीं लगता ।		
३. करेगा सो भरेगा ।		
४. आज ठंडी हवा बह रही है ।		
५. अब अमेरिका में रात हुई होगी ।		

Exercise 10 Make sentences using the following words as subjects :

सूर्य, बादल, विनय, दोस्त, दुश्मन, जवाहरलाल नेहरू, नाव, मक्खी ।

१.	५.
२.	६.
३.	७.
४.	८.

Exercise 11 Make Sentence using the following words as objects :

वर्षा, पानी, मेहनत, दया, तालाब, रेलवे, मातृभूमि, घर, उषा, कुआँ ।

१.	६.
२.	७.
३.	८.
४.	९.
५.	१०.

(II) क्रिया के रूप • Conjugation of the Verb

अलग अलग अर्थ के लिए क्रिया के अलग अलग रूप होते हैं । ये रूप काल, अर्थ, वाक्य - प्रयोग, वचन, पुरुष और लिंग के आधार पर बदलते हैं । Verbs have diffefent forms to show different meanings. Forms change according to' tense,' 'mood,' 'voice,' 'number', 'person' and 'gender.'

(A) काल • tense (Time)

'काल' क्रिया का समय बतानेवाला रूप है । Tense is the form of the verb showing the time of action.

कालभेद Kinds of tenses : काल प्रमुख तीन प्रकार के हैं । वर्तमान, भूत और भविष्य ।

There are three tenses : Persent, Past, and future.

(i) **वर्तमान काल** क्रिया का चलता हुआ समय बताता है ।

Present tense denotes an action that goes on.

मैं लिखता हूँ । I write.

(ii) **भूतकाल** की क्रिया से बीते समय का बोध होता है । Past tense denotes an action that took place.

मैंने लिखा । I wrote.

(iii) **भविष्यकाल** आनेवाला समय बताता है । Future tense denotes an action that is to take place.

मैं लिखूँगा । I shall write.

सभी काल के तीन उपविभाग है : सामान्य, अपूर्ण और पूर्ण । Each tense has three sub-divisions: Simple, continuous and perfect.

The Following, table shows the forms of the verb 'write' (लिखना) in all tenses and persons:

(i) वर्तमानकाल - • Present Tense

सामान्य - Simple	अपूर्ण - Continuous	पूर्ण - Perfect
मैं लिखता हूँ ।	मैं लिख रहा हूँ ।	मैंने लिखा है ।
I write.	I am writing.	I have written.
हम लिखते हैं ।	हम लिख रहे हैं ।	हमने लिखा है ।
We write.	We are writing.	We have written.
तू लिखता है ।	तू लिख रहा है ।	तूने लिखा है ।
Thou writest.	Thou art writing.	Thou hast written.
तुम लिखते हो ।	तुम लिख रहे हो ।	तुमने लिखा है ।
You write.	You are writing.	You have written.
वह लिखता है ।	वह लिख रहा है ।	उसने लिखा है ।
He writes.	He is writing.	He has written.
वे लिखते है ।	वे लिख रहे हैं ।	उन्होंने लिखा है ।
They write.	They are writing.	They have written.

(ii) भूतकाल - • Past Tense

सामान्य - Simple	अपूर्ण - Continuous	पूर्ण - Perfect
मैंनेलिखा ।	मैं लिखता था ।	मैंने लिखा था ।
I wrote.	I was writing.	I had written.
हमने लिखा ।	हम लिखते थे ।	हमने लिखा था ।
We wrote.	We were writing.	We had written.
तूने लिखा ।	तू लिखता था ।	तूने लिखा था ।
Thou wrotest.	Thou wast writing.	Thou hadst written.
तुमने लिखा ।	तुम लिखते थे ।	तुमने लिखा था ।
You wrote.	You were writing.	You had written.
उसने लिखा ।	वह लिखता था ।	उसने लिखा था ।
He wrote.	He was writing.	He had written.
उन्होंने लिखा ।	वे लिखते थे ।	उन्होंने लिखा था ।
They wrote.	They were writing.	They had written.

(iii) भविष्यकाल - • Future Tense

सामान्य - Simple	अपूर्ण - Continuous	पूर्ण - Perfect
मैं लिखूँगा ।	मैं लिखता हूँगा ।	मैंने लिखा होगा ।
I shall write.	I shall be writing.	I shall have written.
हम लिखेंगे ।	हम लिखते होंगे ।	हमने लिखा होगा ।
We shall write.	We shall be writing.	We shall have written.
तू लिखेगा ।	तू लिखता होगा ।	तूने लिखा होगा ।
Thou wilt write.	Thou wilt be writing.	Thou wilt have written.
तुम लिखोगे ।	तुम लिखते होगे ।	तुमने लिखा होगा ।
You will write.	You will be writing.	You will have written.
वह लिखेगा ।	वह लिखता होगा ।	उसने लिखा होगा ।
He will write.	He will be writing.	He will have written.
वे लिखेंगे ।	वे लिखते होंगे ।	उन्होंने लिखा होगा ।
They will write.	They will be writing.	They will have written.

Exercise (Oral Exercise) :

Similarly decline orally the verbs. - पढ़ना, खाना, जाना, गाना, दौड़ना,

(B) अर्थ • Mood (Mode, Manner)

'अर्थ' क्रिया का ऐसा रूप है, जिस पर से क्रिया हकीकत है, आज्ञा है, संभव है या संदेह है, यह स्पष्ट होता है । Mood is the form of the verb which shows wheather the action is a fact, an order or a possibility or a doubt.

अर्थ के भेद kinds of Mood - क्रिया के प्रमुख चार अर्थ हैं :

There are four moods of the verb : निश्चयार्थ, आज्ञार्थ, संभावनार्थ, संदेहार्थ ।

(i) **निश्चयार्थ :** क्रिया के जिस रूप में निश्चित विधान या प्रश्न किया जाता है उसे निश्चयार्थ कहते हैं । The Indicative Mood shows the action as a fact or a question.

वह हाल ही में गया ।	He left just now.
तुम आओगे ?	Will you come ?
बालक हँसता है ।	The child is laughing.

(ii) **आज्ञार्थ :** क्रिया के जिस रूप में आज्ञा, बिनती, आशिष, शाप, या उपदेश का बोध होता है उसे आज्ञार्थ कहते हैं । The Imperative Mood expresses an order, a request, a blessing, a curse or an advice.

बैठ जाओ ।	Sit down (order)
मुझे माफ़ करो ।	Forgive me. (request)
बेटा ! सौ साल जीओ ।	Live hundred years, my son. (blessing)
तुम्हारा सत्यानाश हो ।	Be You destroyed. (curse)
बडों की सेवा करो ।	Serve the elders. (advice)

(iii) **संभावनार्थ :** क्रिया से संभावना, कर्तव्य, इच्छा आदि सूचित होता है । The Potential Mood expresses a possibility, a duty, a wish etc.

चिट्ठी आये तो मैं जाऊँ ।	I may go if I get a letter. (संभावना)
स्वास्थ्य के लिए विद्यार्थी व्यायाम करें ।	The pupil should exercise for good health.
जय हो राजा राम की ।	May king Rama be victorious (इच्छा)

(iv) **संदेहार्थ :** क्रिया से संदेह, शर्त, हेतु या इच्छा प्रकट होती है । क्रिया के साथ 'यदि - तो, शायद' का उपयोग होता है । The subjunctive Mood expresses a doubt, a condition, a purpose, or a wish. 'If' or 'May' is used with the verb.

आज शायद बारिश हो ।	It may rain to-day (संदेह)
यदि वह अपराधी होता तो उसे सजा होती ।	If he were guilty, he would have been punished. (शर्त)
हम खाते हैं ताकि हम जीयें।	We eat so that we may live. (हेतु)
भगवान तुम्हारा भला करें ।	(May) God bless you. (इच्छा)

Exercise 12

State the mood & tense of the verbs in the following sentences :

वाक्य	क्रिया	अर्थ	काल
१. सूर्य पूर्व में उदित होता है ।	उदित होता है	निश्चयार्थ	सामान्य वर्त.
२. आज हम घर जायेंगे ।			
३. वह राजा योग्य है जो प्रजा का पालन करे ।			
४. सदा सत्य बोलो ।			
५. यदि आप आते तो मैं जाता ।			
६. नौकर चिट्ठी नहीं लाया ।			
७. क्या आप नहीं जायेंगे ?			
८. अलका किताब पढ़ती होगी ।			

(C) वाच्य Voice

In English the verb has two Voices : Active & Passive. In Hindi the verb has three Voices: कर्तृवाच्य(Actice), कर्मवाच्य (Passive) and भाववाच्य (Impersonal).

(i) **कर्तृवाच्य** (Active Voice)

In कर्तृवाच्य, the Subject does something, it is active and predominent (प्रधान), e.g.,

समीर दौड़ता है ।	Samir runs.
मैं लिखता हूँ ।	I write.
लड़की ने फूल तोड़ा	The girl plucked a flower.

Here समीर, मैं & लड़की ने are subjects. They do the action & are predominent (प्रधान). So these verbs are in Active voice (कर्तृवाचच्य). A verb in Acitve voice is either अकर्मक or सकर्मक.

(ii) **कर्मवाच्य** (Passive Voice)

In कर्मवाच्य the object (कर्म) is predominent (प्रधान). It acts as a subject. The subject is not active, it is passive- it suffers & at times is not stated even, e.g.,

कर्तृवाच्य (Active)	**कर्मवाच्य** (Passive)
मैं खत लिखता हूँ	मुझसे खत लिखा जाता है ।
I write a letter.	A letter is written by me.
(शिष्य) गुरु को दक्षिणा देता है ।	गुरु को दक्षिणा दी जाती है ।
(The pupil) gives a present to the Guru.	A present is given by the pupil.
लड़की फूल तोड़ेगी ।	लड़की से फूल तोड़ा जायेगा ।
The girl will pluck a flower.	A flower will be plucked by the girl.
सेजल ने दो लड्डू खाये ।	सेजल से दो लड्डू खाये गये ।
Sejal ate two sweetballs.	Two sweetballs were eaten by Sejal.
राम ने चिट्ठी भेजी ।	चिट्ठी भेजी गई ।
Rama sent a note.	The note was sent

In कर्मवाच्य खत, दक्षिणा, फूल, लड्डू & चिट्ठी — original objects - have become subjects which do the action, which are active & subjects are passive voice.

In Passive Voice, the verb agrees with the object in gender and number :

मुझसे एक रोटी खायी गई । मुझ से दो रोटियाँ खायी गयीं ।

The passive Voice is formed of only Transitive verbs as in English.

Formation of Passive voice.

भरत राम को देखता है । (Active). भरत से राम देखा जाता है (Passive)

a. The subject is put in the Instrumental Case, भरत - **भरत से**

b. The object becomes the subject, राम **को** - **राम**

c. The verbs is changed in to Past Passive Participle देखता - **देखा** (भूतकृदंत)

d. After the भूतकृदंत the form of the सहायक क्रिया 'जाना' is put in the same tense of the verb. जाता है ।

Passive Forms of the verb लिख (to write) in all tenses and two genders and numbers :

प्रकार काल	Gender	Number	सामान्य Common	अपूर्ण Incomplete	पूर्ण Perfect
वर्तमान Present	m.	ए.व.	खत लिखा जाता है ।	लिखा जाता है ।	लिखा गया है ।
		ब.व.	खत लिखे जाते है ।	लिखे जाते हैं ।	लिखे गये हैं ।
	f.	ए.व.	चिट्ठी लिखी जाती है ।	लिखी जाती है ।	लिखी गयी है ।
		ब.व.	चिट्ठीयाँ लिखी जाती हैं ।	लिखी जाती हैं ।	लिखी गयी हैं ।
भूत Past	m.	ए.व.	खत लिखा गया ।	लिखा जाता था ।	लिखा गया था ।
		ब.व.	खत लिखे गये थे ।	लिखे जाते थे ।	लिखे गये थे ।
	f.	ए.व.	चिट्ठी लिखी गयी ।	लिखी जाती थी ।	लिखी गयी थी ।
		ब.व.	चिट्ठियाँ लिखी गयीं ।	लिखी जाती थी।	लिखी गयी थी ।
भविष्य Future	m.	ए.व.	खत लिखा जायेगा ।	लिखा जाता होगा ।	लिखा गया होगा ।
		ब.व.	खत लिखे जायेंगे ।	लिखे जाते होंगे ।	लिखे गये होंगे ।
	f.	ए.व.	चिट्ठी लिखी जायेगी ।	लिखी जाती होगी ।	लिखी गयी होगी ।
		ब.व.	चिट्ठियाँ लिखी जायेंगी ।	लिखी जाती होंगी ।	लिखी गयी होंगी ।

(iii) **भाववाच्य** Impersonal Voice

In English only Transitive verbs have a Passive Voice, in Hindi, Passive Voice is formed both of Transitive & Intransitive verbs, but the Passive form of the Intransitive verb is called भाववाच्य, e. g.,

मुझसे अब चला जाता है ।	I can walk now (Denotes ability)
रोगी से अब बैठा जाता है ।	The patient can sit now. (Denotes ability)
वहाँ कैसे बैठा जायगा ?	How can one sit there ? (denotes inability)
धूप में चला नहीं जाता	It's not possible to walk in the hot Sun.(Denotes inability)

In these sentences भाव (idea) of the verb is the subject.

In भाववाच्य

(i) भाव (sense) is predominet, not the subject or object.

(ii) The verb is always in 3rd person, mascular gender & singular number.

प्रयोग • Construction

वाच्य is a form of the Verb which shows whether the subject is predominent object or भाव in a sentence. प्रयोग is a Construction of a sentence which shows the agreement of the verb in person, gender & number with the subject or object or भाव. Accordingly there are three constructions in Hindi : कर्तरि प्रयोग, कर्मणि प्रयोग, & भावे प्रयोग.

(a) **कर्तरि प्रयोग** ।: The verb agrees with the subject and person is in the Nominative case (कर्ताकारक) :

मैं - तू - वह गया । लड़का गया । लड़की गयी । (no such change in English)

हम - तुम - वे - गये । लड़के गये । लड़कियाँ गयीं ।

(b) **कर्मणि प्रयोग** : the form of the verb changes according to the person, gender & number of the object. The subject takes 'ने' (कर्ता - विभक्ति) after it : ('ने' is not joined to subject)

उसने मुझे (m.)देखा ।	(singular)	उसने मुझे f.देखा ।	(singular)
उसने लड़के देखे ।	(plural)	उसने लड़कियाँ देखीं ।	(plural)
लड़की ने फूल तोड़ा था ।	(singular)	लड़की ने फूल तोड़े थे	(plural)

(c) **भावे प्रयोग** : The verb does not agree with the subject or objcet but is always in 3rd person, singular number & mas. gender, for in it भाव of the verb is the subject :

उससे **चला जाता** है । Walking by him. किसीने **छींका** है Some body sneezed.

(D) प्रेरणार्थक क्रियाएँ • Causal Verbs

In Active voice the subject does the action - मैं खत लिखता हूँ । In Passive the subject suffers the action - मुझसे खत लिखा जाता है । In Causal the subject cause somebody to do the action.

मैं रामके पास खत लिखवाता हूँ । I make Rama to write a letter

There is **no causal** as there **is no भाववाच्य or भावे प्रयोग** in English. In English the same verb or another verb or 'cause', 'get' or 'make' is used to show Causal, e.g.,

पानी उबलता है ।	Water boils	वह पानी उबालता है ।	He boils water.
बच्चा खाता है ।	The child eats.	माँ बच्चे को खिलाती है ।	Mother feeds the child.
मैंने गीत गाया ।	I sang a song.	मैंने कृष्णा से गीत गवाया ।	I made Krishna to sing a song.

In Hindi the causative form is derived from the root (मूल धातु), e. g.,

बालक पढ़ता है ।	The boy studies (Active voice)
शिक्षक बालक को पढ़ाता है ।	The teacher teaches the boy. (प्रथम प्रेरणार्थक)
पिता शिक्षक से बालक को गणित पढ़वाता है ।	Father makes the teacher to teach mathematics to the boy. (द्वितीय प्रेरणार्थक)

Causative Forms of Some Hindi Verbs :

Root	1st Causal	2nd Causal	Root	1st Causal	2nd Causal
चल-ना to walk	चलाना	चलवाना	खा-ना to eat	खिलाना	खिलवाना
बैठ-ना to sit	बिठाना	बिठवाना	पी-ना to drink	पिलाना	पिलवाना
उठ-ना to get up	उठाना	उठवाना	पढ़-ना to read	पढ़ाना	पढ़वाना
चढ़-ना to climb	चढ़ाना	चढ़वाना	सीख-ना to learn	सिखाना	सिखवाना
गिर-ना to fall	गिराना	गिरवाना	लिख-ना to write	लिखाना	लिखवाना
उड़-ना to fly	उड़ाना	उड़वाना	देख-ना to see	दिखाना	दिखवाना
सो-ना to sleep	सुलाना	सुलवाना	दे-ना to give	दिलाना	दिलवाना
जाग-ना to awake	जगना	जगवाना	सीना to sew	सिलाना	सिलवाना
बोल-ना to speak	बुलाना	बुलवाना	धो-ना to wash	धुलाना	धुलवाना
कह-ना to say	कहाना	कहवाना	पीट-ना to beat	पिटाना	पिटवाना
सुन-ना to hear	सुनाना	सुनवाना	जीत-ना to win	जिताना	जितवाना

Exercise13 State the **प्रयोग** of the verbs in the following sentences :

वाक्य	प्रयोग	वाक्य	प्रयोग
१. मोहन किताब पढ़ता है		७. उसने कहानी कही ।	
२. सीता ने रोटी खाई ।		८. बाप ने लड़के से चिट्ठी लिखवाई ।	
३. मोहन से लड्डू खाये गये ।		९. मुझसे चला जायेगा ।	
४. बालक से चला जाता है ।		१०. लड़का बुलवाया गया है ।	
५. लड़के ने काम किया ।		११. मैंने काम किया ।	
६. धोबी कपड़े धोयेगा ।		१२. लड़की चल नहीं सकती ।	

Exercise 14 निम्नलिखित क्रिया से कर्तृवाच्य, कर्मवाच्य और प्रेरणार्थक के वाक्य बनाइए ।

क्रिया	कर्तृवाच्य Active	कर्मवाच्य Passive	प्रेरणार्थक Causal
पीना drink	बालक दूध पीता है ।	बालक से दूध पिया जाता है ।	माँ बालक को दूध पिलाती है ।
देना give			
देखना see			
जलना burn			
गिरना fall			
बैठना sit			

(E) कृदंत Participle

A Partciple is a verb - form showing incomplete action. In 'उगता सूरज' उगता is a form of the verb उगना but it does not show complete action. It serves as an adjective of सूरज. So it is a कृदंत which is used in a sense other than the verb.

- पढ़ना आवश्यक है । — To study is essential (used as a noun)
- पढ़ा हुआ मनुष्य आदर पाता है । — A learned man is honoured (used as an adjective)
- किरीट पढ़कर अभियन्ता हो गया । — Having studied Kirit became an engineer. (used as an adverb)

Above sentences show that participles are used as a noun, adjective or adverb.
The following are participles in Hindi :

No	Name	Root	Suffix	Example	Explanation
1	वर्तमान-कालिक कृदंत (Present Participle)	बह (flow) उड (fly) चल (walk)	ता m. ते m. plu ती (f.)	१.बहता पानी साफ होता है । Flowing water is clean. २.मैंने उड़ते हुए पक्षी देखे । I saw flying birds. ३.चलती हुई गाड़ी में मत चढो । Don't ascend a moving train.	बह + ता (हुआ) उड़ + ते (हुए) चल + ती (हुई) १. अपूर्ण वर्तमान -काल बताते है । २. विशेषण के अर्थ बताते है ।
2	भूतकालिक कृदंत (Past Passive Participle)	डर (fear) रोप (plant) बढ़ (grow)	आ हुआ m. ए हुए m. plu ई हुई f.	वह डरा हुआ आदमी है । He is a fear-stricken man. रोपे हुए पौधे सुख गये The planted saplings are dried up. बढ़ी हुई घास । The grown up grass.	धातु + आ हुआ m. sing धातु + ए हुए m. sing धातु + इ हुई f. बोया हुआ खेत The sown field. १.पूर्ण भूतकाल बताते हैं । २.विशेषण के अर्थमें ।
3	भविष्य कृदंत Future Participle	बोलना (speak) आना (come) गाना (sing) (verb)	वाला m. वाले m. plu वाली f.	मैं आपके घर आनेवाला हूँ । (adj) बोलनेवाले को बुलाओ । (Noun) Call the speakers. गानेवाली आ गई । (Noun) गानेवाली लड़की कहाँ है ? (adj.)	ना of the verb becomes ने. क्रिया + वाला-वाले-वाली बोलने + वाली १.भविष्यकाल बताते हैं । २.विशेषण के अर्थ में । ३.संज्ञा के अर्थ में ।

No	Name	Root	Suffix	Example	Explanation
4	सामान्य कृदंत Gerundal Participle	डरना (fear) सोना (sleep) (verb)		डरना यह पाप है । To fear is a sin. स्वास्थ्य के लिए सोना जरूरी है ।	१.यह क्रिया का मूल रूप है । २.संज्ञा के अर्थ में ।
5	हेत्यार्थ कृदंत (Infinitive of Purpose)	कर (do) पढ़ (read) (Root)	ने को ने के लिए	मैं स्नान करने को आता हूँ । लड़कियाँ पढ़ने के लिए स्कूल जाती हैं।	धातु + ने को or ने के लिए । क्रियाविशेषण के अर्थ में ।
6	संबंधक भूतकृदंत (Absolu-tive)	देख (see) (Root)	कर	ताज़ को देखकर मुझे खुशी हुई । मैं स्नान करके आया ।	धातु + कर गा + कर = गाकर क्रियाविशेषण के अर्थ में ।

Exercise 15

Find and name the participles in the following sentences :

वाक्य	कृदंत	प्रकार
१. बोलना सहज है, करना कठिन है ।		
२. देकर खुश रहो, लेकर नहीं ।		
३. भोंकते कुत्ते काटते नहीं, गरजता मेघ बरसता नहीं ।		
४. खाना पीना और मौज मनाना यह जीवन का हेतु नहीं है ।		
५. मरकर जीए वह महामानव ।		
६. वे उसे मारने के लिए आये किन्तु उसके पैरों पड़े ।		
७. मुरझाया हुआ गुलाब सूंघने से क्या लाभ ?		
८. लड़की दौड़ते-दौड़ते थक गई ।		
९. मेरे पास बोलेनवाला तोता है ।		
१०. नदी का पानी बहता रहता है ।		

Exercise 16 Make simple sentences using participle and name the participle :
कृदंत का उपयोग करके एक वाक्य बनाइए :

वाक्य	कृदंत	प्रकार
१. वह आया । उसने उपद्रव मचाया ।	उसने आते ही उपद्रव मचाया ।	वर्तमान कृदंत
२. मैंने उसे कहा । उसने नहीं माना ।		
३. मुझे एक रुपया दीजिए । मुझे फूल लेने हैं ।		
४. आज सभा है । सभा में कृष्णा बोलेगी ।		
५. सूरज डूबता है, मैं वह दृश्य देखता हूँ ।		
६. धन प्राप्त कीजिए । उसका अच्छा उपयोग कीजिए ।		
७. कसरत करो । आपके लिए कसरत जरूरी है ।		
८. उसने नदी में स्नान किया । वहाँ से वह मंदिर गया ।		
९. लड़के पाठशाला जाते हैं । वहाँ वे पढ़ते हैं ।		
१०. सत्ता, धन, यौवन का भार सहो । यह कठिन है ।		
११. सूरज उगता है । कमल खिलता है ।		

५. क्रियाविशेषण अव्यय • Adverb

An adverb adds to the meaning of a verb.

Noun, Pronoun, Adjective, Adverb, & Verb have forms; They change. But Preposition, Conjunction & Interjection have no forms. They do not change, so they are called Indeclinables (अव्यय)

वह आज गया ।	He left today	मैं यहाँ रहता हूँ ।	I live here.
नरेश जल्दी से चला ।	Naresh walked fast.	झूठ मत बोलो ।	Do not tell a lie.

The underlined words modify the verbs. They add to meaning of the verbs. So they are called adverbs.

क्रियाविशेषण अव्यय के प्रकार Kinds of adverb :

क्रिया विशेषण अव्यय आठ प्रकार के है : कालवाचक, स्थानवाचक, रीतिवाचक, परिमाणवाचक, निश्चयवाचक, अनिश्चयवाचक, स्वीकारवाचक, कारणवाचक ।

(i) कालवाचक क्रि. वि. अ. : क्रिया के समय को सूचित करता है ।
Adverb of time shows the time of action.

तुम कब आओगे ?	When will you come ?
रमेश रोज आता है ।	Ramesh comes late daily.
अच्छा काम तुरंत कीजिए ।	Do a good work immediately.

Some adverbs of Time :

पीछे से	afterwards.	तुरंत	immediately
कभी, कभी	at any time	हाल ही में	just now
एकबार, तुरंत	at once	देर से	late
अन्त में	at last	अभी, अब	now
कभीकभी	at times	बारबार	often
हरदम	always	तभी	since
कदापि	any day, ever	किसी समय	sometimes
रोज	daily	आज	today
अहोरात्र, रातदिन	day & night	बाद में	then
हररोज	everyday	कब	when
हर वर्ष	every year	कल	yesterday

(ii) स्थानवाचक क्रि. वि. अः क्रिया का स्थान बताते हैं ।

Adverb of place shows the place of action

यहाँ आओ ।	Come here
तुम कहाँ जाते हो ?	Where are You going ?
मेरा घर दूर नहीं है ।	My house is not far
शहर नज़दीक है ।	The city is nearby.

Some adverbs of place :

चारों ओर	everywhere	वहाँ से	From there
दूर	Far	कहाँ से	from where
यहाँ से	from here	यहाँ	here
अंदर	inside	कहीं से	somewhere
पूरब में	in the east	इधर	this side
पश्चिम में	in the west	उधर	that side
पास	near	वहाँ	there
बाहर	outside, without	भीतर	Wihin

(iii) रीतिवाचक क्रि. वि. अ : क्रिया की रीति याने पद्धति बतलाते हैं ।

Adverb of manner shows in what manner the action is done.

लड़का धीरे जाता है ।	The boy is going slowly.
वह तेजी से दौड़ता है ।	He is running fast.

Some adverbs of this Kind :

लगातार, निरंतर	continuously	धीरे से	slowly
ऐसे	like this	सहसा, अचानक	suddenly
जल्दी से	quickly	आदरपूर्वक	respectfully
ध्यानपूर्वक	attentively	कैसे, किस तरह	how

(iv) **परिमाणवाचक क्रि. वि. अ :** कितना का उत्तर, प्रमाण बताते हैं । Adverb of Quantity :

वह खूब खेलता है ।	He plays very much.
मैं यह बात बिलकुल भूल गया ।	I totally forgot that matter.
अलका कुछ डरती है ।	Alka is rather bashful.

Some adverbs of Quantity :

जरा सा, थोड़ा	a little	बराबर	exactly
यथाशक्ति	according to one's capacity	कुछ	rather, some what
बिलकुल	entirely	बहुत, खूब	very much.
पूरा	completely	इतना	enough

(v) **निश्चयवाचक क्रि. वि. अ. :** Adverb of Certainty.

वह जरूर आयेगा ।	He will come surely.
शीला सचमुच अच्छी लड़की है ।	Sheela is really a good girl.

Some adverbs of Certainty :

जरूर	surely	बेशक	undoubtedly.
निश्चित	certainly	निस्संदेह	undoutedly
सचमुच	really, indeed		

(vi) **अनिश्चयवाचक क्रि. वि. अ. :** Adverb of Doubt.

वह कदाचित आयेगा । Perhaps he will come.

Some adverbs of doubt :

कदाचित	perhaps	महदांश	mostly
शायद	possibly	संभवतः	probably.

(vii) **स्वीकारवाचक/निषेधवाचक क्रि. वि. अ. :**

हाँ, सही, ठीक, न, नहीं, मत ।

Adverb of Affiriming or Denying yes, yeah, no, not, nay, not at all.

तुम आओगे ? हाँ मैं आऊँगा ।	Will you come ? Yes, I will come.
न जाने साधु कहाँ चला गया ।	Don't know where the sage went away

आप चाय पीते हैं ? नहीं । Do you drink tea ? No.

तुम मत जाओ । Don't go.

(viii) **कारणवाचक क्रि. वि. अ. : क्यों ?**

Adverb of Cause or Reason.

क्यों ? Why ?

तुम वहाँ क्यों जाते हो ? Why do you go there ?

Exercise 17

Underline & name the adverbs in the following sentences; as shown :

वाक्य	**क्रियाविशेषण अव्यय का प्रकार**
१. राजा ने मुनि को आदरपूर्वक सिंहासन पर बिठाया ।	रीतिवाचक
२. कौन पूर्णतया सुखी है ?	
३. लड़का बाहर गया है ?	
४. आप वहाँ क्यों गये थे ?	
५. ईश्वर सदा और सर्वत्र सबकी रक्षा करते हैं ।	
६. तुम लगातार झूठ बोल रहे हो ।	
७. शायद मैं तुम्हारे घर आऊँगा ।	
८. मन ! तुझे किस प्रकार से समझाऊँ ।	
९. उसका विश्वास नहीं किया जाता ।	
१०. हाँ, मैं जरूर तुम्हे बुलाऊँगा ।	

Exercise 18

Fill in the blanks with suitable advebs given below:

निरंतर, अचानक, अभी, किसी समय, अन्त में, बहुत, इधर, कदाचित, नहीं, क्यों, कभी

१. गांधीजी ने __________ हिंसा की बात नहीं की थी ।

२. हमें __________ काम करते रहना चाहिए ।

३. कृष्ण ने __________ कंस का वध किया ।

४. घर में __________ कौन हैं ?

५. आप __________ क्यों आये हैं ?

६. लड़की __________ हंसती है ।

७. __________ मैं तुम्हारे घर जाऊँगा ।

८. आपने ऐसा काम __________ किया ?

९. मैं वहाँ __________जाऊँगा ।

६. सम्बन्धसूचक अव्यय • Preposition

'**योग्य** मनुष्य आदर पाता है' । (adj.) 'मेरे **योग्य** कार्य बतलाइए' । (prepo.)

'यह काम **बादमें** होगा ।' (adv.) 'यह काम बातचीत के **बाद** होगा । (prepo.)

- These sentences show that the same word can be used as an adjective, adverb or preposition.
- In English the prepostion is placed before a noun which is in the Objective case :

  He hid **behind** the tree. (कर्मकारक); in Hindi it is placed after a noun which is in the Genitive case : वह पेड़ के **पीछे** छिप गया है । (संबंधकारक)

- Most of the preposition take **'के'** विभक्ति & Some take **'से'** विभक्ति before them

  नगर के **पास** near the city, सूर्य के **चारों ओर** **around** the sun, उसके **सिवा** **except** him, धन के **बिना** **without** money धन से **रहित** **devoid** of money, दुनिया से **दूर दूर** **far away** from the world.

- Case is dropped before some preposition :

वह दोस्तों **समेत** आया ।	He came with friends.
वह देखने **योग्य** दृश्य है ।	It is a sight worth seeing.
उसने दिन **भर** काम किया ।	He worked throughout the day.

An adjective qualifies a noun; an adverb is related to a verb; a preposition is related to a noun.

Some Hindi Prepositions :

Above, on	ऊपर, पर, पास	Like	तुल्य, समान, तरह
After,	पीछे, बाद	Near	निकट, समीप, पास
Against	विरुद्ध	On the other side	परे, किनारे
As	समान	Outside	बाहर
Around	चारों ओर, आसपास	Opposite	सम्मुख
On account of	की वजह से	Than	की अपेक्षा, से
Before	आगे, सामने, पहले	Through	द्वारा, मारफत
Below	तले, नीचे	Till	तक
For	लिए, वास्ते	To, Towards	प्रति, तरफ
For the sake of	खातिर	Up to	पर्यंत
In side	भीतर	With	साथ, समेत, सहित,
In the middle of	बीच में	Without	बिना, सिवा, रहित

Exercise 19 Fill in the blanks with suitable Prepositions :

१. झांसी की रानी लक्ष्मीबाई ने देश की __________ बलिदान किया ।
२. जुआ खेलने के __________ वह बरबाद हो गया ।
३. कृष्ण राधा के __________ रास खेलने लगे ।
४. मेरा गाँव नदी के __________ आया है ।
५. राजा हरिश्चंद्रने जीवन __________ सत्य को नहीं छोड़ा ।
६. लक्ष्मण चौदह वर्ष के __________ पत्नी ऊर्मिला से मिला ।
७. उसने दोस्त के __________ कुरबानी दी ।
८. गोपियाँ कृष्ण के __________ रह नहीं सकती थीं ।
९. तुम मेरे __________ यह काम करना ।
१०. शिवमन्दिर के __________ पीपल का पेड़ है ।
११. एक शेर पेड़ __________ चढ़ गया ।
१२. वह घर के __________गया ।
१३. चौपट राजा ने कोतवाल को फांसी __________ चढ़ाने की सजा दी ।
१४. गणेश ने शिवपार्वती के __________ प्रदक्षिणा की ।
१५. राजा के __________ कौन खड़ा रह सकता है ?
१६. मुझे तुम गाँव __________ पहुँचा दो ।
१७. अपने हृदय के __________ परमात्मा निवास करते हैं ।
१८. पद्मिनी के __________ सुन्दरी अन्य नहीं हो सकती ।
१९. तुम मेरे __________ मत खड़े रहो ।

७ सम्मुच्चयबोधक अव्यय • Conjunction

A Conjunction joins two words or two sentences.

राम **और** भरत मिले । Rama **and** Bharat met. (joins two words)

सूर्य अस्त हुआ **और** चन्द्र उदित हुआ । The sun set **and** the moon rose. (joins two sentences)

Conjunctions in Hindi : :

Conjunctions	Examples
१. और, तथा, एवं	प्रेम **और** त्याग ही जीवन है । Life is love **and** sacrifice. बसंत आयेगा **और** फूल खिलेंगे । Spring will set in **and** flowers will bloom. गांधीजी ने सत्य **एवं** अहिंसा का उपदेश किया । Gandhiji preached truth **and** non-violence. **क्या** राय **क्या** रंक सब को मृत्यु आती है । Death comes to all; rich **and** poor.
२. या, या-या वा, अथवा किंवा (or)	पढ़ो **या** लिखो — Read **or** write मैं या जीतूँगा **या** मरूँगा । — I will win **or** die. एक देव, कृष्ण **वा** शिव । — (Worship) one god, (either) Krishna **or** Shiva. उसके पास न घर है, **या** न धन । — He has neither a house **nor** money.
३. किन्तु, परंतु, मगर, लेकिन, (but)	वह होशियार है **लेकिन** आलसी है । — He is clever **but** idle **चाहे** प्राण जाए **पर** वचन न जाए । — Let death come **but** will not go against my word. वह यहाँ आया **किन्तु** मुझे न मिला । — He came here but did not see me.
४. कि, क्योंकि (because)	राम नहीं आया **क्योंकि** वह बीमार है । Rama did not come **because** he is ill. कि is used in different sense. 'तुम उसे जानते हो **कि** नहीं ?' Do you know him **or** not ? 'मैं राम से मिलने आया हूँ, **न कि** तुमसे ?' I have come to see Rama **but** not you. 'उसने कहा **कि** वह जाएगा ।' He said **that** he would go. 'हम इसलिए खाते हैं **कि** हम जीयें ।' We eat so **that** we may live.
५. इसलिए(Therefore) वास्ते, अतः, एव, इससे, इस कारण	वह गद्दार था **इसलिए** उसे फाँसी दी गई । He was a traitor, **therefore** he was hanged. वह भूखा था **अतः** उसने चोरी की । He was starving, **therefore** he stole.
६. वरना, (Lest, Otherewise) फिर भी, यद्यपि, तथापि, तो भी (Still, Yet) यदि - तो,जो-तो, अगर-तो (Though) नहीं-तो (If not)	वह धनवान है, **फिर भी** संतुष्ट नहीं है । He is rich **still** he is not contented. वह दीन है **तथापि** ईमानदार है । He is poor **yet** he is honest अधिक परिश्रम करो **वरना** विफल हो जाओगे । Work hard **otherwise** you will fail. **यदि** तुम अधिक परिश्रम नहीं करोगे **तो** विफल हो जाओगे । **If** you will **not** work hard, you will fail.

- An adjective qualifies a noun.
- An adverb modifies a verb, an adjective or another adverb.
- A preposition denotes the relation of a noun or pronoun (with which it is joined) with the verb.
- A conjunction only joins two words or two sentences.

८. विस्मयादिबोधक अव्यय • Interjection

An interjection is an expression of strong feeling (तीव्र भाव या मनोविकार)। It is used independently in a sentence.

धन्य है । तुम बहुत ही अच्छा काम कर रहे हो । Well-done ! you are doing a very good work.

Hindi Interjections :

No.	Type	Examples
१.	विस्मय (आश्चर्य)वाचक (Surprise, Wonder)	अहा ! ओहो ! अहाहा ! अधध ! हैं ! ऐं ! Oh ! Hey ! अहा ! क्या सुन्दर पहाड़ है ! Oh ! What a beautiful hill it is !
२.	हर्षवाचक वाह ! वाह ! धन्य ! (Joy)	शाबाश ! Bravo ! Hurrah ! वाह ! तुम बहुत अच्छे गायक हो ! Bravo ! You are a very good singer. शाबाश ! तुमने बढ़िया काम किया ! Bravo ! You did an excellent work.
३.	शोकवाचक (Grief)	हाय ! हाय - हाय ! आह ! अरे ! अरेरे ! राम राम ! हे राम ! ऊह ! बाप रे ! Eh ! Alas ! हाय ! वह मर गई । Alas ! she died. बाप रे ! मुझे साँप ने काटा । Oh ! A snake bit me. आह ! मेरे पेट में दर्द होता है । Oh ! I have stomach pain.
४.	तिरस्कारवाचक (Contempt, Scron)	धिक् ! धुत ! छी छी ! थू ! (Fie, Dirty) धिक् उस पापी को ! Fie upon that sinner ! छी छी ! ऐसी अशिष्ट बात मत कर । Gee ! Don't talk nonsenese.
५.	कल्याणवाचक आशीर्वादवाचक (Benedicition)	स्वस्ति ! (All good) जय ! जय हो ! जय जय ! (Victory) जीते रहो ! सलामत रहो ! Live ! Take Care ! जय हो ! राजाधिराज चन्द्रगुप्त की Victory to Emperor Chandragupta !
६.	क्रोधवाचक (Anger, Rebuke)	चुप ! चल ! हट ! अबे ! Shut up, go away. चुप ! ज्यादा बकवास मत कर । Shut up, stop talking nonsense. हट ! अब ऐसा मत बोल । Hey ! Now don't speak like that.
७.	स्वीकारवाचक (Assent, Avowal)	ठीक ! अच्छा ! जी ! जी हाँ, भला ! Well, Well-done, Good भला ! तुम वहाँ गये भी हो ? Good ! Have you visited that place too ? ठीक ! इसी तरह और आगे बढ़ो । Well ! Go ahead in this way.
८.	संबोधनवाचक (Vocative)	अरे ! हे ! रे ! अजी ! Ho ! O ! हे भगवान ! उन्हें माफ कर दो । O God ! Forgive them.

Exercise 20

Underline indeclinable in the following sentences and name them:
(use - abbreviations (संक्षेप) for them : क्रि. वि. संबंध, समुच्चय., विस्मय. etc.)

वाक्य	प्रकार	वाक्य	प्रकार
१. वह नदी तक गया ।	संबंध	१०. अगर अधिक ज्ञान पाओगे तो ज्ञानी कहलाओगे ।	
२. ऐसी बात कीजिए कि लोग स्वीकार करें ।		११. अच्छे आदमी बनो नहीं तो दुःख मिलेगा ।	
३. मिल्खासिंग लगातार दौड़ता रहा ।		१२. हम तुम्हारे पीछे खड़े हैं ।	
४. पिता की इच्छा के विरुद्ध कोई काम मत करो ।		१३. चेतक बहुत तेज दौड़ता है ।	
५. तुम कितना काम करोगे ?		१४. जितना हो सके उतना ही काम करो ।	
६. सच है, रामकृष्ण परमहंस भक्त थे ।		१५. विवेकानंद हिन्दुधर्म के लिए अमरिका गये थे ।	
७. मैं अभी बाहर जा रहा हूँ ।		१६. कालिदास और भारवि महाकवि थे ।	
८. मुझे अचानक नींद नहीं आती ।		१७. आहा ! प्रेमचंद ने कितना सुन्दर लिखा है !	
९. आप अचानक कैसे आये ?		१८. हे भगवान ! अब काम कब पूरा होगा ?	

Some Adverbs, Conjunctions, Prepositions

after	बाद में
again	फिर से
against	विरुद्ध
almost	लगभग
alone	अकेला
also	पर, मगर, अगर
although	यद्यपि
always	हररोज
and	और, तथा
at First	पहला
at last	अंतिम
because	क्योंकि
before	आगे, पहले
below	नीचे
between	बीच में
but	पर, मगर, फिर भी
certainly	जरूर, अवश्य
enough	पर्याप्त, उचित
except	सिवाय
far	दूर
for	लिये, के लिये
formerly	पूर्वकाल में, पहिले से
from	अंदर से
here	यहाँ
how ?	कैसे ?
how much ?	कितना ? (प्रमाण)
how many?	कितने ? (संख्या)
if	यदि, जो
immediately	तुरंत, शीघ्र
in	अंदर, में
inside	भीतर
instead	बजाय, के स्थान पर
less	कम
more	बहुत
near	पास में
never	कभी नहीं
not	नहीं, मत
not at all	जरा भी नहीं
now	अभी
nowhere	कहीं भी नहीं
of	का, के, की
often	बारबार
on	ऊपर
only	केवल
or	अथवा, अगर, या
outside	बाहर
perhaps	शायद, कदाचित
quickly	जल्दी, शीघ्र
seldom	क्वचित्, शायद
sometimes	कभी कभी
soon	तुरंत
suddenly	अचानक
then	तब
there	वहाँ
therefore	अतः, इसलिये
thus	ऐसा, ऐसे, ऐसी
to	ओर, तक, लिये
together	एकत्र,साथ मिलकर
towards	तरफ, ओर, पास
under	नीचे
undoubtedly	निःशंक
until	जबतक
upon	पर, ऊपर
very	बहुत
when	जब
when ?	कब ?
where ?	कहाँ ?
why ?	किसलिये ?
with	साथ
without	सिवा
yes	हाँ, जी, अच्छा

II वाक्यरचना • Sentence Construction

(A) Arrangement (संयोजन) of words in a sentence :

- Subject, object, adverb & verb, is the general order of words.
- Adjectives are placed before the nouns qualified.

  एक राजा ने बाद में **अपनी** रानी के साथ **नए** महल में निवास किया ।
- Adverbs of time and place are placed before or after the subject or after the object.

  मैं **कल** आऊँगा । तुम **कब** मिलोगे ? वह आज **ही** अपने गाँव चला जाएगा ।

(B) Gender & Number of the verb :

- If, in a sentence, there are two or more subjects of the same gender, the verb takes the gender of the subjects and plural number :

  अर्पण और देवांग मिले । भैरवी और नेहा गाती थीं ।, वहाँ बहुत फल और फूल थे ।
- If subjects are of different genders, the verb takes the gender of the last subject and pluralnumber : १. मेले में स्त्रियाँ, बच्चे और पुरुष (m.) आते थे ।

  २. मेले में पुरुष, स्त्रियाँ ओर बच्चे (m.) आते थे । ३. मेले में पुरुष, बच्चे और स्त्रियाँ (f.) आती थीं ।
- If subjects are in 1st, 2nd and 3rd persons, the verb is in 1st. person and plural number : मैं, तुम और वे दोस्त हैं ?
- If in 1st. and 2nd. persons, the verb is in 1st person and plural number :

  मैं ओर आप दोस्त हैं ।
- If in 1st. and 3rd persons, the verb is in 1st person and plural number :

  वे और मैं दोस्त हैं ।
- If in 2rd and 3rd persons, the verb is in 2nd person and plural number :

  वे और तुम मित्र हो ।

(C) Kinds of sentences :

There are three Kinds of sentences :

(1) Simple (सरल), (2) Complex (मिश्र) and (3) Compound (संयुक्त) ।

(१) **सरल वाक्य** में एक कर्ता और एक क्रिया होती है । जैसे : मैं पाठशाला जाता हूँ ।

(२) **मिश्र वाक्य** में एक प्रधान वाक्य और एक या एक से अधिक गौण आश्रित वाक्य होते हैं । जैसे

वह वीर है, जो मुसीबतों से डरता नहीं है । (प्रधान वाक्य) (गौण वाक्य)

(३) **संयुक्त वाक्य** में दो या अधिक स्वतंत्र सरल वाक्यों को इस प्रकार अन्यों से जोडा जाता है कि वे एक दूसरे के पूरक होते हुए भी किसीके आश्रित नहीं होते । जैसे :

मैं वहाँ जाऊँगा लेकिन कुछ बोलूँगा नहीं । (दोनों प्रधान वाक्य)

हिरन को देखकर शेर खुश हुआ । लेकिन शिकारी जो पेड़ के पीछे छिपा हुआ था उसने उसे मार डाला ।

(प्रधान वाक्य) (गौण वाक्य) (प्रधान वाक्य)

9. Read, Know and Translate

The essays presented in this chapter serve two purposes. Primarily it is to be used as an incremental translation exercise, in part or in its entirety. The secondary purpose of these essays is to provide some vital information about an ideal day in one's life, and some basic information about the national symbols of India.

An Ideal Day

My name is Zankar. I am twelve years old. I awoke as usual this morning at 5:30. With my head still deep in the pillow, I thanked the Supreme Power who gave me this wonderful human life in the free world. Stretching my arms and gazing at my right palm, I saw the Goddess of knowledge at the base, the Goddess of wealth at the tip of my fingers and the Supreme Power in the middle. What good was there to do today, I wondered? Each moment would bring me a new opportunity.

As my feet hit the floor, I quickly smoothed the bedspread over the pillows. Many tasks have already occurred to me, so it wouldn't do to slide into bed again. Splashing cold water on my eyes dissolved the residue of sleep. I washed my face and brushed my teeth, scraped my tongue, then downed eight ounces of lukewarm water that had sat overnight in my copper jug.

Then I was ready for twelve minutes of strenuous aerobics and another eight winding down. Laying flat, with eyes closed until I breathed normally again, produced a soothing calmness that I knew would stay with me throughout the day.

I turned on the shower lightly then cleansed my inner body while waiting for the hot water. The day before I hadn't shampoo my hair, so I lathered and worked in the conditioner. Using the hair dryer, I was out of the bathroom in less than fifteen minutes. Right on schedule.

The next five minutes I spent practicing "pranayam", the breathing technique my grandparents taught me. They learned it from their Guru. In the process of mastering it, I have found that reciting my meditation prayers taught by my grandparents helps me focus on the technique a little easier. By 6:45 a.m., I was sitting at the breakfast table listening to the news. Mom gave me milk, cooked cereal and a handful of almonds. I packed my lunch into my school bag and bid my grandparents "Jay Shri Krishna" on my way out.

School holds many challenges besides specific subjects. School subjects are interesting to me in themselves and they allow me to learn increasingly more, which I am eager to do. However, the biggest challenge is relationships with others. They seem to provide constant opportunities to hone my rough edges. Without others to compare myself to, I would never know who I am or be able to share that knowledge. Difficulties arising in my interactions exist only as long as it takes me to experience that I am in relationship to people and things. Then those difficulties can no longer make me unhappy.

By 3:30 p.m., I am home again, ready for a glass of milk and a snack. I have sworn off carbonated drinks, except for once or twice a week, and find my body feels much healthier. I drink fresh fruit juices instead, which are refreshing and nourishing. Now, I am ready to do my homework. Some days there is little to do, leaving me free time to relax and play games. Usually, there is homework enough to overwhelm me unless I keep up with it regularly. Doing homework is much easier with help of the computer. Computer literacy being an essential route to success in the coming millennium makes practicing a joy for me. Even at my age my parents and grandparents consult me about the computer. I taught them to browse the Internet, use the CD-ROM and visit Internet libraries. It makes me quite proud to show them what little I know.

Still, I remember the advice my father gave me to avoid poisonous excess by doing things in moderation. What he tries to tell me is to always balance my three parts: body, mind and soul. "Stay in the middle", he said. "Learn the fundamentals and don't use the computer at the expense of your mind". Following his advice, I learned basic math, science and language skills, without any help from any electronic device, close to perfection. At first, I hated the notion of developing skills a degree to which my friends were not required. However, my knowledge comes in handy. Just the other day my friends asked me to verify the total amount on our restaurant check, and I would answer them quickly without the help of a calculator.

With my homework done, I set the table then cleaned up after dinner. Mealtime at our house is an important family gathering designed to keep us all strong and healthy. Being vegetarians, my parents make sure we have plenty of protein in our diet, including four glasses of milk or the equivalent in foods such as cheese and yogurt everyday. My mother also makes sure we eat at least two fruits a day in addition to our regular meals. Bananas are always favorites and we can get them all year around.

After dinner, I organized my room and finished my ironing while I watched the end of the evening news. I set the VCR to record a special late night program on TV so I could watch it another day. That left me time to paint some a design on a clay pot. I planned to fire in the school kiln. I even had the time to practice a classical Indian dance piece for twenty minutes.

My brother, Kunal, helps in the family responsibilities too. Often, men in the Indian culture do not help around the house. Kunal is different and understands that everyone should share in the burden of housework. He is careful not to let someone else do tasks he can do. These are the principles we learned from our dad. Occasionally dad reminds us that his father in India made him wash and iron his own clothes every day, clean his dishes and make other sorts of household contributions to make himself self-sufficient. Even though they had a full-time household helper that made his help unnecessary, the discipline he learned from his father helped him throughout his life in every regard: at home, school, the university, in business and even on vacation and particularly in the USA. Everywhere, the family motto now is "self-help is the best help."

I got up from the piano and went into the family room at five minutes to nine, where the family was gathering to pray and meditate together for ten minutes, as we did every night. We gave our thanks to the Supreme Being for our precious lives, but mostly for His love. Afterward, we had a family chat for a quarter of an hour, exchanging ideas and tales of our day. At home we speak only Hindi. Since I study Hindi ten or fifteen minutes daily, I have learned the language very rapidly.

Immediately after, I wandered into the kitchen for a glass of milk then headed for bed. I flossed and brushed my teeth, gargled with water, washed my face, and was in bed by 9.30 p.m. As I relaxed on the mattress I thought about my day-about the useful things I had done and what I needed to do the next day. In my diary, I noted what felt like my best learning experiences during my day, both the good ones and what seemed like the bad ones. Often the unpleasant ones are those from which I learn the most. Acknowledging them as learning experiences allows me to feel grateful for them and teaches me to not make the same mistakes over again. This process brings me great joy.

As the weekend rolls around, social gatherings change my routine somewhat. Prayers and meditation I try keep the same. However, there are a lot of things I do on the weekends that I don't have time for during the week. Soccer and swimming are two of those things, and going to the library and reading are others. Every two weeks or so I manage to finish a book recommended by my teachers, parents or Guru. This adds to my storehouse of knowledge continuously.

At the end of each day and each week, each month, I can see the progress in my life. I know the things I have done well and where I did not do so well. Quiet review gives me a strong feeling about how to approach my next week, my next day, my next moment. With my new strategy planted solidly in mind and spirit, I am relaxed and ready to start anew.

As for anyone, some days seem good and others not so good. My grandmother taught me to remember that all days, good and bad, come and go much like ocean waves. Patiently watching their changing form, I take hope when in despair and practice prudence when my way is easy – for nothing lasts forever.

ये दिन भी जायेंगे।

National Symbols – India

National Anthem

(Hindi text of the national anthem on page 224)

Thou art the ruler of the minds of all people, dispenser of India's destiny. The name rouses the hearts of Punjab, Sind, Gujarat and Maratha, of the Dravid and Orissa and Bengal; it echoes in the hills of the Vindhyas and Himalayas, mingles in the music of the Yamuna and Ganga and is chanted by the waves of the Indian Sea. They pray for thy blessings and sing thy praise. The salvation of all people is in thy hand, thou dispenser of India's destiny.

Victory, victory, victory, victory to thee.

National Emblem

The National emblem of India is a replica of the Lion of Sarnath, near Varanasi in Uttar Pradesh. The Lion Capital was erected in the third century BC by Emperor Ashoka to mark the spot where Buddha first proclaimed his gospel of peace and emancipation to the four quarters of the universe. The National emblem is thus symbolic of contemporary India's reaffirmation of its ancient commitment to world peace and goodwill.

The four lions (one hidden from view)— symbolizing power, courage and confidence—rest on a circular abacus. The abacus is girded by four smaller animals — guardians of the four directions: the lion of the north, the elephant of the east, the horse of the south and the bull of the west. The abacus rests on a lotus in full bloom, exemplifying the fountainhead of life and creative inspiration. The motto 'Satyameva Jayate 'inscribed below the emblem in Devanagari script means 'truth alone triumphs'.

National Flag

The Indian flag was designed as a symbol of freedom. The late Prime Minister Nehru called it a flag not only of freedom for ourselves, but a symbol of freedom to all people.

The flag is a horizontal tricolor in equal proportion of deep saffron on the top, white in the middle and dark green at the bottom. The ratio of the width to the length of the flag is two is to three. In the centre of the white band, there is a wheel in navy blue to indicate the Dharma Chakra, the wheel of law in the Sarnath Lion Capital. It has 24 spokes. The saffron stands for courage, sacrifice and the spirit of renunciation; the white, for purity and truth; the green for faith and fertility.

National Animal – Tiger

Large Asiatic carnivorous feline quadruped, Panthera Tigris, maneless, of tawny yellow color with blackish transverse stripes and white belly, proverbial for its power and its magnificence.

There are very few tigers left in the world today. A decade ago the tiger population in India had dwindled to a few hundreds. Thanks to preservation efforts, India's population of tigers is in a comfortable position.

National Bird – Peacock

Male bird of species P. cristatus, is a native of India, with striking plumage and upper tail converts marked with iridescent ocelli, able to expand its tail erect like fan as ostentatious display. Peacocks are related to pheasants.

Found wild in India (and also domesticated in villages) they live in jungles near water. They were once bred for food but now hunting of peacocks is banned in India. The peahen has no plumage.

National Flower – Lotus

The Lotus or waterlily is an aquatic plant of Nymphaea. Its broad leaves and flowers float and have long stems that contain air spaces. They have petals overlapping in a symmetrical pattern. Lotuses, prized for their serene beauty, are delightful to behold as their blossoms open on the surface of a pond. In India the sacred lotus is legendary and much folklore and religious mythology is woven around it.

National Tree – Banyan

Indian fig tree, Ficus bengalensis, whose branches root themselves like new trees over a large area. The roots then give rise to more trunks and branches. Because of this characteristic and its longevity, this tree is considered immortal and is an integral part of the myths and legends of India. Even today, the banyan tree is the focal point of village life and the village council meets under this tree.

National Fruit – Mango

A fleshy fruit, eaten ripe or used green for pickles etc., of the tree Mangifera indica, the mango is one of the most important and widely cultivated fruits of the tropical world. Its juicy fruit is a rich source of Vitamins A, C and D. In India there are over 100 varieties of mangoes, in different sizes, shapes and colors.

Courtesy: Ministry of External Affairs, Government of India, New Delhi

Selected Quotations:

Exercise 21 Translate the following sentences into Hindi :

1 'Love your life, poor as it is. You may have some pleasant and thrilling (रोमांचक) hours in a poor house.' — **Thoreau**

2 'I felt that as long as I have two coats and someone else has none, I share in the crime.' — **Tolstoy**

3 'Prince Gautam gave up for ever his wealth, power (सत्ता) and position (पद) . He left the affection (प्रेम) of a happy home and the love of a young wife and in silent darkness of night he rode away for search (खोज) of truth. and he became Buddha.'

4 'Be fearless (निर्भय) , be strong. Man is no miserable sinner (पापी) but a part (अंश) of divinity (ईश्वर). Weakness is sin. Avoid all weaknesses. keep your hands to work & heart to God. — **Swami Vivekanand**

5 'In certain ways some animals are superior (अधिक) to man. The bee, the white ant (फतिङ्ग) and the ant have learnt the art of co-operation (सहकार) and sacrifice (त्याग) for the common good (सार्वजनिक कल्याण) far better than man.' — **Jawahralal Nehru**

6 'Life has taught (सीखना) me that religion consists in (रहना) serving (सेवा करना) others, in not doing any harm (कष्ट देना) to others and in not acquiring anything at the cost (हानि) of others. This is possible only when one (कोई व्यक्ति) becomes fearless (निर्भय). And one can not be fearless and one can not serve others unless (सिवाय) one is self-reliant (स्वावलम्बी).' — **Morarji Desai**

7 'This is my prayer to the Lord —
Strike, strike at the root of penury in my heart; Give me the strength lightly to bear my joys and sorrows; Give me the strength to raise my mind above daily trifles; And give me the strength to surrender my strength to thy will with love. — **Tagore**

8 'After the war of kaling, emperor (सम्राट)Ashok said to himself, 'War brings misery to thousands of homes. I shall never go to war again.' Throughout his life he looked after (देखभाल करना) the welfare (कल्याण) of his people and carried out (कार्य करना) Buddha's message (संदेश) of peace, love & compassion (दया) for all life (जीवमात्र के प्रति).'

9 'Bamboos hold their heads high in the sky, because they are variously (अनेक प्रकार से) useful.' — **Tagore**

10 'For me truth is god; let hunderds like me perish (नाश हो), but let truth prevail.' — **Gandhiji**

11 'The essence (सारांश) of Mahatma Gandhi's teaching (उपदेश) was fearlessness (अभय), truth and action allied (जुडा हुआ) to these. He always kept the welfare of masses (जनकल्याण) in view (खयालों में) His ambition (महेच्छा) was 'to wipe (पोंछना) every tear from every eye.' — **Jawaharlal Nehru**

10. Read, Think and Translate • पढ़िए, सोचिए और तरजूमा कीजिए

The essays in this chapter serve many purposes. They form a reading exercise. They provide the reader with a feel about how sentences are formed in Hindi. Most of the words used in the text appeared in earlier exercises, minimizing the translation effort. The most important purpose of the essays is the theme they contain.

My Parents and Gurus (teachers) have repeatedly emphasized the practice of these ideas in life and explained them with many examples. Although they are extremely difficult to follow in their entirety, an effort to do so will, in the long run, enrich the lives of living beings on this planet. It is a known fact that those who practiced even a few of these principles have attained success, satisfaction, fame and inner peace. Their lives have been a constant source of inspiration to the world.

The more one tries to practice these principles, the easier it becomes to follow them. Each has been written about by many learned and famous individuals. It is intended here to merely present the basic ideas. Anyone interested in additional information should refer to vedic literature and other scriptures.

१. सत्य बोलना ।

२. अहिंसा-पालन ।

३. चोरी न करना ।

४. संग्रह न करना ।

५. उत्तम जीवन के लिए :

१. स्वास्थ्य	२. स्वच्छता	३. संकल्पशक्ति	४. परहित
५. अभय	६. साहस	७. धैर्य	८. सहनशक्ति
९. विनम्रता	१०. क्षमा	११. सावधानी	१२. सादगी
१३. एकाग्रता	१४. आत्मश्रद्धा	१५. समयपालन	१६. विनोदवृत्ति

६. जीवन-विकास के अवरोधक दूषण :

१. अभिमान	२. क्रोध	३. लोभ	४. चिन्ता
५. आलस्य	६. निन्दा	७. ईर्ष्या	८. ममत्व

७. प्रेम :

१. माता-पिता का प्रेम	२. परिवार-प्रेम	३. गुरु-प्रेम	४. दाम्पत्य-प्रेम
५. समाज-प्रेम	६. देश-प्रेम	७. विश्व-प्रेम	

१. सत्य बोलना

सत्य-वचन छोटे-बड़े, सभी का फ़र्ज़ है । सदा सत्य ही बोलिए, सच्चे व्यवहार के ज़रिये सच्चों को ही सहारा दीजिए । मन, वाणी एवं व्यवहार से सत्य का अनुसरण कीजिए । सत्य-वक्ता को काफी दुःख भोगने पड़ते हैं, लेकिन अन्ततः सत्य और मधुर बोलनेवाले की ही विजय होती है । एक झूठ को सत्य सिद्ध करने के लिए सैकड़ों असत्य बोलने पड़ें, उन सैकड़ों असत्यों के लिए और ज्यादा असत्यों को चला लेना पड़े । इसके साथ-साथ किसे कब कौन-सा असत्य कहा है, इसे भी याद रखना; इन सभी की अपेक्षा, यदि हम सत्य का ही आचरण करें तो मन भी अच्छे विचारों के लिए सदैव तत्पर रहता है । अतः आज से ही नियम बनाइए कि सदा सच बोलेंगे । किसी वक्त यदि अपनी पुरानी आदत के कारण असत्य बोल भी दिया जाये, तो उसके दंड के स्वरूप में एक व्रत कीजिए । उस दिन निरन्तर मनन-चिंतन करते हुए ईश्वर से और जिन्हें आपके असत्य से दुःख पहुँचा हो, उनसे क्षमा-याचना कर अपने को हल्का कीजिए ।

२. अहिंसा-पालन

मन, वचन या काया से, किसी भी जीवमात्र को मन, अन्तर या शरीर से दुःख न पहुँचाने का नाम ही अहिंसा है । अहिंसा का पालन करना हमारा परम कर्तव्य है । अहिंसा दुर्बल का गुण नहीं, सबल का सद्‌गुण है । चिढ़ाना, झगड़ना, अविनयपूर्वक कुपित होकर ज़ोर-ज़ोर से चिल्लाना, गालियाँ देना, मारना, धोखा देना, ठगना, दगा देना और अप्रिय वचनों से अपने सामनेवाले के मन को दुःखी करना हिंसा ही है । पूज्य सन्त श्री मुरारी बापू तो इससे आगे बढकर कहते हैं — "सुन्दर वस्त्र धारण कर यह दिखावा करना कि हम दूसरों से अधिक वैभवशाली हैं, दूसरों पर बौद्धिक प्रभाव डालना अथवा हम औरों से ज्यादा बुद्धिशाली हैं, ऐसा व्यवहार करना भी हिंसा है ।" जो अहिंसा का पालन कर सकते हैं, उन्हें सत्य बोलने की आदत बड़ी आसानी से पड़ जाती है, और सभी ओर स्नेह उभरता है । अहिंसा को केवल मानव ही समझ सकता है और वही उसका अमल भी करता है । सच्चे सूरमा ही अहिंसक होते हैं । वे कभी किसी को अकारण हानि नहीं पहुँचाते । हिंसा एवं दमन का सहारा केवल वे लोग लेते हैं, जो डरपोक और कायर होते हैं । इस युग के महान पुरुष गांधीजी ने अहिंसा को अपनाकर ही विदेशी सत्ता को भारत से चले जाने के लिए बाध्य किया था । एक ज़माने में दुनिया के सर्वसत्ताधीश देश को भी अहिंसा के समक्ष झुकना पड़ा, तो सरल प्रश्नों का हल अहिंसक तरीक़ों से क्यों नहीं निकलेगा ? हमारे नाते-रिश्तेदार, सम्बन्धी, अतिथि, मित्रगण और सभी जीवों के साथ हम अहिंसक बन कर रहें, यही हमारे जीवन की सार्थकता है ।

३. चोरी न करना

जो सच बोलता है और अहिंसा का पालन करता है, उसके मन में शायद चोरी का भाव आये, तो भी वह चोरी नहीं करेगा; क्योंकि जो चोरी करता है, उसे झूठ और हिंसा के सहारे के बग़ैर चलनेवाला नहीं । और यह भी याद रखिए कि जो जैसा करेगा, उसे वैसा भोगना भी पड़ेगा — आज, कल अथवा भविष्य में, कभी तो उसे अपने किये का ऋण चुकाना ही पड़ेगा । निरन्तर मनन-चिंतन करते हुए भारतवर्ष के प्राचीन साधु-सन्तों, ऋषियों-मुनियों और अवतारों ने हमें यही बोध प्रदान किया है । यदि हम सच बोलने और अहिंसापालन करने का व्रत धारण कर लें, तो चोरी न करने का व्रत अपने आप आ जायेगा । किसी भी रूप में, मन, वचन अथवा व्यवहार द्वारा चोरी करने पर किसी न किसी को हम हानि पहुँचाते ही हैं । अहिंसक और सत्यवादी व्यक्ति ऐसा कभी करेगा ही नहीं । चोरी करते हुए या करने के बाद यदि पकड़े गये तो उसकी सजा भोगनी पड़ती है, तो फिर किसलिए चोरी का विचार करें ? आज ही व्रत लीजिए कि "कभी चोरी नहीं करेंगे ।"

४. संग्रह न करना

अपनी आवश्यकता के मुताबिक चीज़ों का संग्रह कोई बुरी बात नहीं, परन्तु अपनी आवश्यकता से भी अनेक गुना ज्यादा एकत्रित करना, संभाल रखना — आये दिन हमारे लिए ही नुकसानदेह सिद्ध होगा । इससे दूसरों को संभवतः वस्तु की कमी महसूस करनी पड़ेगी । अन्न अथवा खाने-पीने की चीज़ें ज्यादा दिन टिकती नहीं । हमें जो चाहिए, उससे अधिक इकट्ठा करने के मूल में भविष्य का भय रहता है । जिन्हें ईश्वर में और अपने में अचल विश्वास है , वे भविष्य से कदापि घबराते नहीं । उन्हें अपनी जरूरत से ज्यादा संग्रह करने की आवश्यकता नहीं पड़ती । इतना याद रखना चाहिए कि हमारे पास जितना पड़ा रहेगा, उतना किसी अन्य को कम ही मिलेगा । इस प्रकार के व्यवहार से हम जाने-अनजाने दूसरों को दुःख पहुँचाते हैं और अनेक दृष्टि से समाज की भी हानि कर बैठते हैं । शायद कम पड़ जायेगा, तो हमारा क्या होगा ? इसी विचार से हमारे भीतर संग्रह करने की आदत पैदा होती है, लेकिन तब हम औरों का विचार नहीं करते और केवल अपना ही फायदा सोचते हैं । यही पशुभाव है, अतः जरूरत के अनुरूप एकत्र करना ही प्रत्येक का फर्ज़ है ।

५. उत्तम जीवन के लिए

उत्तम जीवन जीने के लिए जैसा कि पहले कहा गया है, उससे भी अधिक गुणों की आवश्यकता होती है । इनमें से कुछ विचारणीय है :

१ स्वास्थ्य

हमारे अनेक पुण्यों के फलस्वरूप हमें शुभ मानव-शरीर मिला है, ऐसी हिन्दूओं की मान्यता है । इस शरीर के ज़रिये ही मनुष्य इहलोक और परलोक का श्रेय-साधन करता है । अतः शरीर-स्वास्थ्य हमारा पहला कर्तव्य है । निरोगी शरीर हो, तो हर स्थितिवाला मनुष्य सुखी रह सकता है । कहा भी गया है — "एक तंदुरस्ती, हज़ार नियामत ।' तंदुरस्त रहने के नियम अति सरल हैं । एक तो शरीर-शुद्धि, मल-त्याग, दंत-मंजन और स्नानादि से शरीर शुद्ध रहता है । इस शरीर-शुद्धि के साथ-साथ मन का मैल धोना भी उतना ही जरूरी है । दूसरा, सोते-जागते, खाते-पीते, घूमते-फिरते और ओढ़ते-पहनते हमें मध्यम मार्ग (Moderation) का अनुसरण करना चाहिए । तीसरा, हमें नियमित होने की आदत डालनी चाहिए । नियमित आदतों से हमारा शरीर-यंत्र एक लम्बे समय तक सुंदर काम देता है । नियमित समय से उठना, शरीर-शुद्धि के बाद स्नान करना, ध्यान धरना, पढ़ना, खाना, खेलना और सोना ये सभी दीर्घायु होने के लिए आवश्यक हैं । भोजन में सम्यक पौष्टिक आहार तंदुरस्त, सुदृढ़ शरीर एवं उद्यमी जीवन के लिए अनिवार्य है । आवश्यकता से अधिक मीठी, चरबीयुक्त और तली हुई चीज़ें स्वास्थ्य के लिए हानिपूर्ण हैं । इसके अलावा शरीर को हृस्ट-पुष्ट रखने के लिए उपयुक्त व्यायाम की भी आवश्यकता होती है । चलना, दौड़ना, तैरना आदि व्यायाम के अंग हैं । केवल कार्य करते रहने और खेल-कूद से दूर रहने पर मन एक तनाव का अनुभव करता है । खेल-कूद और खुली हवा में घूमने से मन को ताज़गी मिलती है । शरीर एवं मन का अत्यन्त गहरा सम्बन्ध है । हृस्ट-पुष्ट शरीर के भीतर मन प्रसन्न रहता है और प्रसन्न मन के ज़रिये शरीर सुदृढ़ बनता है । दैनिक कार्यों के लिए यदि स्वस्थ शरीर चाहिए तो आत्मप्राप्ति के लिए भी सुदृढ़ शरीर चाहिए । उपनिषद में सत्य ही कहा है कि — "नायमात्मा बलहीनेन लभ्य !" (अर्थात् बलहीन को आत्मप्राप्ति नहीं होती !) शरीर को स्वस्थ रखने पर मनुष्य स्वयं अपनी और समाजकी सहायता करता है । रात्री को जल्दी सो जानेवालों की सुबह जल्दी उठनेवालों की बल, बुद्धि और विद्या के क्षेत्र में अपार वृद्धि होती है और ऐसे लोग ही सफल भी होते हैं ।

स्वस्थ तंदुरस्त शरीर + शुद्ध मन = पूर्ण स्वास्थ्य ।

२ स्वच्छता

कवि ने कहा है : "धर्म के चार मूल स्तंभ हैं — सत्य, दया, तप और शौच ।" इस रूप में हिन्दू धर्म शौच यानी स्वच्छता को धर्म का मूल आधार मानता है । पश्चिमी समाज ने तो स्वच्छता को देवत्व के निकट ही रख दिया है —"Cleanliness is next to godliness." जीवन में सफलता हाँसिल करने के लिए निरोगी, बलवान और स्वस्थ शरीर

की निहायत आवश्यकता होती है । ऐसा स्वास्थ्य प्राप्त करने के लिए और प्राप्ति के बाद उसकी सुरक्षा-हेतु स्वच्छता की भी उतनी ही ज़रूरत रहती है ।

देह की स्वच्छता के लिए रोज़ मलत्याग करके पेट साफ करना चाहिए । दातुन करके मुँह (दांत, जीभ, गला) ठीक तरह साफ कीजिए । स्नान करके शरीर के सभी अंगों को भलीभाँति साफ कीजिए । धुले हुए स्वच्छ वस्त्र धारण कीजिए । शरीर की मलिनता ही मन को मलिन बनाती है, जब कि स्वच्छ एवं तंदुरस्त शरीर मन को ताज़गी और प्रफुल्लता प्रदान करता है, सादा जीवन और उच्च विचारों के भाव प्रदान करता है ।

हवा, पानी और खुराक से शरीर कायम रहता है । इस लिए ये तीनों स्वच्छ रहने चाहिए । घर की सफाई और आसपास की निर्मलता से इन तीनों को स्वच्छ रखा जा सकता है । घर के हर कोने और सामान को झाड़-पोंछ कर साफ रखना चाहिए । घर का चबूतरा, आँगन, बगीचा, ज़मीन आदि को भी साफ-सुथरा रखना चाहिए । उबाला हुआ शुद्ध पानी ही रसोई और पीने के काम में लेना चाहिए। सब्जी, अन्न, और खाद्य-सामग्री को बीनकर, धोकर और साफ करने के बाद ही उपयोग में लेना चाहिए। तमाम कूड़े को किसी बंद पात्र में भरकर उसे एकत्र करके आधुनिक रीति से उसका निकाल करना चाहिए । यहाँ-वहाँ थूकना, वमन करना, प्राकृतिक हाजत को जाना, बेकार वस्तुओं को यहाँ-वहाँ फेंकना — ये सभी गंदी आदतें हैं । इनसे हवा-पानी दूषित होते हैं, इनसे जानलेवा जन्तु पैदा होते और फैलते हैं । आम लोगों के स्वास्थ्य को जोखिम पहुँचता हैं । कभी-कभी इससे भयंकर रोग फैलता है और अनेकों की जान खतरे में पड़ जाती है । इसलिए, हम जहाँ भी हों — घर, स्कूल या कॉलेज में, कचहरी या कारखाने में, बगीचे या नदी के किनारे, सागर-तट पर या पर्वत-शिखर पर, गाँव में हों या जंगल में, हमें हर जगह स्वच्छता का ध्यान रखना चाहिए और सभान होकर उसका अमल करना चाहिए । यदि दूसरे गंदगी फैलाते हों, तो उन्हें भी रोकना और समझाना हमारा फर्ज़ है ।

यदि प्रत्येक व्यक्ति घर का कूड़ा-कर्कट निश्चित स्थान पर रखे, उसका निकाल करे, गंदगी की बुरी आदत को छोड़ दे, घर के बाहर स्वच्छता का पालन करे और स्वच्छता को अपने जीवन की स्वाभाविक आदत बना डाले तो उसका जीवन जीने लायक और यह धरती रहने लायक बन जायेगी । स्वच्छता हम सभी के लिए आचार एवं संस्कार बने, यह अति आवश्यक है क्योंकि वह पूरे समाज के लिए अनुकरणीय और आवकारदायक है ।

३ संकल्पशक्ति

संकल्पशक्ति का अर्थ है पक्का निर्णय करने की शक्ति । जीवन-विकास के लिए यह गुण अनिवार्य है । 'भले ही भूखा मरूँगा, मगर असत्य का आचरण कदापि नहीं करूँगा ।' — यह एक निर्णय हुआ । ऐसे ही करीबन पचास निर्णय गाँधीजी ने किये थे और वे एक सामान्य मोहनदास से महात्मा हो गये । इसी प्रकार, प्रत्येक आदमी सत्य बोले, अहिंसा का पालन करे, चोरी न करे ऐसे कुछ दृढ़ निर्णय लेकर चले, तो वह अपने जीवन को उत्तम बना सकता है । काया के टुकड़े भले ही हो जायें, लेकिन अपनी निर्णयशक्ति पर अटल रहनेवाले को निश्चय ही ध्येय-प्राप्ति होती है । जीवन में ऊँचे ध्येय रखिए और वहाँ तक पहुँचने के लिए संकल्प करिए । सफलता आपके कदम चूमेगी ।

४ परहित

समाज एक-दूसरे के सहारे पर टिकता है । हम पर औरों के अनेक उपकार हैं, तो औरों की मदद करना हमारा परम कर्तव्य बन जाता है । प्रत्येक व्यक्ति यदि चाहे तो वह किसी-न-किसी रूप में दूसरों की मदद कर सकता है । स्वस्थ शरीरधारी रोगियों और विकलांगों की सेवा कर सकता है । उत्तम विचारक गुमराहों को समझा-बुझा कर उनके जीवन को नया आकार दे सकते हैं । अरे, दो स्नेहिल शब्द भी किसी हताश व्यक्ति के जीवन में जोश प्रदान कर सकते हैं । जिनके पास धन है, वे निराधारों के आधार बन सकते हैं । यह याद रखना जरूरी है कि हमारी सहायता का ग़लत उपयोग न हो जाये ! आपकी सहायता से जीवन निर्मित होना चाहिए ।

मददगार को कभी घमंड नहीं करना चाहिए । यश और बदले की भी आशा नहीं रखनी चाहिए, लेकिन आप दूसरों की मदद के लिए उपकारी हो सकें इसके लिए आपको प्रभु का आभार मानना चाहिए । अपना और दूसरों का हित करने की वृत्ति से मन को अपार शान्ति और सुख मिलता है, इससे प्रेमभाव भी बढ़ता है । जिनमें दयाभाव है, जीवमात्र के लिए

अनुकम्पा है, जिनका हृदय मक्खन-सा कोमल है, ऐसे लोग ही दूसरों के दुःख से द्रवित हो उठते हैं । दयावान व्यक्ति ही अधिकाधिक परहित को साध पाता है । एक अमरिकन यात्री ने गांधीजी से पूछा था — 'आप बहुत बड़ा काम लेकर बैठे हैं, आपको सबसे बड़ा दुःख किस बात का है ?' गाँधीजी ने तुरंत उत्तर दिया — 'आज के युवकों में दयाभाव घटता जा रहा है, इसीका मुझे सबसे बड़ा दुःख है ।' दयावान व्यक्ति ही अपना या समाज का, शरीर और देश का तथा समस्त जगत का कल्याण करने के लिए यथाशक्ति प्रयत्न करता है, और यही सच्चा इन्सान भी कहलाता है ।

५ अभय

भय जीवन को असफल बनाने में बड़ा सहायक होता है । भय के कारण आदमी सामान्य कामों को भी अच्छी भाँति नहीं कर पाता । इसलिए जीवन में से भय को दूर करना चाहिए और अभय पैदा करना चाहिए । यह काम सरल नहीं है, पूरे जीवन की साधना का यह काम है । जो व्यक्ति सत्य का आचरण करता है, दूसरों का अहित नहीं करता, मन, वचन या कर्म से वह किसी को दुःखी नहीं करता, उसे कभी कोई भय सताता ही नहीं । खुद ईश्वर तक का उसे भय नहीं लगता । निर्भयता वस्तुतः जीवन को बिल्लौरी काँच की भाँति पारदर्शक बना देती है ।

६ साहस

जीवन में अच्छा-बुरा दोनों हैं । अच्छे का आग्रह रखना और बुरे का मुकाबला करना, प्रत्येक के लिए आवश्यक है । लेकिन सभी लोग ऐसा नहीं कर पाते, क्योंकि उनमें साहस की कमी होती है । जीवन में जिसके पास अच्छे कार्य करने का साहस होगा, उसका जीवन उतना ही महान होगा । एक बार अपना ध्येय निश्चित करो, फिर ध्येय को सिद्ध करने का संकल्प करो और उस संकल्प से जुड़े रहने का साहस पैदा करो । लिंकन ने गुलामी को समाप्त करने का निश्चिय किया और वह हिम्मतपूर्वक अपने निश्चय पर दृढ़ रहा तो आखिर में वह गुलामी की जंजीरें तोड़कर अमर हो गया । सैकड़ों वर्ष पहले नरसिंह मेहता ने हरिजन-बस्ती में जाकर भजन-कीर्तन किया, यह उनके साहस का अपूर्व उदाहरणहै ।

७ धैर्य

धैर्य एवं लगन से कार्य करनेवाले को सफलता और यश दोनों प्राप्त होते हैं । किसी भी प्रकार के कष्ट, मुश्किलें, आपदा-विपदा, दुःख-रोग, शोक या भय के समय आदमी को पलायनवादी नहीं होना चाहिए । हिम्मत हारनी नहीं चाहिए बल्कि धैर्य से काम करना चाहिए । संतों का कथन है — "ये दिन भी चले जायेंगे ।" सुख के दिन जब नहीं रहते तो दुःख के दिनों का अन्त भी होगा ही । गीता का उपदेश है कि — "सुख-दुःख में समभाव से जीना चाहिए, ऐसा जीवन जीनेवाला ही सच्चा योगी है ।" धैर्य के फल मीठे होते हैं — यह कहावत भी प्रसिद्ध है । अतः चाहे कितनी भी मुश्किलें आयें, आदमी को अपना धैर्य नहीं छोड़ना चाहिए ।

८ सहनशक्ति

सहनशक्ति बड़ा गुण है । हमें अच्छे न लगनेवाले अनेक प्रसंग जीवन में आते हैं । दूसरों की ओर से भी हमें कष्ट पहुँचे, ऐसे अनेक व्यवहार किये जाते हैं । ऐसी अवस्था में यदि आदमी के पास सहनशीलता का गुण न हो तो वह टूट ही जायेगा । प्रभु की इच्छा को बलवान समझते हुए दुःखों को विवेकपूर्ण ढंग से झेल लेना ही सच्ची मानवता है । हर बात में गुस्सा दिखानेवाली अपनी पत्नी के प्रति सोक्रेटीस कितने ज्यादा सहनशील थे !

९ विनम्रता

आदमी को अपने दैनिक व्यवहार में, दूसरों की भावना को ठेस न पहुँचे, इसका अनुसरण करना चाहिए । विनयी होकर आप इस व्यवहार को सरल बना सकते हैं । हमारी विनम्रता सामनेवाले का कोप शमित कर देती है, और हमारे भीतर का क्रोध दबा डालती है, इस तरह विनम्रता से जीवन में मधुरता पैदा होती है, और यह मधुरता ही हमारी संस्कृति का लक्षण है । विनम्रता का कोई मूल्य नहीं और इससे शत्रु भी मित्र बनाया जा सकता है ।

१० क्षमा

क्षमा वीरता का भूषण है । क्षमा करना अथवा क्षमायाचना करना किसी सामान्य आदमी का काम नहीं है । उदार दिल के लोगों में ही अक्सर यह गुण दिखाई देता है । कोई दुःख पहुँचाए, अपमानित करे, कटु वचन कहे, बदनाम करे, अपराध करे, धोखा दे या मारे तब भी सबको क्षमा करने की शक्ति पैदा कीजिए । स्वयं से हुई ग़लती की माफी माँगने में जरा-सा संकोच या शर्म का अनुभव न करें ।

११ सावधानी

भूलें तो हरेक से एक या दूसरे समय होती हैं, लेकिन एक मरतबा की गयी भूल दुबारा न होने पाये, ऐसी सावधानी रखनी चाहिए । हर कार्य, आचार-विचार एवं व्यवहार अत्यन्त धैर्य, लगन और सावधानी से कीजिए, ताकि भूलों की गुंजाइश बहुत ही कम रहे । अपने द्वारा की गयी ग़लती का सबके बीच इकरार करना ही महानता का गुण है । अपनी छोटी-सी ग़लती को भी — 'मेरी हिमालय जैसी ग़लती...।' कहकर गाँधीजी ने गिनाया था, यही उनकी महानता थी ।सावधानीपूर्वक यदि आप काम करेंगे, तो भूलों को बड़ी आसनी से टाला जा सकेगा ।

१२ सादगी

सादगी वस्तुतः हमारे जीवन की अनेक परेशानियों को दूर करने की गुरुकुँजी है । जीवन के विविध क्षेत्रों में साद़गी रखना बहुत आवश्यक है । पहनने-ओढ़ने, खाने-पीने, घूमने-फिरने, प्रसाधनों और जीवन के सामाजिक व्यवहारों में सादगी लायें तो जीवन हलका फूल बन जायेगा । एक बार गांधीजी एक बड़े वकील के यहाँ ठहरे । सुबह के भोजन की तैयारी में घर की तमाम स्त्रियाँ सारी रात जागती रहीं और भाँति-भाँति के भोजन तैयार किये । यह देखकर गांधीजी चौंक उठे और उसी क्षण प्रण लिया कि - 'आज से ही पाँच चीज़ों से अधिक चीजें भोजन में लेना ही नहीं ।' ज़ाहिर है कि साद़गी से श्रम में बचत होती है, धन बचता है, समय बचता है और जीवन को ऊँचा बनाने के हेतु संयम का भाव भी पैदा होता है । सादगी द्वारा बचाये हुए धन से परहित किया जा सकता है और बचाये गये समय में जीवन, आत्मा और प्रभु-विषयक चिन्तन किया जा सकता है । सादगी द्वारा उच्च विचार पैदा होते हैं । ऐसे आदर्श विचारों से हमारा जीवन उन्नत बनता है, यही नहीं हम दूसरों के जीवन में भी उजाला फैला सकते हैं ।

१३ एकाग्रता

पूरा मन लगाये बगैर कोई काम सिद्ध होता ही नहीं । जो भी कार्य आप शुरू करें, उसे पूरी निष्ठा से करें, तो जीवन में सफलता मिलेगी ही । धनुर्विद्या की परीक्षा में अर्जुन को सिर्फ पक्षी की आँख और बाण की नोक ही दिखाई देती थी । ऐसी थी अर्जुन की एकाग्रता । खुद की हत्या करने के लिए आये हुए हत्यारे को युक्लिड ने कहा था — 'ठहरो ! मेरा वर्तुल मत बिगाड़ना !' इसका नाम है एकाग्रता । ऐसे लोग ही अपने संकल्पों को सिद्ध कर सकते हैं । हमें भी अपने कार्यों में यथाशक्ति एकाग्र रहना चाहिए । स्वामी विवेकानंद ने कहा था कि पाठशाला में छात्रों को एकाग्रता कैसै रखनी चाहिए, अगर यही सिखाया जाये तो शेष बातें बड़ी आसानी से सीखी जा सकती हैं । ध्यान करने से एकाग्रता आती है ।

१४ आत्मश्रद्धा

उपर्युक्त सभी बातें आत्मश्रद्धा के अभाव में लूली रह जाती हैं, और आत्मश्रद्धा के होते ही उनमें अनेकगुना शक्ति पैदा हो जाती है । आत्मश्रद्धा धारण करनेवाला व्यक्ति दृढ़ता से यह मानता है कि — 'मैं यह काम कर सकूँगा ।' और आत्मश्रद्धा के बल पर वह कर भी लेता है । श्रद्धावान व्यक्ति के समक्ष मुश्किलों के पहाड़ भी दूर हो जाते हैं । आत्मश्रद्धा के बल पर ही नेपोलियन ने दुर्गम आल्पुस पार किया था । आत्मश्रद्धावान लोगों के अच्छे कार्यों के पीछे दैवीय शक्ति का भी हाथ रहता है । कारण यह है कि वे लोग ईश्वर में भरोसा रखकर कार्य करते हैं । पू. संत मोरारि बापू कहते हैं : 'ईश्वर के प्रति की गयी श्रद्धा ही एक ऐसी वस्तु है, जिसके अतिरेक का शास्त्रों में कहीं निषेध नहीं है । हर वस्तु का अतिरेक अशान्ति पैदा करता है, लेकिन अटूट श्रद्धा का होना परम शान्ति के लिए अनिवार्य है ।'

१५ समय-पालन

हर स्त्री-पुरुष को जीवन में छोटी-बड़ी जिम्मेदारी निभानी होती है । समय यदि बचे, तो जिम्मेदारी को निभाने में सरलता होती है । कहा भी गया है — 'समय ही धन है ।' और यदि यह सच है तो उससे भी ज्यादा यह सच है कि — 'समय ही जीवन है ।' उम्र के वर्ष अन्ततः दिन, घंटे, मिनटों और पलों के बने हैं । बीता समय कभी लौट कर नहीं आता, यह समझकर प्रत्येक को जीवन में समय का पालन करना चाहिए । किसी ने इंग्लैंड के एडमिरल नेल्सन से उनकी सफलता के रहस्य के सम्बन्ध में पूछा तो उन्होंने बताया : 'मैं अपने हर कार्य में पाँच मिनट पहले रहता हूँ । और यही मेरी सफलता का रहस्य है ।'

१६ विनोदवृत्ति

एक लेखक ने कहा है — 'If life is a bucket, humour is a handle.' जीवन में अनेक संघर्ष आते हैं । अनेक बार अति विषम परिस्थितियाँ पैदा होती हैं । किसी भी परिस्थिति को गंभीर स्वरूप प्रदान करने से पहले खूब विचारिए, क्योंकि अधिकांश संयोग स्वतः सानुकूल बन जाते हैं । ऐसे अवसर पर यदि मनुष्य में विनोदवृत्ति हो, तो संघर्ष एवं परिस्थितियाँ सह्य बन जाती हैं । विनोदवृत्ति से आदमी हलकापन महसूस करता है, यही नहीं वह अपने आसपास आनंद के फव्वारे उड़ाता है । इस तरह विनोदवृत्ति सभी के लिए उपयोगी और उपकारक है । विनोदवृत्तिपूर्ण परिवार हँसी और किलोल में मग्न रहता है और उत्तम जीवन जीने की संभावना पैदा करता है ।

और हाँ, विनोदवृत्ति में एक खतरा भी है । यदि विनोद में कटु कटाक्ष हो, दंश हो तो वह मर्मभेदक बन जाता है । व्यंग्यपूर्ण विनोद करनेवाला काँटों की झाड़ी-सा बन जाता है । किसी की सोहबत उसे नहीं सुहाती । खुद पर मजाक करनेवाला और हँसानेवाला तथा दूसरों के मन का बोझ हलका करनेवाला ही सच्चा विनोदी कहलाता है । विनोद निर्दोष एवं निर्दंश होना चाहिए । विनोदवृत्ति यद्यपि आसान नहीं होती, यह तो कुदरती सौगात है । फिर भी, प्रयत्न से कुछ भी असंभव और असाध्य नहीं। शेक्सपियर ने 'As you like it' में दो विरोधी पात्रों की योजना की है । एक है सोगियो जेकिन्स, जो नंदनवन में भी स्मशान पैदा करनेवाला है ओर दूसरा है विनोदी ड्यूक, जो सभी जगह आनंद और खुशी बिखेरता है । वह अपनी विनोदपूर्ण बातों से हर तनाव को हलका करता है । विनोदशील लोग खुद सुखी होते हैं और दूसरों को भी सुखी बनाते हैं । दुःख में भी हँसना और हर रोनेवाले को हँसाने का आदर्श अपनानेवाला अपने जीवन को सार्थक बनाता है । विनोद का जीवन में कितना महत्त्वपूर्ण स्थान है, यह निम्न उदाहरण से जाना जा सकेगा । प्रेम के खातिर ब्रिटिश साम्राज्य की गद्दी को छोड़नेवाले ड्यूक ऑफ विंडसर एडवर्ड से किसी ने पूछा — 'डचेस में ऐसा क्या है, जिसकी खातिर आपने राज गद्दी त्याग दी ?' ड्यूक ऑफ विंडसर ने एक क्षण का विलंब किये बग़ैर उत्तर दिया — 'डचेस महान विनोदी स्वभाववाली है ।' अंग्रेजी में एक कहावत भी है — "Face without smile is like a lantern without light."

६. जीवन-विकास के अवरोधक दूषण

उत्तम जीवन के लिए ऊपर प्रदर्शित गुणों के अनुसरण के उपरांत कतिपय दूषणों से दूर रहना भी उतना ही जरूरी है । इनमें से कुछेक के बारे में जानकारी प्राप्त करें ।

१ अभिमान

सौंदर्य, सम्पत्ति, सत्ता, साक्षरता और साधना — इन पाँच का अभिमान होता है, इससे बचने के लिए मनुष्य को निरंतर जाग्रत रहना चाहिए ।

- सौंदर्य का - रूप का अभिमान किसलिए ? जिसे रूप मिला है, वह कल मुरझानेवाला ही है । उसे तो उसका स्मरण करना चाहिए, जिसने उसे ऐसा रूप दिया है ।
- संपत्ति इतनी चंचल है कि उसका खराब से खराब और अच्छे से अच्छा उपयोग हो सकता है । धन का घमंड न रखते हुए, उसे बहुजन हिताय अर्पित करना चाहिए, इसीमें प्रभु का मंगल आशीर्वाद छिपा है ।

- सत्ता आज है, कल नहीं, ऐसा समझते हुए कभी उसका अभिमान न करें । सबके सुख के वास्ते उसका उपयोग करें । सत्ता में मदान्ध व्यक्ति अपने जीवन का सर्वनाश करता है और उसे लोकसेवा का अवसर माननेवाला जीवन को समृद्ध बनाता है ।
- साक्षरता-विद्वत्ता तो प्रभु की देन है, इसका अभिमान कैसा ? अभिमान करने पर विद्वत्ता रुक जाती है और कुल मिलाकर सभी को हानि होती है ।
- साधना से सिद्धि मिलती है, मगर साधक को उस सिद्धि का घमंड हो जाये तो उसकी साधना और सिद्धि दोनों समाप्त हो जाती हैं ।

अभिमान, अहंकार का ही दूसरा नाम है । अहंकारी और घमंडी व्यक्ति काँटों की झाड़ी के बराबर होता है । उसका मित्र होना भी किसी को पसन्द नहीं । अतः अभिमान का सर्वथा त्याग करना चाहिए ।

२ क्रोध

कहा जाता है कि क्रोध करने पर आदमी आदमी नहीं रहता । वह न करने के काम कर बैठता है और बाद में पछताता है । क्रोधी व्यक्ति को भले-बुरे का भान नहीं रहता । वह वाणी पर काबू खो डालता है और न बोलनेवाली बातों को बक देता है । गुस्से में शरीर का संतुलन भी वह खो देता है और किसी का खून कर बैठता है । क्रोध से अनेक परिवारों का सर्वनाश हुआ है, राष्ट्र विनष्ट हुए हैं और क्रोध करनेवाले खतम हुए हैं, ऐसे उदाहरण अनेक हैं । अतः इस सर्वनाशी राक्षस से सभी को दूर रहना चाहिए । क्रोध का नाम ही हिंसा है, जिसका प्रारम्भ बेवकूफी से होता है और अन्त प्रायश्चित से । पूज्य सन्त मोरारि बापू ने क्रोध-शमन का सरल और रामबाण तरीका बताते हुए कहा है — 'जब भी क्रोध सताने लगे तब सबसे पहले मुँह बन्द कर देना चाहिए और यदि फिर भी क्रोध न रुके तो आँखें बन्द करनी चाहिए । इस पर भी यदि क्रोध का आवेग न ठहरे तो दोनों कान बन्द कर देने चाहिए...' क्रोध फिर चाहे जैसा हो, उसे इस तरह से काबू में लिया जा सकता है । क्रोध न करने एवं ऐक्य और शान्ति फैलाने का दृढ़ संकल्प आज से ही कीजिए । इसके बावजूद यदि क्रोध हो जाये तो पू. मोरारि बापू के द्वारा बताये हुए रास्ते का इस्तेमाल कीजिए ।

३ लोभ

लोभ की कोई सीमा नहीं । जिसके पास हज़ार हैं, वह लाख का लोभ करता है और लाखवाला करोड़ का लोभ करता है । भले कुछ भी मिल जाये, मगर लोभी का पेट कभी अघाता ही नहीं और ग़लत तरीकों से अधिकाधिक प्राप्ति की गिद्धवृत्ति धारण कर लेता है । यही कारण है कि अतिलोभ पाप का मूल है । लोभी सदैव अधिकाधिक प्राप्ति के सपने देखता है और इसीलिए कई बार ठगों द्वारा वह ठगा जाता है । कहावत भी है कि 'जहाँ लोभी की बस्ती हो, वहाँ ठग कभी भूखों नहीं मरता ।' जहाँ पर लोभवृत्ति है, वहाँ सन्तोष नहीं होता और सन्तोष के बिना सुख असंभव है । सच्चे सुख की प्राप्ति और शान्ति की चाहना करनेवाले व्यक्ति को लोभ सदा के लिए छोड़ देना चाहिए ।

४ चिन्ता

जीवन में अनेक प्रसंग घटित होते हैं । अच्छे प्रसंग हमें आनन्द प्रदान करते हैं और बुरे प्रसंग हमें चिन्ता में डाल देते हैं । चिन्ता छोटी हो या बड़ी, वह हमारे जीवन-सत्त्व को चूसती है । चिन्ता के प्रभाव को देखिए —

> "चिन्ता से चतुराई घटे, घटे रूप, गुण, ज्ञान ।
> चिन्ता बड़ी अभागिनी, चिन्ता चिता समान ।।"

संस्कृत में एक प्रसिद्ध श्लोक है । उसका भाव यह है कि चिन्ता चिता से भी खराब है । चिता तो केवल मृतकों को जलाती है, मगर चिन्ता ज़िन्दों को ही जला डालती है । ऐसी है यह चिन्ता । बीती हुई बातों का शोक न मनायें तो इस चिन्ता से मुक्त रहा जा सकता है । जो बीत गयी, सो बीत गयी । फिर उस पर पछताना क्या ? ढले हुए दूध के लिए रोने से क्या फायदा ? घर जल गया, भरी जवानी में आदमी चल बसा — ऐसी दुःखपूर्ण बातों में हम क्या कर सकते

हैं ? चिन्ता से मुक्त होने के लिए भूत को भूल जाइए और वर्तमान पर सोचिए यही मानिए कि ईश्वर की इच्छा ही सर्वोपरि है।

५ आलस्य

आलस्य भयंकर दुर्गुण है । वह जंग लगने जैसा दुश्मन है । जिस प्रकार लोहे पर लगा जंग लोहे को समाप्त कर देता है, उसी तरह आलस्य शरीर, मन और बुद्धि को निष्क्रिय बना डालता है। इसीसे आलसी आदमी का मन किसी भी काम में नहीं लगता । आलसी आदमी के लिए संस्कृत में एक सुप्रसिद्ध श्लोक है, जिसका भावार्थ इस प्रकार है —

'आलसी को विद्या कहाँ से प्राप्त हो ? और विद्याहीन को धनप्राप्ति भी कहाँ से हो ? धनहीन को मित्रता कहाँ मिलेगी ? और मित्रता के बिना सुख-प्राप्ति कैसे होगी ?' संक्षेप में, आलसी आदमी कभी सुखी नहीं हो सकता । यदि सुखी होना चाहते हैं तो आलस्य कदापि न करें । साथ ही आलस्य करने पर आदमी के महत्त्वपूर्ण कार्य नहीं हो पाते, वह पराधीन बनता चला जाता है । रास्ते, रेलगाड़ियाँ, पुल, जहाज, हवाई जहाज, बड़े कल-कारखाने और ताजमहल जैसी चीज़ें उद्यमशील लोगों ने ही प्रदान की हैं । अगर सभी आलसी हो जाते तो इनमें से कुछ भी न होता । अतः आलस्य हमारा सबसे बड़ा शत्रु है । इससे हमें सदैव दूर रहना चाहिए और परिश्रमी बनना चाहिए ।

६ निन्दा

निन्दा भी एक बड़ा अवगुण है । हर आदमी के भीतर गुण-अवगुण दोनों होते हैं । प्रकाश भी है तो अंधकार भी है । पर, आदमी अवगुण देखे ही क्यों ? निन्दा क्यों करें ? निन्दक व्यक्ति जिसकी निन्दा करता है, उसकी सहानुभूति वह खो देता है और जिसके समक्ष वह निन्दा करता है, उसके सामने वह अपना मान खो देता है । निन्दा करके दूसरों को नीचा दिखानेवाला पहले तो खुद ही गिरता है । वह कैसे ऊँचे चढ़ेगा ? निन्दा करने से किसका हित हुआ है ? वस्तुतः इससे दोनों का भारी अहित ही होता है । दूसरों के राई-से गुणों को पर्वत की तरह गिनना और अपने राई जैसे दोषों को पर्वत की तरह गिनानेवाला ही सज्जन पुरुष कहलाता है । निन्दाखोर दुःखों को आमंत्रित करता है, जब कि सज्जन सुख और शान्ति फैलाता है । अब, आप स्वयं निर्णय करें कि आपको सज्जन बनना है या निन्दाखोर ?

७ ईर्ष्या

भारत में जवास के पौधे उगते हैं । बारिश में जब चारों ओर हरियाली फैली होती है, तब जवास अपने इर्द-गिर्द की मानों हरियाली को देख नहीं पाता, इसलिए वह सूखने लगता है । ग्रीष्म से जब अक्सर बनस्पतियाँ सुखने लगती हैं तो मानो जवास उनके दुःख को देख खुश होता है, वह हराभरा दिखाई देता है । ईर्ष्यालु व्यक्ति की तुलना इस जवास के साथ की जा सकती है । ईर्ष्या करनेवाला व्यक्ति सामनेवाले के अच्छे गुणों, चाहना, सफलता और सुख-शान्तिपूर्ण जीवन से जलने लगता है और सामनेवाले की मुसीबतें देख खुश होता है । शेक्सपियर ने ऐसे लोगों को 'हरी आँखोंवाला राक्षस' कहा है और ईर्ष्या कैसे-कैसे भयंकर परिणाम सर्जित करती है, इसे उसने अपने 'ऑथेलो' नाटक में बताया है । अनदेखापन, ईर्ष्या-असूया आदि सूखे घास की तरह जलते हैं और जलाते हैं। जबकि निर्दोष स्पर्धा जीवन को उच्चता प्रदान करती है । इसीलिए व्यक्ति को ईर्ष्या, द्वेष, असूया से सदैव दूर रहना चाहिए ।

८ ममत्व

मनुष्य पुरुषार्थ से बहुत कुछ पाता है, लेकिन वह बेचारा ममत्व के बोझ से सदा दबा रहता है । ऐसा क्यों ? 'यह मेरा है, जो मैंने अर्जित किया है ।' यही भाव उसकी ऐसी दशा करता है ।सारा विश्व ईश्वर से व्याप्त है और इस विश्व का सबकुछ ईश्वर का ही तो है । मनुष्य जब ऐसे विचार करता है तो हलकापन महसूस करता है । कमल जल में रहता है, फिर भी वह जल से अलिप्त रहता है । मनुष्य को जल-कमलवत् ही रहना चाहिए । मोह, माया और ममता से बचकर — 'मेरे भाग्य में औरों का भी भाग है ।' ऐसा उसे मानना जाहिए । सबकुछ ईश्वर का दिया है और ईश्वर के ही लिए ईश्वर द्वारा निर्मित मानव-बंधुओं तथा अन्य जीवों के हित उनका उपयोग होना जाहिए ।

७. प्रेम

ईश्वर को एकाकी रहना पसन्द नहीं आया तो उसने अपने दो हिस्से किये । एक अर्धांग पत्नी बना और दूसरा पति । प्रेम के कारण ही ईश्वर ने जड-चेतन का निर्माण किया । कवि गा उठा — 'प्रेम ही ईश्वर है और ईश्वर ही प्रेम है । यदि ईश्वर सर्वत्र है तो प्रेम भी सर्वत्र है — जड-चेतन सभी में । हाइड्रोजन और ऑक्सीजन के मध्य प्रेम है, इसीलिए तो हमें जल-प्राप्ति होती है । अणु-अणु के बीच प्रेमाकर्षण होने के कारण ये सारे पदार्थ निर्मित हुए । पशु-पक्षियों का उनके अपने बच्चों के प्रति प्रेम जाना-पहचाना है । प्रभु ने आदमी को बुद्धि दी है और ऊर्मि भी प्रदान की है । यही वज़ह है कि आदमी प्रेम के सर्वोच्च शिखर तक पहुँचा है । शेक्सपियर ने मनुष्य के जीवन की सात अवस्थाएँ गिनायी हैं, इस हिसाब से कहें तो प्रेम का सप्तरंगी इन्द्रधनुष्य कैसा होगा, इसे भी ज़रा सोचें ।

१ माता-पिता का प्रेम

शिशु को सबसे पहला और अधिक प्रेम अपने माता-पिता से मिलता है । वे स्वयं गीले में सोते हैं और बच्चे को सूखे में सुलाते हैं । खुद भूखे रहकर बच्चे को खिलाते हैं । माता के ऐसे बलिदान और त्यागमय प्रेम की ऊँचाई धवलगिरि से भी ज्यादा ऊँची होती है । 'मैं लोटा-डोरी लूँगा, पैसों की कमी सहन करूँगा, मगर तू पढ़-लिख कर आगे बढ़' — ऐसा कहनेवाले पिता का त्याग कितना उदात्त होगा ?

२ परिवार-प्रेम

शिशु को माता-पिता के स्नेह के साथ-साथ अपने भाइयों, बहिनों और अन्य परिजनों का भी प्यार मिलता है । यही परिवार-प्रेम है, जिसकी वज़ह से सारा परिवार समाज की इकाई बनता है । विश्वशान्ति की नॉबल पुरस्कार-विजेता मधर टेरेसा ने अपनी अमरिकी-यात्रा में एक बार कहा था — 'प्रेम का प्रारंभ घर से होता है, और समूह में प्रार्थना करने से पनपता है । समूह में प्रार्थना करने से सुमेल पैदा होता है और कुटुम्ब अविभक्त रहता है । यदि आप सुमेल से रहें तो कुदरती तौर पर ही आप एक-दूसरे को चाहेंगे ।' इसलिए परिवार में एकता स्थापित करने और बढ़ाने के वास्ते कम से कम दिन में एक बार नियत समय पर, परिवार के सभी लोगों को एकसाथ बैठकर, प्रार्थना अवश्य करनी चाहिए ।

३ गुरु-प्रेम

प्राणों का संचार करके विविध विषयों का ज्ञान देने वाले और धर्म के प्रति रुचि जगानेवाले गुरु भी प्रेम का आदर्श है । गुरु विश्वामित्र ने राम को तैयार किया और सांदीपनि गुरु ने कृष्ण को । संत कबीर ने कहा है कि — गुरु ही प्रभुप्राप्ति का सच्चा मार्ग दिखानेवाला है, इसीलिए गुरु का स्थान ईश्वर से भी आगे है । भारतीय संस्कृति में गुरु को प्रभु से पहले रखा है । जिसके जीवन का जहाज सच्ची दिशा में होगा, वह अपने माता-पिता, परिवार और अपने गुरु के प्रेम को कदापि नहीं भूलेगा ।

४ दाम्पत्य-प्रेम

पढ़-लिखकर तैयार होनेवाले युवक-युवतियों में प्रेम का ज्वार उमड़ता है, और पति-पत्नी के रूप में अपने सम्बन्ध जोड़कर व्यवस्थित हो जाते हैं । इस दाम्पत्य-प्रेम की भव्यता देखिए कि सीता का त्याग करने के बाद विरहाकुल श्रीराम ने दुबारा विवाह नहीं किया । एक पत्नीव्रत धारण किया और राजसूय यज्ञ में अपने पास सोने की मूर्ति रखकर यज्ञ सम्पन्न किया । कैसा आदर्श पत्नी-प्रेम था ? सावित्री यम से अपने पति सत्यवान को जीवित लौटा लायी थी, यही उसके उत्कृष्ट प्रेम का उदाहरण है । पूज्य संतश्री मुरारी बापू कहते हैं — "जो सच्चा प्रेम करना जानता है, उसे दुनिया की कोई ताकत मिटा नहीं सकती । प्रेम में स्व की इच्छा का महत्त्व नहीं बल्कि प्रिय की इच्छा ही प्रधान है, इसीमें सच्चा प्रेम व्यक्त होता है ।" यदि दाम्पत्य-प्रेम आदर्श होगा तो गृहस्थाश्रम धन्य हो जायेगा और आनेवाली पीढ़ी भी तेजस्वी बनेगी ।

५ समाज-प्रेम

सच्चे प्रेम की कोई सीमा नहीं होती । मनुष्य के विकास के साथ ही प्रेम भी विकसित होता है । आगे बढ़कर वह

समूचे समाज को चाहने लगता है । जिस समाज ने उसे सुखी किया, सुस्थिर जीवन प्रदान किया, इसके बदले में समाज के अभागे लोगों के लिए उसे भी कुछ करना चाहिए, ऐसी भावना उसके भीतर जागती है । यही समाज-प्रेम है, जिसकी वज़ह से वह अनेक सामाजिक काम करता है । सच्चे समाजसेवियों ने पूरे समाज का कलेवर ही बदला है, इसके अनेक दृष्टान्त दिये जा सकते हैं ।

६ देश-प्रेम

कवि ने जन्मभूमि को स्वर्ग से भी महान कहा है, जो उचित ही है । जिस देश में हमने जन्म लिया, जिसने हमारा पोषण किया, जीवन-निर्माण किया, रक्षण किया और हमें योग्य स्थान दिया, उस देश के ऋण से हम कैसे अऋण हो सकते हैं ? यह तो जीवन-बलिदान करके भी चुकाया नहीं जा सकता । अतः सभी को किप्लिंग के उस कथन को ध्यान में रखकर जीवन जीना चाहिए — "अगर मेरा देश जीवित रहेगा तो मरा हुआ कौन होगा ?' (देश के लिए अपना बलिदान देनेवाले अमर हैं ।) अगर मेरा देश मर जायेगा तो जीवित कौन होगा ? (उसमें जीनेवाला भी मरे हुए के बराबर हैं ।) अमरिका के प्रमुख केनेडी ने सत्य ही कहा था — "देश आपके लिए क्या करेगा, इसका विचार न करें, पर आप देश के लिए क्या करेंगे, उसका विचार करें ।" आज़ादी के बाद भारत पर जब आक्रमण हुआ तो भारतवासियों ने सोना, चाँदी और धन का ढेर राष्ट्र के चरणों में धर दिया था, और भारत के सैनिकों ने अपना बलिदान देकर माँ भारती की शान रखी थी । सभी जगह देश-प्रेम के ज्वलन्त उदाहरण मिलते हैं, और उन्हीं से देश और प्रजा दोनों कायम रहते हैं । सचमुच हमारा देश-प्रेम हमारे श्वासोच्छ्वास के संग जुड़ा रहना चाहिए ।

७ विश्व-प्रेम

प्रेम सिर्फ इतने से ही नहीं अटकता । अब आदमी पूरे विश्व के लिए सोचने लगा है । विज्ञान के परिणामस्वरूप दुनिया के देश एक-दूसरे के काफी नज़दीक आये हैं और दुनिया अब छोटी नज़र आती है । मनुष्य को अपना दिल अब बड़ा करना होगा और विश्वबंधुत्व की भावना को विकसित करना होगा, सारे विश्व को परिवार गिनना होगा । राजनीतिक मतभेदों के बावजूद यदि किसी देश पर कुदरती प्रकोप बरस उठता है, तो दुनियाभर के देश यथाशक्ति मदद करते हैं । 'धरती के प्राणियों का जीवन सुरक्षित रहना चाहिए ।' — इस विचार का समर्थन रुस और अमरिका दोनों ने किया है, यह मानवजाति के भविष्य के लिए शुभ-संकेत है । चिन्तकों का अब यह मानना है कि दुनिया अगर एक नहीं होगी तो दुनिया रहेगी ही नहीं । One world or no world — इसीलिए पृथ्वी के हर प्राणी को अपने भीतर विश्वप्रेम की भावना जगानी चाहिए ।

मनुष्य में उपर्युक्त मेघधनुष्य के सात रंगों की तरह, सप्तरंगी प्रेम से रंगा होने के बावजूद अब भी कुछ रिक्तता महसूस होती है । यही है पुरानी प्रीति । उसकी और सर्जनहार के बीच की प्रीति । नदी अपना सर्वस्व अर्पित करने हेतु सागर की ओर दौड़ती है और सागर में मिलने के बाद ही उसे परम शान्ति का अनुभव होता है । मानव-जीवन का भी यही हाल है । अपना सर्वस्व — आंतर-बाह्य सभी कुछ प्रभु के चरणों में अर्पित करने की लगन और छटपटाहट उसमें पैदा होती है, इसीका नाम है प्रभु-भक्ति । अपने सर्जनहार को उसका ही दिया अर्पित करना हो इससे बड़ी धन्यता और क्या होगी ?

व्रत

'सत्य, अहिंसा, चोरी न करना, मत करना अनपेक्षित संग्रह,
ब्रह्मचर्य और खुद की मेहनत स्नेहपूर्ण करना अपरिग्रह ।
अभय, स्वदेशी, स्वाद-त्याग और सर्वधर्म समभाव बनाना,
एकादश इन महाव्रतों को विनयपूर्ण होकर अपनाना ।'

□

11. Selected Poems • चुनी हुई कविताएँ

We have selected some popular poetries and songs. This will help to provide a glimpse of Hindi treasure in poetries and get one interested in pursuing Hindi Literature.

Contents :

सीख

पर्वत कहता शीश उठाकर,
तुम भी ऊँचे बन जाओ ।
सागर कहता है लहराकर,
मन में गहराई लाओ ।

समझ रहे हो क्या कहती है,
उठ-उठ गिर-गिर तरल तरंग ।
भर लो, भर लो अपने मन में,
मीठी-मीठी मृदुल उमंग ।

पृथ्वी कहती है धैर्य न छोड़ो,
कितना ही हो सिर पर भार ।
नभ कहता है फैलो इतना,
ढँक लो तुम सारा संसार ।

— सोहनलाल द्विवेदी

*

मैया मोरी मैं नहिं माखन खायो

मैया मोरी, मैं नहिं माखन खायो ।

भोर भयो गैयन के पाछे मधुबन मोहिं पठायो ।
चार पहर बंसीबट भटक्यो, साँझ परे घर आयो ।

मैं बालक बहियन को छोटो, छींको केहि विधि पायो ।
ग्वाल-बाल सब बैर परे हैं बरबस मुख लपटायो ।

तू जननी मन की अति भोरी, इनके कहे पतियायो ।
जिये तेरे कछु भेद उपजि है, जानि परायो जायो ।

यह ले अपनी लकुटी कमरिया, बहुतहि नाच नचायो
'सूरदास' तब बिहँसि जसोदा, लै उर कण्ठ लगायो ।।

— सूरदास

*

सुबह

सूरज की किरणें आती हैं,
सारी कलियाँ खिल जाती हैं,

अंधकार सब खो जाता है,
सब जग सुंदर हो जाता है ।

चिड़ियाँ गाती हैं मिल-जुल कर,
बहते हैं उनके मीठे स्वर,
ठंडी-ठंडी हवा सुहानी,
चलती है जैसे मस्तानी ।

यह प्रातः की सुख-बेला है,
धरती का सुख अलबेला है,
नई ताज़गी, नई कहानी,
नया जोश पाते हैं प्राणी ।

खो देते हैं आलस सारा
और काम लगता है प्यारा,
सुबह भली लगती है उनको,
मेहनत प्यारी लगती जिनको ।

मेहनत सबसे अच्छा गुण है,
आलस बहुत बड़ा दुर्गुण है,
अगर सुबह भी अलसा जाए
तो क्या जग सुन्दर हो पाए !

— श्रीप्रसाद

*

फूल और काँटा

जनम लेते हैं जगह में एक ही,
एक ही पौधा उन्हें है पालता ।
रात में उन पर चमकता चाँद भी,
एक ही सी चाँदनी है डालता ।।

मेह उन पर है बरसता एक-सा,
एक-सी उन पर हवाएँ हैं वहीं ।
पर सदा ही यह दिखाता है समय,
ढंग उनके एक-से होते नहीं ।।

छेदकर काँटा किसी की अँगुलियाँ,
फाड़ देता है किसी का वर-वसन ।
प्यार डूबी तितलियों का पर कतर,
भौंर का है वेध देता श्याम तन ।।

फूल लेकर तितलियों को गोद में,
भौंर को अपना अनूठा रस पिला ।
निज सुगन्धों औ' निराले रंग से,
है सदा देता कली जी की खिला ।।

है खटकता एक सबकी आँख में,
दूसरा है सोहता सुर-शीश पर ।।
किस तरह कुल की बड़ाई काम दे,
जो किसी में हो बड़प्पन की कसर ।।

— अयोध्यासिंह उपाध्याय 'हरिऔध'

*

दोहे

ऐसी बानी बोलिए, मन का आपा खोय ।
औरन को सीतल करै, आपहु सीतल होय ।।

सहज मिलै सो दूध सम, माँगा मिलै सौ पानी ।
कह कबीर वह रक्त सम, जामें खेंचातानी ।।

जो बड़ेन को लघु कहौ नहिं रहीम घटि जाहिं ।
गिरिधर मुरलीधर कहो, कुछ दुःख मानत नाहिं ।।

बिगरी बात बनै नहीं, लाख करौ किन कोय ।
रहिमन बिगरे दूध सों, मथे न माखन होय ।।

'रहिमन' देखि बड़ेन को, लघु न दीजिए डारि ।
जहाँ काम आवै सुई, कहा करै तरवारि ।।

— कबीर, रहीम

*

मैंने सीखा है...

मैंने फूलों से सीखा, काँटों में भी मुस्काना
कोकिल से सीखा है मैंने, पतझड़ में भी गाना ।

मैंने बादल से सीखा है
शीतल जल बरसाना,
अपना तक अस्तित्व मिटाकर
भू की तपन मिटाना ।

मैंने सूरज से सीखा, जलकर तम-राशि हटाना
चाँद-सितारों से सीखा है, निशि में अमृत बरसाना ।

और हवा से सीखा है
मैंने सौरभ बिखराना,
जल की बूँदों से सीखा है
जीवन-मुक्ता छितराना ।

मैंने काँटों से सीखा है, तरु की करना रखवाली,
इन्द्र-धनुष से सीखा, रंगों से भरना जग-प्याली ।

जग तू भले बहाता रह
अपनी कटुता का झरना
पर मैं सीख चुका हूँ
तेरे अंचल में मधु भरना ।

— राजाराम श्रीवास्तव

*

यह लघु सरिता का बहता जल

यह लघु सरिता का बहता जल,
कितना शीतल, कितना निर्मल !

हिमगिरि के हिम से निकल-निकल,
यह विमल दूध-सा हिम का जल,
कर-कर निनाद, कल-कल, छल-छल,
तन का चंचल, मन का विह्वल,
यह लघु सरिता का बहता जल ।

ऊँचे शिखरों से उतर-उतर,
गिर-गिर, गिरि की चट्टानों पर,
कंकड़-कंकड़ पैदल चलकर,
दिनभर, रजनीभर, जीवनभर,
धोता वसुधा का अन्तस्तल ।
यह लघु सरिता का बहता जल ।

हिम के पत्थर वे पिघल-पिघल,
बन गए धरा का वारि विमल,
सुख पाता जिससे पथिल विकल,
पी-पी कर अंजलि भर मृदुजल
नित जलकर भी कितना शीतल ।
यह लघु सरिता का बहता जल ।

— गोपालसिंह 'नेपाली'

*

कबीर के दोहे

साधू ऐसा चाहिए, जैसा सूप सुभाय ।
सार सार को गहि रहै, थोथा देइं उड़ाय

साधू गाँठ न बाँधई, उदर समाता लेय ।
आगे पाछे हरि खड़े, जब माँगे तब देय

कबीरा सोई पीर है, जो जाने पर पीर ।
जो पर-पीर न जानई, सो काफिर बेपीर

माला तो कर में फिरै, जीभ फिरै मुख माँहि ।
मनुवाँ तो दहुँ दिसि फिरै, यह तो सुमिरन नाहिं

गुरु गोविन्द दोनों खड़े काके लागूँ पाय ।
बलिहारी गुरु आपकी, जिन गोविंद दियो बताय

गुरु कुम्हार सिष कुम्भ है, गढ़ि गढ़ि काढ़े खोट ।
अन्तर बाँह सहार दे, बाहर बाहे चोट

— कबीरदास

*

पुष्प की अभिलाषा

चाह नहीं, मैं सुरबाला के
गहनों में गूँथा जाऊँ ।
चाह नहीं, प्रेमी-माला में
बिंध प्यारी को ललचाऊँ ।
चाह नहीं, सम्राटों के शव
पर, हे हरि, डाला जाऊँ ।
चाह नहीं, देवों के सिर पर
चढ़ूँ भाग्य पर इठलाऊँ ।

मुझे तोड़ लेना, वनमाली,
उस पथ में देना तुम फेंक ।
मातृभूमि पर शीश चढ़ाने,
जिस पथ जाएँ वीर अनेक ।

— माखनलाल चतुर्वेदी

*

वीणावादिनी वर दे

वर दे, वीणावादिनी वर दे !
प्रिय स्वतंत्र-रव अमृत-मन्त्र नव
भारत में भर दे !

काट अन्ध-उर के बन्धन-स्तर
बहा जननि, ज्योतिर्मय निर्झर;
कलुष भेद तम हर प्रकाश भर
जगमग जग कर दे !

नव गति, नव लय, ताल-छन्द नव,
नवल कण्ठ, नव जलद-मन्द्र रव;
नव नभ के नव विहग-वृन्द को
नव पर, नव स्वर दे !

— सूर्यकान्त त्रिपाठी 'निराला'

*

तुलसी-दोहावली

तुलसी मीठे बचन तें, सुख उपजत चहुँ ओर ।
बसीकरन यह मन्त्र है, परिहरु बचन कठोर

आवत ही हर्षे नहीं, नैनन नहीं सनेह ।
तुलसी तहाँ न जाइए, कंचन बरसे मेह

मुखिया मुखसों चाहिए, खान-पान को एक ।
पाले पौषे सकल अंग, तुलसी सहित विवेक

तुलसी श्री रघुवीर तजि करै भरोसो और ।
सुख सम्पति को का चली नरकहुँ नाहीं ठौर

सबइ कहावत राम के सबहि राम की आस ।
राम कहहि जेहि आपनो तेहि भजु तुलसीदास

कनी चित्रकूट चित चारु ।
तुलसी सुभग सनेह बन सिय रघुवीर बिहारु

एक भरोसो एक बल एक आस विश्वास ।
एक राम घन श्याम हित चातक तुलसीदास

नीच निचाई नहिं तजइ सज्जनहू के संग ।
तुलसी चन्दन बिटप वसि बिनु विष भए न भुजंग

— तुलसीदास

*

अन्वेषण

मैं ढूँढ़ता तुझे था जब कुँज और वन में ।
तू खोजता मुझे था तब दीन के वतन में ।।

तू आह बन किसी की मुझको पुकारता था ।
मैं था तुझे बुलाता संगीत में भजन में ।।

मेरे लिए खड़ा था दुखियों के द्वार पर तू ।
मैं बाट जोहता था तेरी किसी चमन में ।।

बनकर किसी के आँसू मेरे लिए बहा तू ।
आँखें लगी थीं मेरी तब मान और धन में ।।

बाजे बजा बजा के मैं था मुझे रिझाता ।
तब तू लगा हुआ था पतितों के संगठन में ।।

मैं था विरक्त तुझसे जग की अनित्यता पर ।
उत्थान भर रहा था तब तू किसी पतन में ।।

बेबस गिरे हुओं के तू बीच में खड़ा था ।
मैं स्वर्ग देखता था झुकता कहाँ चरन में ।।

तूने दिये अनेकों अवसर न मिल सका मैं ।
तू कर्म में मगन था मैं व्यस्त था कथन में ।।

तेरा पता सिकन्दर को मैं समझ रहा था ।
पर तू बसा हुआ था फ़रहाद कोहकन में ।।

क्रीसस की हाय में था करता विनोद तू ही ।
तू अन्त में हँसा था महमूद के रुदन में ।।

प्रह्लाद जानता था तेरा सही ठिकाना ।
तू ही मचल रहा था मंसूर की रटन में ।।

आखिर चमक पड़ा तू गांधी की हड्डियों में ।
मैं था तुझे समझता सुहराव पीलतन में ।।

तू रूप है किरन में सौन्दर्य है सुमन में ।
तू प्राण है पवन में विस्तार है गगन में ।।

तू ज्ञान हिन्दुओं में ईमान मुस्लिमों में ।
तू प्रेम क्रिश्चियन में है सत्य तू सुजन में ।।

हे दीनबन्धु ! ऐसी प्रतिभा प्रदान कर तू ।
देखूँ तुझे दृगों में मन में तथा वचन में ।।

कठिनाइयों दुखों का इतिहास ही सुयश है ।
मुझको समर्थ कर तू बस कष्ट के सहन में ।।

दुख में न हार मानूँ सुख में तुझे न भूलूँ ।
ऐसा प्रभाव भर दे मेरे अधीर मन में ।।

— रामनरेश त्रिपाठी

*

जवानी

प्राण अन्तर में लिए, पागल जवानी !
कौन कहता है कि तू
विधवा हुई, खो आज पानी ?

चल रहीं घड़ियाँ
चले नभ के सितारे,
चल रहीं नदियाँ
चले हिमखंड प्यारे,
चल रही है साँस
फिर तू ठहर जाये ?
दो सदी पीछे कि
तेरी लहर जाये ?
पहन ले नरमुंड माला,
उठ, स्वमुंड सुमेरु कर ले,

भूमि-सा तू पहन बाना आज धानी
प्राण तेरे साथ हैं, उठ री जवानी !

द्वार बलि का खोल
चल, भूडोल कर दें
एक हिमगिरि एक सिर
का मोल कर दें,

मसलकर, अपने
इरादों-सी, उठाकर
दो हथेली हैं कि
पृथ्वी गोल कर दें ।

रासों में क्षुद्र पानी !
जाँच कर, तू सीस दे-देकर, जवानी !

टूटता-जुड़ता समय —
'भूगोल' आया,
गोद में मणियाँ समेट

खगोल आया,
क्या जले बारूद ?
हिम के प्राण पाये ।
क्या मिला ? जो प्रलय
के सपने न आये ।
धरा ? — यह तरबूज़
है दो फाँक कर दे,
चढ़ा दे स्वातंत्र्य-प्रभु पर अमर पानी ।
विश्व माने - तू जवानी है, जवानी !

लाल चेहरा है नहीं—
फिर लाल किसके ?
लाल खून नहीं —
अरे कंकाल किसके ?

प्रेरणा सोई कि
आटा-दाल किसके ?
सिर न चढ़ पाया
कि छापा माल किसके ?

वेद की वाणी कि हो आकाश-वाणी,
धूल है जो जग नहीं पायी जवानी ?

— माखनलाल चतुर्वेदी

*

पंचवटी

चारु चंद्र की चंचल किरणें
खेल रही हैं जल-थल में,
स्वच्छ चाँदनी बिछी हुई है,
अवनि और अम्बर तल में ।
पुलक प्रकट करती है धरती
हरित तृणों की नोकों से,
मानों झूम रहे हैं तरु भी
मन्द पवन के झोंकों से ।

क्या ही स्वच्छ चाँदनी है यह,
है क्या ही निस्तब्ध निशा;

है स्वच्छन्द सुमन्द गन्ध वह,
निरानन्द है कौन दिशा ?
बन्द नहीं, अब भी चलते हैं,
नियति नटी के कार्य-कलाप,
पर कितने एकान्त भाव से,
कितने शान्त और चुपचाप ।
गोदावरी नदी का तट यह
ताल दे रहा है अब भी,
चंचल-जल कल-कल कर मानो
तान दे रहा है अब भी,
नाच रहे हैं अब भी पत्ते,
मन-से सुमन महकते हैं,
चन्द्र और नक्षत्र ललक कर
लालच भरे लहकते हैं ।

— मैथिलीशरण गुप्त

*

श्री राम का संदेश

सीता :

"तुम इसी भाव से भरे यहाँ आये हो ?
यह घनश्याम-तनु धरे हरे, छाये हो ।
तो बरसो, सरसै रहे न भूमि जली-सी
मैं पाप पुंज पर टूट पड़ूँ - बिजली-सी ।"

राम :

हाँ, इसी भाव से भरा यहाँ आया मैं,
कुछ देने ही के लिए प्रिये, लाया मैं ।
निज रक्षा का अधिकार रहे जन, जन को,
सबकी सुविधा का भार किन्तु शासन को ।

मैं आर्यों का आदर्श बताने आया,
जन-सम्मुख धन को तुच्छ जताने आया ।
सुख-शान्ति-हेतु मैं क्रान्ति मचाने आया,
विश्वासी का विश्वास बचाने आया ।

मैं आया उनके हेतु कि जो तापित हैं,
जो विवश, विकल, बल-हीन, दीन, शापित हैं ।

हो जायँ अभय वे जिन्हें कि भय भासित है,
जो कौणप-कुल से मूक-सदृश शासित हैं ।

मैं आया, जिसमें बनी रहे मर्यादा,
बच जाय प्रलय से, मिटै न जीवन सादा ।
सुख देने आया, दुःख झेलने आया,
मैं मनुष्यत्व का नाट्य खेलने आया ।

भव में नव वैभव व्याप्त कराने आया,
नर को ईश्वरता प्राप्त कराने आया !
संदेश यहाँ मैं नहीं स्वर्ग का लाया,
इस भूतल को ही स्वर्ग बनाने आया ।"

— मैथिलीशरण गुप्त

*

भक्ति-सुख

जो सुख होत गुपालहिं गाएँ ।
सो सुख होत न जप-तप कीन्हें कोटिक तीरथ नहाएँ ।
दिएँ लेत नहिं चारि पदारथ, चरन-कमल चित लाएँ ।
तीन लोक तृन-सम करि लेखत, नंद-नंदन उर आएँ ।
बंसीवट, वृन्दावन, जमुना, तजि बैकुंठ न जावैं ।
सूरदास हरि को सुमिरन करि बहुरि न भवजल आवैं ।।

— सूरदास

*

भारत

अरुण यह मधुमय देश हमारा ।
जहाँ पहुँच अनजान क्षितिज को, मिलता एक सहारा ।

समस तामरस गर्भ विभा पर—नाच रही तरु शिखा मनोहर ।
छिटका जीवन हरियाली पर—मंगल कुंकुम सारा ।

लघु सुरधनु के पंख पसारे—शीतल मलय समीर सहारे ।
उड़ते खग जिस ओर मुँह किये—समझ नीड़ निज प्यारा ।

बरसाती आँखों के बादल—बनते जहाँ भरे करुणा जल ।
लहरें टकरातीं अनंत की—पाकर जहाँ किनारा ।

हेम कुम्भ ले उषा सवेरे—भरती ढुलकाती सुख मेरे ।
मदिर ऊँघते रहते जब,—जगकर रजनी भर तारा ।

— जयशंकर प्रसाद

*

मम्मी से

मम्मी बड़ी प्यारी, पप्पाजी की दुलारी,
कोई कहे चाँद, कोई प्रेम की प्याली

जब हम हँसते हैं, तब वह हँसती है,
जब हम रोते हैं, तब हमें मनाती है,
हम नसीबवाले तेरे जैसी मम्मी मिली,
जो हमें काँध पर ले खुद काँटों पे चली... मम्मी

है अनुराग तेरा हिमालय से भी ऊँचा,
जग में तेरा प्रेम सागर से भी गहरा,
नयन तेरे भरे अमृत से भरपूर,
तेरी नज़र से होता गुस्सा चकनाचूर... मम्मी

तेरा बदन है नील गगन-सा निर्मल,
तेरा स्मित उसे बनाता चाँद-सा शीतल,
तेरे बोल से बहलाता सबका दिल,
तेरी आरजू से कटती मुश्किल मंज़िल... मम्मी

सुख-दुःख में रहता तेरा प्रेम अचल,
तेरी आशिष से बनता जीवन मंगल,
कहे किरीट होता है मातृप्रेम अमर,
चाहना है करूँ तेरी सेवा जीवनभर... मम्मी

— किरीट शाह

*

पिताजी से

हम ऐसे पिता की संतान हैं, जो जीवनभर पालन करे ।
जो हमारे लिये अपने सुखों का त्याग करे,
बचपन से हमें सच्ची राह बताते रहे,
जो रहके खुद अंधेरे में औरों को प्रकाश दे... हम

जो आफ़तों से न डरे, मुश्किलों को हल करे,
दुश्मनों का करके दमन उन्हें दोस्त बना दे,
ज़िन्दगी है संग्राम वो संग्राम में लगे रहे... हम

अपने मन की जिसके हाथ में लगाम है,
जिसकी हर एक साँस प्यार का पैगाम है,
जिसका हर बचन प्रेरणा का संदेश है... हम

नफरत करनेवालों के सीने में प्यार भरे,
निर्धन का बनके साथी उनका काम करे,
जो निराश मन को नई जिन्दगी की आस दे... हम

अपने कौल के नाते सब न्योछावर करे,
खुद ही चल पड़े अगर कोई साथ न दे,
ऐसे पिता को झुक-झुककर प्रणाम करें... हम

— किरीट शाह

*

वन्दे मातरम्

वन्दे मातरम्... वन्दे मातरम्
सुजलाम् सुफलाम् मलयज शीतलाम्
शश्य श्यामलाम् मातरम् वन्दे मातरम्
शुभ्र-ज्योत्स्ना पुलकित यामिनीम्
फुल्ल कुसुमित द्रुमदल शोभीनीम्
सुहासिनीम् सुमधुर भाषिणीम्
सुखदाम् वरदाम् मातरम् वन्दे मातरम्
त्रिशं कोटि कण्ठ कलकल निनाद कराले
द्वितिश कोटि भुजै धृत-खर कलवाले केवल मां तमि ज्वले
बहुबल चारिणीम् नमामि तारिणीम्
रिपुदल वारिणीम् मातरम्... वन्दे मातरम्
वन्दे मातरम्... वन्दे मातरम्... वन्दे मातरम्...

— बंकिमचंद्र चेटरजी

*

राष्ट्रगीत

जनगण मन अधिनायक जय हे भारत भाग्य विधाता
पंजाब सिन्ध गुजरात मराठा, द्राविड उत्कल बंगा
विन्ध्य हिमाचल यमुना गंगा उच्छल जलधि तरंगा
गाये तव जय गाथा
जनगण मंगलदायक जय हे भारत भाग्य विधाता
जय हे, जय हे, जय हे, जय जय जय जय हे

— रवीन्द्रनाथ टागोर

*

ए मेरे वतन के लोगों

ए मेरे वतन के लोगों ! तुम खूब लगा लो नारा
ये शुभ दिन है हम सबका । लहरा लो तिरंगा प्यारा
पर मत भूलो सीमा पर वीरों ने हैं प्राण गँवाए
कुछ याद उन्हें भी कर लो, जो लौट के घर न आए
ए मेरे वतन के लोगों, जरा आँख में भर लो पानी
जो शहीद हुए हैं उनकी, जरा याद करो कुरबानी
जब घायल हुआ हिमालय, खतरे में पड़ी आज़ादी
जब तक थी साँस लड़े वो फिर अपनी लाश बिछा दी २
संगीन पे धरकर माथा सो गए अमर बलिदानी
जो शहीद हुए हैं उनकी....

जब देश में थी दीवाली वो खेल रहे थे होली
जब हम बैठे थे घरों में वो झेल रहे थे गोली
थे धन्य जवान वो अपने, थी धन्य वो उनकी जवानी
जो शहीद हुए हैं उनकी जरा याद करो कुरबानी
जो शहीद हुए हैं उनकी....

कोई सिख कोई जाट मराठा, कोई गोरखा कोई मद्रासी
शरहद पर मरनेवाला — २
हर वीर था भारतवासी
जो खून गिरा पर्वत पर, वो खून था हिन्दुस्तानी
जो शहीद हुए हैं उनकी जरा याद करो कुरबानी

थी खून से लथपथ काया फिर भी बन्दूक उठा के
दस दस को एकने मारा फिर गिर गये होश गवाँ के
जब अन्त समय आया तो — २
कह गए कि अब मरते हैं
खुश रहना देश के प्यारों अब हम तो सफर करते हैं
तुम भूल न जाओ उनको इसलिए सुनो यह कहानी
जो शहीद हुए हैं उनकी जरा याद करो कुरबानी
जय हिन्द, जय हिन्द की सेना, जय हिन्द, जय हिन्द की सेना,
जय हिन्द जय हिन्द जय हिन्द

— प्रदीप

*

मेरे देश की धरती

मेरे देश की धरती....
मेरे देश की धरती सोना उगले, उगले हीरे मोती
मेरे देश की धरती
बेलों के गले में जब घुंघरु जीवन का राग सुनाते हैं
गम कोसों दूर हो जाता है खुशियों के कमल मुस्काते हैं
सुनके ही रहट की आवाजे यूँ लगे कहीं शहनाई बजे
आते ही मस्त बहारों के दुल्हन की तरह हर खेत सजे
मेरे देश की धरती....

जब चलते हैं इस धरती पे हल ममता अंगडाइयाँ लेती हैं,
क्यों न पूजे इस माटी को जो जीवन का सुख देती हैं
इस धरती पे जिसने जन्म लिया उसने ही पाया प्यार तेरा,
यहाँ अपना पराया कोई नहीं है सब पे माँ उपकार तेरा,
मेरे देश की धरती...

यह बाग है गौतम नानक का, खिलते हैं अमन के फूल यहाँ
गांधी, सुभाष, टैगोर, तिलक ऐसे हैं चमन के फूल यहाँ
रंग हरा हरिसिंह नलवे से रंग लाल है लाल बहादुर से
रंग बना बसंती भगतसिंह रंग अमन का वीर जवाहर से
मेरे देश की धरती....

— इन्दीवर

*

इतनी शक्ति हमें देना दाता

भाग - १

इतनी शक्ति हमें देना दाता
मन का विश्वास कमजोर हो ना — २

हम चले नेक रस्ते पे हमसे भूलकर भी कोई भूल हो ना
इतनी शक्ति... हम चलें... इनती शक्ति...

दूर अज्ञान के हो अंधेरे तू हमें ज्ञान की रोशनी दे
हर बुराई से बचते रहे हम, जीतनी भी दे भली ज़िन्दगी दे
बैर हो ना किसी का किसी से
भावना मन में बदले की हो ना
इतनी शक्ति... हम चले...

हम ये सोचें किया क्या है अर्पन
फूल खुशियों के बाँटे सभी को
सबका जीवन ही बन जाए मधुबन
अपनी करुणा का जल तू बहा के
कर दे पावन हर इक मन का कोना, हम चलें... इतनी शक्ति

भाग - २

इतनी शक्ति हमें देना दाता
मन का विश्वास कमजोर हो ना — २
हम चलें नेक रस्ते पे हम-से भूलकर भी कोई भूल हो ना
इतनी शक्ति... हम चले... इतनी शक्ति...

हर तरफ जुल्म है बेबसी है सहमा-सहमा सा हर आदमी हैं
पाप का बोझ बढ़ता ही जाये जाने कैसे ये धरती थमी हैं
बोझ ममता से तू ये उठा ले तेरी रचना का ये अन्त हो ना
हम चले... इतनी शक्ति...

हम अँधेरे में हैं रोशनी दे, खो न दें खुद को ही दुश्मनी से
हम सजा पायें अपने किये की मौत भी हो तो सह ले खुशी से
कल जो गुजरा है फिर से ना गुजरे
आनेवाला वो कल ऐसा हो ना
हम चलें... इतनी शक्ति... २

*

अंधेरी-नगरी

अंधेरे नगरी अनबूझ राजा । टका सेर भाजी टका सेर खाजा ।।

नीच ऊँच सब एकहि ऐसे । जैसे भडुए पंडित तैसे ।।

कुल मरजाद न मान बड़ाई । सबै एक से लोग लुगाई ।।

जात पाँत पूछै नहि कोई । हरि को भजे सो हरि को होई ।।

वेश्या जोरू एक समाना । बकरी गऊ एक करि जाना ।।

साँचे मारे मारे डोलैं । छली दुष्ट सिर चढ़ि चढ़ि बोलैं ।।

प्रगट सभ्य अन्तर छलधारी । सोइ राजसभा बलभारी ।।

साँच कहैं ते पनही खावैं । झूठे बहुविधि पदवी पावै ।।

छलियन के एका के आगे । लाख कहौ एकहु नहि लागे ।।

भीतर होइ मलिन की कारो । चहिये बाहर रंग चटकारो ।।

धर्म अधर्म एक दरसाई । राजा करै सो न्याय सदाई ।।

भीतर स्वाहा बाहर सादे । राज करहि अमले अरु प्यादे ।।

अन्धाधुन्ध मच्यौ सब देसा । मानहुं राजा रहत विदेसा ।।

गो द्विज श्रुति आदर नहि होई । मानहुं नृपति बिधर्म्मी कोई ।।

ऊँच नीच सब एकहि सारा । मानहुं ब्रह्म ज्ञान विस्तारा ।।

अंधेर नगरी अनबूझ राजा । टका सेर भाजी टका सेर खाजा ।।

*

सारे जहाँ से अच्छा

सारे जहाँ से अच्छा, हिन्दोस्ताँ हमारा!
हम बुलबुलें हैं उसकी, वह गुलिस्ताँ हमारा!
गुरबत में हों अगर हम, रहता है दिल वतन में
समझो वहीं हमें भी, दिल हो जहाँ हमारा!

परबत वो सबसे ऊँचा, हमसाया आसमां का
वह सन्तरी हमारा वह पासवां हमारा!
गोदी में खेलती हैं जिसकी हजारों नदियाँ
गुलशन हैं जिसके दम से, रश्केजिनां हमारा!
ऐ आवे रोदे गंगा! वह दिन है याद तुझको,
उतरा तेरे किनारे, जब कारवां हमारा!
मजहब नहीं सिखाता, आपस में बैर रखना
हिन्दी हैं हम, वतन है, हिन्दोस्तां हमारा!
यूनानस मिस्र, रोमां, सब मिट गये जहाँ से
अब तक मगर है बाकी, नामोनिशां हमारा!
कुछ बात है कि हस्ती, मिटती नहीं हमारी
सदियों रहा है दुश्मन, दौरे-जमां हमारा!
इकबाल, कोई मरहूम, अपना नहीं जहाँ में
मालूम क्या किसी को दर्देनिहां हमारा!

— डॉ. इकबाल

*

हिमालय की चोटी से

आज हिमालय की चोटी से फिर हमने ललकारा है
दूर हटो, ए दुनिया वालो! हिन्दुस्तान हमारा है
जहाँ हमारा ताजमहल है और कुतुबमीनारा है
जहाँ हमारे मंदिर-मस्जिद, सिक्खों का गुरुद्वारा है
उस धरती पर कदम बढ़ाना अत्याचार तुम्हारा है

दूर हटो ए दुनियावालों! हिन्दुस्तान हमारा है...
शुरू हुआ है जंग तुम्हारा, जाग उठो हिन्दुस्तानी
तुम न किसी के आगे झुकना जर्मन हो या जापानी
आज सभी के लिए हमारा ये ही कौमी नारा है
दूर हटो ए दुनियावालों ! हिन्दुस्तान हमारा है।

— प्रदीप

*

आराम है हराम

आराम है हराम
भारत के नौजवानों आज़ादी के दीवानों
तुम देश के कोने-कोने में पहुँचा दो यह पैगाम
आराम है हराम

देखो पड़े हैं देश में अब तक कितने काम अधूरे
मिलकर हाथ बढ़ाओ तभी यह हो सकते हैं पूरे
आओ एक हो जाओ
इस देश को स्वर्ग बनाओ
भारत का हो इस दुनिया में सबसे ऊँचा नाम
आराम है हराम

जात-पात के बंधन तोड़ो ऊँच नीच को छोड़ो
नये समय से नये जगत से अपना नाता जोड़ो
बदलो ये ढंग पुराना, आया है नया जमाना
ऐसा करो सवेरा जिसकी कभी न आये शाम
आराम है हराम

कभी किसी के आगे अपनी झोली न फैलाना
चाहे रूखी-सूखी ही हाथों से कमाकर खाना
यही है आन तुम्हारी, यही है शान तुम्हारी
जिसमें अपना सिर झुकता हो, करो न ऐसा काम
आराम है हराम...

*

जहाँ डाल-डाल पर

जहाँ डाल-डाल पर सोने की चिड़िया करती हैं बसेरा
वो भारत देश है मेरा

जहाँ सत्य, अहिंसा और धर्म का पग-पग लगता डेरा
वो भारत देश है मेरा, वो भारत देश है मेरा
जहाँ डाल-डाल पर —

यह धरती जहाँ ऋषिमुनि, जपते प्रभु नाम की माला
जहाँ हर बालक एक मोहन है
और राधा हर एक बाला
जहाँ सूरज सबसे पहले आकर डाले अपना फेरा
वो भारत देश है मेरा —

अलबेलों की इस धरती के त्यौहार भी हैं अलबेले
कहीं दिवाली की जगमग है कहीं होली के मेले
जहाँ राग रंग और खुशी का चहुँ ओर है घेरा
वो भारत देश है मेरा —

जहाँ आसमान से बातें करते मंदिर और शिवाले
किसी नगर में किसी द्वार पर कोई न ताला डाले
प्रेम की बंसी जहाँ बजाता आए शाम सवेरा
वो भारत देश है मेरा —

— राजेन्द्र कृष्ण

*

साथी हाथ बढ़ाना

साथी हाथ बढ़ाना
एक अकेला थक जायेगा
मिलकर बोझ उठाना
साथी हाथ बढ़ाना

हम मेहनतवालों ने जब भी मिलकर कदम बढ़ाया
सागर ने रस्ता छोड़ा, परवत ने सीस झुकाया
फौलादी हैं सीने अपने फौलादी हैं बाँहें
हम चाहें तो पैदा कर दें चट्टानों में राहें
साथी हाथ बढ़ाना

मेहनत अपने लेख की रेखा मेहनत से क्या डरना
कल गैरों की खातिर की अब अपनी खातिर करना
अपना दुःख भी एक है साथी अपना सुख भी एक
अपनी मंजिल सच की मंजिल अपना रस्ता नेक
साथी हाथ बढ़ाना

एक से एक मिले तो कतरा बन जाता है दरिया
एक से एक मिले तो जर्रा बन जाता है सहरा
एक से एक मिले तो राई बन सकती है पर्वत
एक से एक मिले तो इन्सां बस में कर ले किस्मत
साथी हाथ बढ़ाना

माटी से हम लाल निकालें मोती लाएँ जल से
जो कुछ इस दुनिया में बना है बना हमारे बल से
कब तक मेहनत के पैरों ये दौलत की जंजीरें
हाथ बढ़ा कर छीन लो अपने सपनों की तस्वीरें
साथी हाथ बढ़ाना

— साहिर

*

सुनले बापू

सुनले बापू ये पैगाम, मेरी चिट्ठी तेरे नाम।
चिट्ठी में सबसे पहले, लिखता तुझको राम राम।
सुनले बापू...

काला धन काला व्यापार रिश्वत का है गरम बाजार।
सत्य अहिंसा करे पुकार, टूट गया चरखे का तार।
तेरे अनशन सत्याग्रह के, बदल गये असली बर्ताव।
एक नई विद्या है उपजी जिसको कहते हैं घेराव।
तेरी कठिन तपस्या का ये कैसा निकला है अंजाम।
चिट्ठी में सबसे पहले, लिखता तुझको राम राम।
सुनले बापू...

प्रान्त प्रान्त से टकराता है, भाषा पर भाषा की लात।
मैं पंजाबी तू बंगाली कौन करे भारत की बात।
तेरी हिंदी के पांवों में, अंग्रेजी ने डाली डोर।
तेरी लकड़ी ठगों ने ठग ली तेरी बकरी ले गये चोर।
साबरमती सिसकती तेरी, तड़प रहा है सेवाग्राम।
चिट्ठी में सबसे पहले, लिखता तुझको राम राम।
सुनले बापू...

रामराज की तेरी कल्पना उड़ी हवा में बन के कपूर।
बच्चों ने पढ़ना-लिखना छोड़ा, तोड़-फोड़ में हैं मगरूर।
नेता हो गये दल बदलू, देश की पगड़ी रहे उछाल।
तेरे पूत बिगड़ गये बापू, दारू बंदी हुई हलाल।

तेरे राजघाट पर फिर भी, फूल चढ़ाते सुबहो शाम।
चिट्ठी में सबसे पहले, लिखता तुझको राम राम।

— भरत व्यास

*

आओ बच्चों

आओ बच्चों तुम्हें दिखायें
झांकी हिन्दुस्तान की
इस मिट्टी से तिलक करो
ये धरती है बलिदान की
उत्तर में रखवाली करता, पर्वतराज विराट है
दक्षिण में चरणों को धोता, सागर का सम्राट है
जमना जी के तट को, देखो गंगा का ये घाट है
बाट-बाट पे हाट-हाट में, यहाँ निराला ठाठ है
देखो ये तस्वीरें अपने
गौरव की, अभिमान की
इस मिट्टी से तिलक करो, ये धरती है बलिदान की
ये है अपना राजपुताना, नाज़ इसे तलवारों पे
यहाँ प्रताप का वतन पला है
आज़ादी के नारों पे
कूद पडी थी जहाँ हज़ारों
पद्मिनियाँ अंगारों पे
बोल रही है कण-कण से
कुरबानी राजस्थान की
इस मिट्टी से तिलक करो ये धरती है बलिदान की

देखो मुल्क मराठों का ये
यहाँ शिवाजी डोला था
मुगलों की ताकत को
इसने तलवारों पे तोला था
हर पर्वत पे आग लगी थी
हर पत्थर एक शोला था
बोली हर-हर महादेव की
बच्चा-बच्चा बोला था
यहीं शिवाजी ने रखी थी लाज हमारी शान की
इस मिट्टी से तिलक करो ये धरती है बलिदान की
जलियाँ वाला बाग ये देखो यहाँ चली थीं गोलियाँ
ये मत पूछो किसने खेली यहाँ खून की होलियाँ
एक तरफ बन्दूकें दन-दन
एक तरफ थी टोलियाँ
मरने वाले बोल रहे थे इन्कलाब की बोलियाँ
यहाँ लगा दी बहनों ने भी बाजी अपनी जान की
इस मिट्टी से तिलक करो ये धरती है बलिदान की
ये देखो बंगाल यहाँ का हर चप्पा हरियाला है
यहाँ का बच्चा-बच्चा अपने देश पे मरने वाला है
डाला है इसको बिजली ने भूचालों ने पाला है।
मुट्ठी में तुफान बँधा है और प्राण में ज्वाला है
जन्मभूमि है यही हमारे वीर सुभाष महान की
इस मिट्टी से तिलक करो ये धरती है बलिदान की

— प्रदीप

*

होठों पर सच्चाई

होठों पर सच्चाई रहती है, जहाँ दिल में सफाई रहती है
हम उस देश के वासी हैं जिस देश में गंगा बहती है।
होठों पे सच्चाई रहती है...

मेहमां जो हमारा होता है वो जान से प्यार होता है।
ज्यादा की नहीं लालच हमको, थोड़े में गुजारा होता है।
बच्चों के लिए जो धरती माँ सदियों से,
सभी कुछ सहती है।
हम उस देश के वासी हैं...

कुछ लोग जो ज्यादा जानते हैं,
इन्सान को कम पहचानते हैं
ये पूरब है पूरब वाले हर जान की कीमत जानते हैं।
मिल जुल के रहो और प्यार करो,
इक चीज यही तो रहती है।
हम उस देश के वासी हैं...

जो जिससे मिला सीखा हमने,
गैरों को भी अपनाया हमने,
मतलब के लिए अन्धे होकर, रोटी को नहीं पूजा हमने,
अब हम तो क्या सारी दुनिया,
सारी दुनिया से कहती है।
हम उस देश के वासी हैं...

— शैलेन्द्र

*

दे दी हमें आज़ादी

दे दी हमें आज़ादी
बिना खड्ग बिना ढाल
साबरमती के संत, तूने कर दिया कमाल
आँधी में भी जलती रही, गाँधी तेरी मशाल
साबरमती के सन्त तूने कर दिया कमाल

धरती पे लड़ी तूने, अजब ढंग की लड़ाई
दागी न कहीं तोप, न बन्दूक चलाई
दुश्मन के किले पर, भी न की तूने चढ़ाई
वाह रे फकीर खूब करामात दिखाई
चुटकी में दुश्मनों को दिया देश से निकाल
साबरमती के संत तूने कर दिया कमाल

शतरंज बिछाकर यहाँ बैठा था जमाना
लगता था कि मुश्किल है फिरंगी को हराना
टक्कर भी बड़े जोर की दुश्मन भी था दाना
पर तू भी था बापू बड़ा उस्ताद पुराना
मारा वो कस के दाव
की उलटी सभी की चाल
साबरमती के सन्त तूने कर दिया कमाल

जब-जब तेरा बिगुल बजा जवान चल पड़े
हिन्दू व मुसलमान सिख पठान चल पड़े
कदमों पे तेरे कोटि-कोटि प्राण चल पड़े
फूलों की सेज छोड़ के दौड़े जवाहरलाल
साबरमती के सन्त तूने कर दिया कमाल

मन में थी अहिंसा की लगन तन पे लंगोटी
लाखों में घूमता था लिए सत्य की कसौटी

वैसे तो देखने में थी हस्ती तेरी छोटी
लेकिन तुझ से झुकती थी, हिमालय की भी चोटी

दुनिया में बेजोड़ था इन्सान बेमिसाल
साबरमती के सन्त, तूने कर दिया कमाल

जग में कोई जिया है, तो बापू तू ही जिया
तूने वतन की राह पे, सब कुछ लुटा दिया
मांगा न कोई तख्त न तो, ताज ही लिया

अमृत दिया सभी को, मगर खुद ज़हर पिया
जिस दिन तेरी चिता जली, रोया था महाकाल
साबरमती के सन्त तूने कर दिया कमाल

— प्रदीप

*

हम एक हैं

हम एक हैं हम एक हैं
मजहब जुदा-जुदा सही वतन तो एक है
हैं फूल रंग-रंग के चमन तो एक है
मजहम के लिए मुल्क गाफिल तो नहीं हम
हैं अमन के हामी कोई बुज़दिल तो नहीं हम
झुक सकता नहीं जुल्म के आगे ये तिरंगा
इस पर तो बहा सकते हैं हम खून की गंगा
भगत सिंह ने इसे सींचा है खून से
दुश्मन के होश उड़ गए जिसके जनून से
भूलेगा न भारत अब्दुल हमीद को
जिसने ही मिलाया है दिवाली से ईद को
बिछड़े दिलों को जिसने एक डोर में बाँधा
अय्यूब ने भी जिसको दिया प्यार से काँधा
वो शास्त्री हर दिल में जिसका नाम लिखा है
अपने लहू से अमन का पैगाम लिखा है
वो शास्त्री — वो शास्त्री
वादा किया जो अमन का वादा न तोड़ना
कोई जंग पे आ जाए तो जिंदा न छोड़ना
हम एक हैं हम एक हैं
जय हिन्द जय हिन्द...

— इन्दीवर

*

नन्हा मुन्ना राही

नन्हा मुन्ना राही हूँ देश का सिपाही हूँ
बोलो मेरे संग जय हिन्द, जय हिन्द, जय हिन्द
रस्ते पे चलूँगा न डर-डर के
चाहे मुझे जीना पड़े मर-मर के

मंजिल से पहले न लूंगा कहीं दम
दाहिने बाएँ, दाहिने बाएँ...
नन्हा मुन्ना राही...

धूप में पसीना बहाऊँगा जहाँ,
हरे-हरे खेत लहरायेंगे वहाँ
धरती पे फाके न पायेंगे जनम
आगे ही आगे बढ़ाऊँगा कदम
दाहिने बाएँ, दाहिने बाएँ
नन्हा मुन्ना राही...

नया है जमाना मेरी नई है डगर
देश को बनाऊँगा मशीनों का नगर
भारत किसे से न रहेगा कम
आगे ही आगे बढ़ाऊँगा कदम
दाहिने बाएँ, दाहिने बाएँ...
नन्हा मुन्ना राही...

बड़ा होके देश का सहारा बनूँगा
दुनिया की आँखों का तारा बनूँगा
रखूँगा ऊँचा तिरंगा हरदम
आगे ही आगे बढ़ाऊँगा कदम
दाहिने बाएँ, दाहिने बाएँ...
नन्हा मुन्ना राही...

शांति की नगरी है मेरा वतन
सबको सिखाऊँगा प्यार का चलन
दुनिया में गिरने न दूँगा कहीं बम
आगे ही आगे बढ़ाऊँगा कदम
दाहिने बाएँ, दाहिने बाएँ...
नन्हा मुन्ना राही...

— शकील बदायूंन

*

बापू की अमर कहानी

सुनो-सुनो ए दुनिया वालो बापू की ये अमर कहानी।
वह बापू जो पूज्य है इतना, जितना गंगा माँ का पानी।।
पोरबंदर गुजरात देश में, एक ऋषी ने जन्म लिया।
माता-पिता ने मोहनदास करमचन्द गाँधी नाम दिया।।

बचपन खेल-कूद में गुजरा, लन्दन जाकर विद्या पाई।
बैरिस्टर बन अफ्रीका में, जाकर अपनी धाक जमाई।।
लेकिन जो प्राणी दुनिया में, अमर कहाने आते हैं।
वो कब माया मोह में फंसकर, अपना समय गँवाते हैं।।
सुनो-सुनो...

आफ्रिका में हिन्दी जन की, बड़ी दुर्दशा पायी।
गोरे राज से टक्कर लेकर, सत्य की ज्योति जलाई।
फिर भारत की सेवा करने, अपने देश में आया।
साबरमती में सत्याग्रह का, आश्रम आन बनाया।।
और खिलाफत कान्फ्रेंस में, सभापति का दर्जा पाया।
इस्लामी अधिकार की रक्षा, में भी हाथ बँटाया।
हिन्दू-मुस्लिम दोनों उसकी, आँखों के तारे थे।
दुनिया के सारे ही मजहब, बापू को प्यारे थे।।
सुनो-सुनो...

भारत कौमी कांग्रेस की, ऐसी धूम मचाई।
कौमी झंड़े के नीचे फिर जनता दौड़ी आई।।
खादी का प्रचार किया फिर, घर-घर खादी आयी।
और विदेशी माल की होली गांधी ने जलवायी।।
चरखे की आवाज़ जो गूँजी, हुई मशीनें ठंडी।
और शान से लहराई, भारत की तिरंगी झंडी।।
सुनो-सुनो...

फिर पूर्ण स्वराज्य का नारा, जा लाहौर पुकारा।
आज़ादी का वीर सिपाही, कमी न हिम्मत हारा।
फिर डांडी पर जाकर अपने, हाथों नमक बनाया।
सारे देश को सत्याग्रह का, सुन्दर सबक पढ़ाया।
भारतवासी जपते थे फिर गांधी नाम की माला।
चालीस करोड़ दिलों पे छाया, एक लंगोटीवाला।
सुनो-सुनो...

सच्चाई का अटल पुजारी, जिसने कभी न हिम्मत हारी।
सरकारी कानून तोड़कर, दुनिया के आराम छोड़कर।।
देश के खातिर जेल गया और अपने सुख पर खेल गया।।
सुनो-सुनो...

हरिजनों का मान बढ़ाने, की खातिर व्रत रखा।
गांधी ने दुनिया के आगे, एक नया मत रखा।।
गाँव-गाँव में हरिजनों की, हालत देखी भाली।
हरिजन नाम से हरि सेवक ने इक, अखबार निकाली।।

कांग्रेस की बागडोर फिर, वीर जवाहर को देकर।
शुरू किया बापू ने अपना ग्राम सुधार का चक्कर।।
सुनो-सुनो...

एक नयी आवाज़ जो आई, शुरू हुई एक नई लड़ाई।
गूंजा फिर बापू का नारा, छोड़ो हिन्दुस्तान हमारा।
फिर आई एक जेल-यात्रा, जेलों से कब डरता था वो।
आज़ादी का परवाना था, आज़ादी पर मरता था वो।।
सुनो-सुनो...

जेल के अन्दर होनी ने फिर, अपना तीर चलाया।
बापूजी की अर्धांगी को, अन्त बुलावा आया।
जेल के अन्दर खामोशी से, देवी की चिता जलाई।
जनता अपनी माँ के अन्तिम दर्शन भी करने ना पाई।।
सुनो-सुनो...

हिन्दू-मुस्लिम के सीनों में, फिर भड़की नफरत की ज्वाला
जिसको देखकर दुःखी हुआ, कुरान और गीता का मतवाला।।
नवाखली में खून की होली, हैवानों ने खेली।
दया की मूरत बापू से ये, पीड़ा गई न झेली।।
तन पे लंगोटी हाथ में डंडा, होठों पे थी प्रेम की बानी।।
नगर-नगर पैदल फिरता था, अस्सी साल का बूढ़ा प्रानी।।
सन् सैंतालीस पन्द्रह अगस्त को,
आज़ादी का दिन जब आया।
अपने देश में अपना झंडा, धूम-धाम से लहराया।।
लेकिन उस दिन प्यारा बापू, भारत का उजियारा बापू।
दूर दिल्ली से नवाखली में, कमजोरों की रखवाली में।।
अपनी जान लड़ाये था और, अपना आप छुपाए था।
सुनो-सुनो...

कलकत्ते में फिर व्रत रक्खा, हिन्दु-मुस्लिम को समझाने।
बापू का ये चमत्कार था, समझ गये दोनों दीवाने।।
कलकत्ते से दिल्ली आकर, उस नगरी का, मान बढ़ाया।
सांझ-सवेरे राम-नाम का, बिरला घर में दिया जलाया।।
रघुपति राघव राजा राम, ईश्वर अल्ला तेरे नाम।
बापू का आधार यही था, बापू का प्रचार यही था।।
सुनो-सुनो...

तीस जनवरी शाम को बापू, बिरला घर से बाहर आये।
प्रार्थना स्थान की जानिब, धीरे-धीरे कदम बढ़ाये।।

लेकिन उस दिन होनी अपना, रूप बदल कर आई।
और अहिंसा के सीने पर, हिंसा ने गोली बरसाई।।
बापू ने कहा राम-राम! और जग से किया किनारा।
राम के मन्दिर में जा पहुँचा, श्रीराम का प्यारा।।
जाओ बापू, जाओ बापू! रहेगा नाम तुम्हारा।
बापू तुमने प्राण दिया और, मौत की शान बढ़ायी।।
तुमने अपना खून दिया, और प्रेम की ज्योति जलाई।
जय बापू की, जय गांधी की, बोलो सब जन जय गांधी।
जिसने हिन्दू मुस्लिम में, एक डोर प्यार की बाँधी।।
याद रहे बापू की कहानी, भूल न इसको जाएँ हम।
बापू ने जो दिया जलाया, उसकी ज्योति बढ़ाएँ हम।।
जय बापू की, जय गांधी की, बोलो सब जन जय गांधी।
जय गांधी, जय गांधी, जय गांधी, जय गांधी सुनो...

— राजेन्द्र कृष्ण

*

बदल गया इन्सान

देख तेरे संसार की हालत क्या हो गई भगवान
कितना बदल गया इन्सान
कितना बदल गया इन्सान
सूरज न बदला, चाँद न बदला, न बदला रे आसमान
कितना बदल गया इन्सान...

आया समय बड़ा बेढंगा
आज आदमी बना लफंगा
कहीं पै झगड़ा कहीं पै दंगा
नाच रहा नर होकर नंगा
छल और कपट के हाथों अपना बेच रहा ईमान
कितना बदल गया इन्सान...

राम के भक्त रहीम के बन्दे
रचते आज फरेब के फन्दे
कितने ये मक्कार, ये अन्धे
देख लिए इनके भी धन्धे
इन्हीं की काली करतूतों से, हुआ ये मुल्क मसान
कितना बदल गया इन्सान...

जो हम आपस में न झगड़ते
बने हुए खेल न बिगड़ते
काहे लाखों घर ये उजड़ते
क्यों बच्चे माँओं से बिछड़ते

फूट-फूट के क्यों रोते, प्यारे बापू के प्राण
कितना बदल गया इन्सान...

— प्रदीप

रघुपति राघव राजा राम

रघुपति राघव राजा राम, पतित पावन सीता राम ।
सीता राम, सीता राम, भज प्यारे तू, सीता राम ।।
ईश्वर अल्लाह तेरे नाम, सब को सन्मति दे भगवान ।
रघुपति राघव राजा राम, पतितपावन सीता राम ।

आरती

ॐ जय जगदीश हरे, स्वामी जय जगदीश हरे ।
भक्त जनों के संकट, दास जनों के संकट,
क्षण में दूर करे ।। .....ॐ जय...
जो ध्यावे फल पावे, दु:ख बिन से मन का,
स्वामी दु:ख बिन से मन का ।
सुख संपत्ति घर आवे, सुख संपत्ति घर आवे,
कष्ट मिटे तन का ।।..... ॐ जय...
मात पिता तुम मेरे, शरण पडूँ मैं जिसकी,
स्वामी शरण पडूँ मैं जिसकी ।
तुम बिन और न दूजा, प्रभु बिन और न दूजा,
आस करूँ मैं किसकी ।।..... ॐ जय...
तुम पूरण परमात्मा, तुम अंतर्यामी,
स्वामी तुम अंतर्यामी ।
पार ब्रह्म परमेश्वर, पार ब्रह्म परमेश्वर,
तुम सबके स्वामी ।।..... ॐ जय...
तुम करुणा के सागर तुम पालन कर्ता,
स्वामी तुम पालन कर्ता ।
मैं मूरख खल कामी, मैं सेवक तुम स्वामी,
कृपा करो भर्ता ।।..... ॐ जय...
तुम हो एक अगोचर सबके प्राणपति,
स्वामी सबके प्राणपति ।
किस विध मिलहूँ दयामय, किस विध मिलहूँ दयामय,
तुमको मैं कुमति ।।..... ॐ जय...
दीन बन्धु दु:ख हर्ता, ठाकुर तुम मेरे,
स्वामी रक्षक तुम मेरे ।
अपने हाथ उठाओ, अपनी शरण बिठाओ,
द्वार खड़ा मैं तेरे ।।..... ॐ जय...
विषय विकार मिटाओ, पाप हरो देवा,
स्वामी पाप हरो देवा ।
श्रद्धा भक्ति बढ़ाओ, श्रद्धा प्रेम बढ़ाओ,
संतन की सेवा ।।..... ॐ जय...
तन मन धन सब है तेरा, स्वामी सब कुछ है तेरा ।
तेरा तुझको अर्पण, तेरा तुझको अर्पण,
क्या लागे मेरा ।।..... ॐ जय...

न मैं जानूँ

न मैं जानूँ, आरती वन्दन, न पूजा की रीत
है अनजानी, दरस दीवानी, मेरी पागल प्रीत
लिये री मैंने, दो नयनों के
दीपक लिए जलाए
ऐ री, में तो प्रेम दीवानी मेरा
दर्द न जाने कोय
ऐ री, मैं तो...

आशा के फूलों की माला, साँसों के संगीत
इन पर फूल, चली बिछाने, अपने मन का मीत
लिये री मैंने, नयन डोर में
सपने लिये पिरोए
ऐ री, मैं तो प्रेम दीवानी मेरा
दर्द न जाने कोई....

दिल डूबा तारे मुरझाए सिसक-सिसक गई रैन
बैठी सूना पंथ निहारूँ झर-झर बरसत नैन
दुनिया के सब सपने जागे भाग हमारा सोये
ऐ बेदर्दी जीवन बाती
पलपल व्याकुल होय
ऐरी, मैं तो प्रेम दीवानी मेरा
दर्द न जाने कोय...

माँग सिन्दूर, लपट बन जागे, लगी अगन चहुँ ओर
रूठ गई हाथों की मेहँदी, टूटी मन की डोर
मेरो मन मोहन आयो न सखी री
रो - रो नैना खोये
घायल की गति, घायल जाने
कि जिन लागी होय
ऐ री, मैं तो प्रेम दीवानी मेरा
दर्द न जाने कोई...

— सत्येन्द्र

यशोमती मैया

यशोमती मैया से बोले नन्दलाला
राधा क्यों गोरी मैं क्यों काला?
बोली मुसकाती मैया, ललन को बताया,
कारी अंधियारी आधी रात में तू आया,
लाडला कन्हैया मेरा काली कामलीवाला,
इसीलिए काला

बोली मुसकाती मैया सुन मेरे प्यारे,
गोरी-गोरी राधिका के नैन कजरारे,
काले नैनोंवाली ने ऐसा जादू डाला,
इसीलिए काला

— पंडित नरेन्द्र शर्मा

*

सत्यम् शिवम् सुन्दरम्

ईश्वर सत्य है, सत्य ही शिव है, शिव ही सुन्दर है।
जागो उठकर देखो, जीवन ज्योति उजागर है।
सत्यम् शिवम् सुन्दरम्।

राम अवध में, काशी में शिव
कान्हा वृन्दावन में,
दया करो प्रभु, देखूँ इनको हर घर के आँगन में।
राधा मोहन शरणम् — सत्यम् शिवम् सुन्दरम्।
एक सूर्य है, एक गगन है,
एक ही धरती माता,
दया करो प्रभु, एक बनी सब, सबका एक सा नाता
राधा मोहन शरणम् — सत्यम् शिवम् सुन्दरम्।

— पंडित नारायण दत्त शर्मा

नर बिबिध कर्म, अधर्म, बहुमत शोकप्रद त्यागहु ।
विश्वासकरि कह दास तुलसी, रामपद अनुरागहु ।।

Prayer • प्रार्थना

Recite the prayer daily and regularly at a set time, preferably together with the entire family and also prior to starting studies. You may use any other prayer suitable for your religion or life style.

Transliteration

ॐ सत्यं वद ।
Om satyaṃ vada

धर्मं चर ।
Dharmaṃ cara.

सत्यान्न प्रमदितव्यम् ।
Satyānna pramaditavyam.

धर्मान्न प्रमदितव्यम् ।
Dharmānna pramaditavyam.

कुशलान्न प्रमदितव्यम् ।
Kuśalānna pramaditavyam.

भूत्यै न प्रमदितव्यम् ।
Bhūtyai na pramaditavyam.

स्वाध्याय प्रवचनाभ्यां न प्रमदितव्यम् ।
Swādhyāya pravacanābhyam na pramaditavyam.

देवपितृकार्याभ्यां न प्रमदितव्यम् ।
Devapitru-kāryābhyaṃ na pramaditavyam.

मातृदेवो भव ।
Matrudevo bhava.

पितृदेवो भव ।
Pitrudevo bhava.

आचार्यदेवो भव ।
Ācāryadevo bhava.

अतिथिदेवो भव ।
Atithidevo bhava.

ॐ शान्तिः । शान्तिः । शान्तिः ।
Om śantiḥ, śantiḥ, śantiḥ.

— 'तैत्तिरीयोपनिषद'में से

General Meaning

Om speak the truth.
Practise religion (sacred duties, righteousness).
Never deviate from the truth.
Never delay the religious work (duties).
Never withdraw from doing good deeds.
Never give up efforts for prosperity and advancement.
Never neglect studies and giving discourses.
Never negelect your duties towards Gods and forefathers.
See mother as God's image and adore her.
See father as God's image and adore him.
See teacher as God's image and adore.
See guest as God's image and adore.
Om Peace, Peace, Peace.

— From : Taittirīyopaniṣad

भावार्थ

ओम सत्य बोलिए ।
धर्मका आचरण कीजिए ।
सत्यका पालन करनमें विलम्ब मत कीजिए ।
कल्याणकारी शुभ काम करना मत भूलिए ।
अभ्युदय करनेवाले काम करनेमें प्रमाद मत कीजिए ।
स्वाध्याय और प्रवचन करनेमें आलस्य मत कीजिए ।
देवो और पितओ विषयक कर्तव्य कर्म चूकना मत ।
आप माता को देव मानकर उनकी भक्तिभावसे सेवा कीजिए ।
आप पिता को देव समझकर उनकी भक्तिभावसे सेवा कीजिए ।
आप आचार्य को देव समझकर उनका सत्कार कीजिए ।
आप अतिथि को देव मानकर उनका सत्कार सेवा कीजिए ।
ओम् शांति, शांति, शांति ।

— 'तैत्तिरीयोपनिषद'में से

12. Key to Exercises • अभ्यास के प्रश्नों की चाबी

Exercise 1 Classification of the Hindi nouns : (Page 165)

जातिवाचक	व्यक्तिवाचक	समूहवाचक	द्रव्यवाचक	भाववाचक
रेगिस्तान	हिमालय	नौसेना	पानी	भलाई
गाँव	कालिदास	संघ	कोयला	आनंद
लड़की	वाराणसी	चुनाव	चाँदी	स्वतंत्रता
पर्वत	कृष्णा	कारवाँ	चावल	दया
समुद्र		जुलूस	पारा	जवानी

Exercise 2 Changing the Gender of the nouns : (Page 167)

१. शिक्षक लड़कों को पढ़ाते हैं । — १. शिक्षिका लड़कियों को पढ़ाती हैं ।

२. रमण के चाचा लेखक हैं । — २. रमण की चाची लेखिका हैं ।

३. मामा नौकर के साथ अच्छा व्यवहार करते हैं । — ३. मामी नौकरानी के साथ अच्छा व्यवहार करती हैं ।

४. पिता अपने पुत्र के साथ खेलते हैं । — ४. माता अपनी पुत्री के साथ खेलती हैं ।

५. वह अच्छा अभिनेता है । — ५. वह अच्छी अभिनेत्री है ।

Exercise 3 The Plural forms of the nouns : (Page 169)

साला	साले	बहू	बहुएँ	कपड़ा	कपड़े	वस्तु	वस्तुएँ
लड़का	लड़के	माता	माताएँ	बच्चा	बच्चे	नौकर	नौकर
पुस्तक	पुस्तकें	दशा	दशाएँ	रास्ता	रास्ते	डाली	डालियाँ

Exercise 4 The case with its relation of the underlined words : (Page 172)

Sentence	First underlined word	Second underlined word
१. इस दुकान में सुन्दर किताबें हैं ।	अधिकरण कारक, स्थान के अर्थ में	कर्ता कारक, कर्ता के अर्थ में
२. रमेश मृत्यु से बच गया ।	कर्ता कारक, कर्ता के अर्थ में	अपादान कारक, अलग होने के अर्थ में
३. भाइयों, नशा करना आपके लिए बहुत बुरा होता है ।	संबोधन कारक, संबोधन के अर्थ में	संप्रदान कारक, 'के लिये' के (for) अर्थ में

Sentence	First underlined word	Second underlined word
४. समरथ को नहीं दोष गुसाई ।	संबंधकारक	संबोधनकारक, संबोधन के अर्थ में
५. चिड़िया जंगल से दूर एक पेड़ पर बैठ गई ।	अपादानकारक, अलग होने के अर्थ में	अधिकरण कारक, स्थान के अर्थ में
६. लड़के पतंग उड़ाते हैं ।	कर्ताकारक, कर्ता के अर्थ में	कर्मकारक, कर्म के अर्थ में
७. हम उसको बुलायेंगे, तब वहआयेगा ।	कर्मकारक, कर्म के अर्थ में	कर्ताकारक, कर्ता के अर्थ में
८. धन परिश्रम से सभी को प्राप्त होता है ।	करणकारक, साधन के अर्थ में	संप्रदानकारक

Exercise 5

The right case form of the word : (Page 172)

१. भारतको स्वतंत्रता **गांधीजी से** मिली।

२. हम **मोहन को** पहचानते हैं ।

३. पिता ने **बालक को** खिलौने दिये ।

४. नौकर **गाँव से** आया ।

५. सिपाही ने **तलवार से** उसका शिर अलग किया ।

६. मेरा काम एक **वर्ष में** पूरा होगा ।

७. मैंने **पारुल के लिये** खाना बनाया है ।

८. यह किसी **जंगल का** जानवर मालूम होता है ।

९. श्री हनुमानजी ने **सीता को** ढूँढ निकाला ।

१०. यह काम **तुम से** नहीं होगा ।

Exercise 6

The pronoun type with it s kind and case : (Page 176)

वाक्य	सर्वनाम	प्रकार	कारक
१. वह मेरा प्रिय शिष्य है ।	वह पुरुषवाचक	अन्य पुरुष	कर्ताकारक
	मेरा - पुरुष वाचक	उत्तम पुरुष	संबंधकारक
२. जो उनके गुणको जानता है, वह उसे आदर देता है ।	जो - संबंधवाचक	द्य	कर्ताकारक
	उनको - पुरषवाचक	अन्य पुरुष	कर्मवाचक
	वह - पुरुषवाचक	अन्य पुरुष	कर्ताकारक
	उसे - पुरुषवाचाक	अन्य पुरुष	कर्मकारक
३. ऐसा कौन होगा जो खुद को न पहचानेगा ?	कौन - प्रश्नवाचक	द्य	कर्ताकारक
	जो - संबंधवाचक	द्य	कर्ताकारक
	खुदको - स्ववाचक	द्य	कर्मकारक

वाक्य	सर्वनाम	प्रकार	कारक
४. हमें आपसमें लड़ना नहीं चाहिए ।	हमें - पुरुषवाचक	उत्तम पुरुष	संप्रदान
	आपस में - अन्योन्यवाचक	द्य	अधिकरण
५. आपको उनकी बात माननी पड़ेगी ।	आपको - पुरुषवाचक	निजवाचक	कर्मकारक
	उनको - पुरुषवाचक	अन्य पुरुष	संबंधकारक
६. उसका कुछ खो गया है ।	उसका - पुरुष वाचक	अन्य पुरुष	संबंधकारक
	कुछ - अनिश्चयवाचक	द्य	कर्मकारक
७. यह तुम्हारी अलमारी नहीं है ।	यह पुरुषवाचक	अन्य पुरुष	कर्ताकारक
	तुम्हारी - पुरुषवाचक	द्यमध्यम पुरुष	संबंधकारक
८. कौन सब जान सका है ?	कौन - प्रश्नवाचक	द्य	कर्ताकारक
	सब - निश्चयवाचक	द्य	कर्मकारक
९. मुझसे वह ड़रता है ।	मुझसे - पुरुषवाचक	उत्तम पुरुष	अपादान
	वह - पुरुषवाचक	अन्य पुरुष	कर्ताकारक

Exercise 7 The adjectives and their kind : (Page 178)

वाक्य	विशेषण	प्रकार
१. परिश्रमी मनुष्य सुखी होता है ।	परिश्रमी, सुखी	गुणवाचक, अविकारी विशे.
२. आज छाछ अच्छी बनी है ।	अच्छी	गुणवाचक, विकारी
३. हमें कुछ काम अवश्य करना चाहिए ।	कुछ	अनिश्चयवाचक, अविकारी
४. नरेश को स्वादिष्ट खाना पसंद है ।	स्वादिष्ट	गुणवाचक, अविकारी
५. कड़ुआ औषध स्वास्थ्य के लिए लाभदायी है ।	कड़ुआ लाभदायी	गुणवाचक, विकारी गुणवाचक, अविकारी
६. मैंने दुगुने पैसे देकर आम खरीदे ।	दुगुने	संख्यावाचक, विकारी
७. एकलव्य का कोई गुरु नहीं बना ।	कोई	अनिश्चयवाचक, अविकारी
८. भैरवी को गाते पंछी अच्छे लगते हैं ।	गाते अच्छे	कृदंत विशेषण, विकारी गुणवाचक, विकारी

Exercise 8 Appropriate forms of adjectives : (Page 179)

१. ताज़ा सागभाजी खाइए ।
२. यह पहलवान तगड़ा है ।
३. ये सभी चंचल लड़कियाँ हैं ।
४. शिवाजी ने कपटी अफजलखान को मार डाला ।
५. पंडित सुखलालाजी अंधे थे ।
६. बीमार मनुष्य दौड़ नहीं सकता ।
७. गर्मियों के दिनों में ठंडा पानी पीना चाहिए ।
८. मंगल पांडे भारत का पहला क्रांतिकारी था ।
९. औरंगझेब निर्दय राजा था ।
१०. जो काम करेगा वह सुख पायेगा ।
११. सरोजिनी नायडू एक प्रसिद्ध कवयित्री थीं।
१२. मैं पहले मजले पर रहता हूँ ।
१३. चोरी करने पर चोर को दुगुना दंड मिला ।
१४. वह गाय काली है ।

Exercise 9 The verbs and their kind : (Page 180)

वाक्य	क्रिया	प्रकार
१. मैंने गरीब को दान दिया ।	दिया	सकर्मक क्रिया (द्विकर्मक)
२. मुझे यहाँ अच्छा नहीं लगता ।	लगता	अकर्मक क्रिया
३. करेगा सो भरेगा ।	करेगा, भरेगा	अकर्मक क्रिया
४. आज ठंडी हवा बह रही है ।	बह रही है	संयुक्त क्रिया, सहायक क्रिया
५. अब अमेरिका में रात हुई होगी ।	हुई होगी	संयुक्त क्रिया (मुख्य), सहायक क्रिया

Exercise 10 Sentences using the following words as subject : (Page 181)

सूर्य, बादल, विनय, दोस्त, दुश्मन, जवाहरलाल नेहरू, नाव, मक्खी ।

१. सूर्य हमें जीवन देता है ।
२. बादल बरसता है ।
३. विनय विद्या की शोभा है ।
४. जो दुःख में साथ दे वही सच्चा दोस्त है ।
५. बेवफा दोस्त से तो दानी दुश्मन अधिक अच्छा है ।
६. जवाहरलाल नेहरू भारत के पहले प्रधानमंत्री थे ।
७. नाविकने राम से कहा, 'मेरी नाव तो काठ की है ।'
८. मक्खी फूलों में से मधु इकट्ठा करती है ।

Exercise 11 Sentences using the following words as objects : (Page 181)

वर्षा, पानी, मेहनत, दया, तालाब, रेलवे, मातृभूमि, घर, उषा, कुआँ ।

१. कई बादल मिथ्या गरजते हैं और कई वर्षा लाते हैं ।
२. पिपासित राजा रन्तिदेव ने भिक्षुक को सारा पानी दे दिया ।
३. मैं मेहनत को पारसमणि मानती हूँ ।
४. भगवान प्रत्येक जीव पर दया करता है ।
५. शिकारी ने मृगजल में तालाब देखा ।
६. सेना ने दो दिनों में एक मील लम्बी रेलवे बना डाली ।
७. मातृभूमि को मेरे कोटि कोटि प्रणाम ।
८. बहुत दिनों बाद अपने घर को देखकर लड़की खुश हुई ।
९. डूबते बालक को बचाने के साहस पर प्रधानमंत्री ने उषा को सुवर्णचंद्रक दिया ।
१०. परोपकारी राजा ने गाँव गाँव कुएँ खुदवाये ।

Exercise 12 The mood & tense of the verbs : (Page 184)

वाक्य	क्रिया	अर्थ	काल
१. सूर्य पूर्व में उदित होता है ।	उदित होता है	निश्चयार्थ	सामान्य वर्त.
२. आज हम घर जायेंगे ।	जायेंगे	निश्चयार्थ	सामान्य भवि.
३. वह राजा योग्य है जो प्रजाका पालन करे ।	है	निश्चयार्थ	सामान्य वर्त.
	करे	संदेहार्थ	सामान्य वर्त.
४. सदा सत्य बोलो ।	बोलो	आज्ञार्थ	सामान्य वर्त.
५. यदि आप आते तो मैं जाता ।	आते, जाता	संदेहार्थ	सामान्य भवि.
६. नौकर चिट्ठी नहीं लाया ।	लाया	निश्चयार्थ	सामान्य भूत.
७. क्या आप नहीं जायेंगे ?	जायेंगे	निश्चयार्थ	सामान्य वर्त.
८. अलका किताब पढ़ती होगी ।	पढ़ती होगी	निश्चयार्थ	अपूर्ण भवि.

Exercise 13 The प्रयोग of the verbs : (Page 188)

वाक्य	प्रयोग	वाक्य	प्रयोग
१. मोहन किताब पढ़ता है	कर्तरी	७. उसने कहानी कही ।	कर्तरी
२. सीता ने रोटी खाई ।	कर्तरी	८. बाप ने लड़के से चिट्ठी लिखवाई ।	कर्मणि
३. मोहन से लड्डू खाये गये ।	कर्मणि	९. मुझसे चला जायेगा ।	भावे
४. बालक से चला जाता है ।	कर्मणि	१०. लड़का बुलवाया गया है ।	कर्मणि
५. लड़के ने काम किया ।	कर्तरी	११. मैंने काम किया ।	कर्तरी
६. धोबी कपड़े धोयेगा ।	कर्तरी	१२. लड़की चल नहीं सकती ।	कर्तरी

Exercise 14 कर्तृवाच्य, कर्मवाच्य और प्रेरणार्थक के वाक्य : (Page 188)

क्रिया	कर्तृवाच्य Active	कर्मवाच्य Passive	प्रेरणार्थक Causal
पीना to drink	बालक दूध पीता है ।	बालक से दूध पिया जाता है ।	माँ बालक को दूध पिलाती है ।
देना to give	राम फल देता है ।	राम से फल दिया जाता है ।	पिता राम से फल दिलाता है ।
देखना to see	उमा चित्र देखती है ।	उमा से चित्र देखा जाता है ।	नरेश उमा को चित्र दिखाता है ।
जलना to burn	बालक दीप जलाता है ।	बालक से दीप जलाया जाता है ।	माँ बालक से दीप जलवाती है ।
गिरना to fall	रोम पर्वत से पत्थर गिरताहै ।	राम ने पर्वत से पत्थर गिराया ।	गोविन्द ने राम से पर्वत पर से पत्थर गिरवाया ।
बैठना to sit	लड़का गुरुचरन में बेठा ।	लड़के से गुरुचरन में बैठा गया ।	पिता ने लड़के को गुरुचरन में बिठाया ।

Exercise 15 The participles with their type : (Page 190)

वाक्य	कृदंत	प्रकार
१. बोलना सहज है, करना कठिन है ।	बोलना, करना	सामान्य कृदंत
२. देकर खुश रहो, लेकर नहीं ।	देकर, लेकर	संबंधक भूत कृदंत
३. भौंकते कुत्ते काटते नहीं, गरजता मेघ बरसता नहीं ।	भौंकते, गरजता	वर्तमानकालिक कृदंत
४. खाना पीना और मौज मनाना यह जीवन का हेतु नहीं है ।	खाना, पीना, मनाना	सामान्य कृदंत
५. मरकर जीये वह महामानव ।	मरकर	संबंधक भूतकृदंत
६. वे उसे मारने के लिए आये किन्तु उसके पैरों पड़े ।	मारने के लिए	हेत्वर्थ कृदंत
७. मुरझाया हुआ गुलाब सूंघने से क्या लाभ ?	मुरझाया हुआ	भूतकालिक कृदंत
८. लड़की दौड़ते-दौड़ते थक गई ।	दौड़ते-दौड़ते	वर्तमानकालिक कृदंत
९. मेरे पास बोलनेवाला तोता है ।	बोलनेवाला (बोलता)	भविष्य कृदंत
१०. नदी का पानी बहता रहता है ।	बहता	वर्तमानकालिक कृदंत

Exercise 16 Simple sentences using participles : (Page 191)

वाक्य	वाक्य, कृदंत के साथ	प्रकार
१. वह आया । उसने उपद्रव मचाया ।	उसने आते ही उपद्रव मचाया ।	वर्तमान कृदंत
२. मैंने उसे कहा । उसने नहीं माना ।	उसने मेरा कहा नहीं माना ।	भूतकालिक कृदंत
३. मुझे एक रुपया दीजिए । मुझे फूल लेने हैं ।	फूल लेने के लिए मुझे एक रुपया दीजिए ।	हेत्वर्थ कृदंत
४. आज सभा है । सभा में कृष्णा बोलेगी ।	आजकी सभा में कृष्णा बोलने वाली है ।	भविष्य कृदंत
५. सूरज डूबता है, मैं वह दृश्य देखता हूँ ।	डूबते सूरज का दृश्य मैं देखता हूँ ।	वर्तमान कृदंत
६. धन प्राप्त कीजिए । उसका अच्छा उपयोग कीजिए ।	धन प्राप्त करके उसका अच्छा उपयोग कीजिए ।	संबंधक कृदंत
७. कसरत करो । आपके लिए कसरत जरूरी है ।	कसरत करना आपके लिये जरूरी है ।	सामान्य कृदंत
८. उसने नदी में स्नान किया । वहाँ से वह मंदिर गया ।	नदी में स्नान करके वह मंदिर गया ।	संबंधक कृदंत
९. लड़के पाठशाला जाते हैं । वहाँ वे पढ़ते हैं ।	लडके पाठशाला जाकर पढ़ते हैं ।	संबंधक भूतकृदंत

वाक्य	वाक्य, कृदंत के साथ	प्रकार
१०. सत्ता, धन, यौवन का भार सहो । यह कठिन है ।	सत्ता, धन, यौवन का भार सहना कठिन है ।	सामान्य कृदंत
११. सूरज उगता है । कमल खिलता है ।	सूरज उगने से कमल खिलता है ।	हेत्वर्थ कृदंत

Exercise 17 The adverbs with their kinds : (Page 194)

वाक्य	क्रियाविशेषण अव्यय का प्रकार
१. राजा ने मुनिको आदरपूर्वक सिंहासन पर बिठाया ।	रीतिवाचक
२. कौन पूर्णतया सुखी है ?	परिमाणवाचक
३. लड़का बाहर गया है ?	स्थानवाचक
४. आप वहाँ क्यों गये थे ?	स्थानवाचक, कारणवाचक
५. ईश्वर सदा और सर्वत्र सबकी रक्षा करते हैं ।	कालवाचक, स्थानवाचक
६. तुम लगातार झूठ बोल रहे हो ।	रीतिवाचक
७. शायद मैं तुम्हारे घर आउँगा ।	अनिश्चयवाचक
८. मन ! तुझे किस प्रकार से समझाऊँ ।	रीतिवाचक
९. उसका विश्वास नहीं किया जाता ।	निषेधवाचक
१०. हाँ, मैं जरूर तुम्हे बुलाऊँगा ।	स्वीकारवाचक, निश्चयवाचक

Exercise 18 Use of suitable adverbs : (Page 195)

१. गाँधीजी ने कभी हिंसा की बात नहीं की थी ।
२. हमें निरंतर काम करते रहना चाहिए ।
३. कृष्ण ने अन्त में कंस का वध किया ।
४. घर में अभी कौन है ?
५. आप इधर क्यों आये हैं ?
६. लड़की बहुत हँसती है ।
७. किसी समय मैं तुम्हारे घर आऊँगा ।
८. आपने ऐसा काम क्यों किया ?
९. मैं वहाँ कभी नहीं जाऊँगा ।

Exercise 19 Use of prepositions : (Page 196)

१. झांसी की रानी लक्ष्मीबाई ने देश की खातिर बलिदान दिया ।
२. जुआ खेलने के बाद वह बरबाद हो गया ।
३. कृष्ण राधा के साथ रास खेलने लगे ।
४. मेरा गाँव नदी के पास आया है ।
५. राजा हरिश्चन्द्रने जीवन पर्यंत सत्य को नहीं छोड़ा ।
६. लक्ष्मण चौदह वर्ष के बाद पत्नी ऊर्मिला से मिला ।
७. उसने दोस्त के लिए कुरबानी दी ।
८. गोपियाँ कृष्ण के बिना रह नहीं सकती थीं ।
९. तुम मेरे वास्ते यह काम करना ।
१०. शिवमन्दिर के निकट पीपल का पेड़ है ।
११. एक शेर पेड़ पर चढ़ गया ।
१२. वह घर के भीतरगया ।
१३. चौपट राजा ने कोतवाल को फाँसी पर चढ़ाने की सजा दी ।
१४. गणेश ने शिवपार्वती के आसपास प्रदक्षिणा की ।
१५. राजा के सम्मुख कौन खड़ा रह सकता है ?
१६. मुझे तुम गाँव तक पहुँचा दो ।
१७. अपने हृदय के भीतर परमात्मा निवास करते हैं ।
१८. पद्मिनी के समान सुन्दरी अन्य नहीं हो सकती ।
१९. तुम मेरे सामने मत खड़े रहो ।

Exercise 20

Indeclinables with their names : (Page 199)

१. वह नदी तक गया	संबंध
२. ऐसी बात कीजिए कि लोग स्वीकार करें ।	समुच्चय
३. मिल्खासिंग लगातार दौड़ता रहा ।	क्रि. वि. रीतिवाचक
४. पिता की इच्छा के विरुद्ध कोई काम मतकरो ।	संबंध., क्रि. वि. निषेधक
५. तुम कितना काम करोगे ?	क्रि. वि. परिमाण।
६. सच है, रामकृष्ण परमहंस भक्त थे !	विस्मय
७. मैं अभी बाहर जा रहा हूँ ।	क्रि. वि. काल क्रि. वि. स्थान
८. मुझे आजकल नींद नहीं आती ।	क्रि. वि. काल - क्रि. वि. निषेध
९. आप अचानक कैसे आये ?	क्रि. वि., रीतिवाचक
१०. अगर अधिक ज्ञान पाओगे तो ज्ञानी कहलाओगे ।	समुच्चक.
११. अच्छे आदमी बनो नहीं तो दुःख मिलेगा ।	समुच्चय.
१२. हम तुम्हारे पीछे खड़े हैं ।	संबंध.
१३. चेतक बहुत तेज दौड़ता है ।	क्रि. वि. परिमाण, क्रि. वि. रीति.

१४. जितना हो सके उतना ही काम करो ।	क्रि. वि. परिमाण
१५. विवेकानंद हिन्दू धर्म के लिए अमरिका गये थे ।	समुच्चय
१६. कालिदास और भारवि महाकवि थे ।	समुच्चय
१७. आह ! प्रेमचंद ने कितना सुंदर लिखा है ।	क्रि. वि. परिमाण
१८. हे भगवान ! अब काम कब पूरा होगा ?	क्रि. वि. काल अनिश्चय

Exercise 21 Translation Exercises (Page 205)

1 अगर आपका जीवन कंगाल हो तो भी उसे चाहो । गरीब घर में भी आप कुछ न कुछ सुखकर और रोमांचक क्षणों को प्राप्त कर सकते हैं ।

2 जब तक मेरे पास दो कोट हों और दूसरे किसी के पास एक भी कोट न हो तब तक मैं गुनाह में हिस्सेदार हूँ, ऐसा एहसास मुझे हौता है ।

3 राजकुमार गौतम ने सदा के लिये अपने धन, सत्ता और पद का त्याग किया । सुखी संसार का प्रेम और जवान पत्नी का स्नेह छोड़कर सत्य की खोज के लिए घोड़े पर सवार होकर वे रात्रि के निःशब्द अंधकार में दूर दूर चले गये और वे बुद्ध बने ।

4 निर्भय बनो, शक्तिशाली बनो । मनुष्य घृणास्पद पापी नहीं है बल्कि ईश्वर का अंश है । अशक्ति ही पाप है । सभी अशक्तियाँ टालो । हृदय में राम और हाथ में काम रखो ।

5 अमुक रीतियों में कुछ प्राणी मनुष्य से अधिक कार्यक्षम होते हैं । मधुमक्खी, फतिङ्ग और चींटी को सहकार की कला में और सार्वजनिक कल्याण के लिए त्याग में मनुष्य से भी बढ़िया जानकारी प्राप्तहै ।

6 जीवन से मैं यह सीखा हूँ कि दूसरों की सेवा करने में, दूसरों को लेशमात्र भी कष्ट नहीं देने में और दूसरों को बिना हानि पहुँचाये कुछ भी प्राप्त करने में ही धर्म रहा है । यह तभी संभव है जब कोई व्यक्ति निर्भय बनता है । स्वावलंबी बने बिना कोई भी व्यक्ति न तो निर्भय बन सकता है, न तो दूसरों की सेवा कर सकता है ।

7 ईश्वर ! यह मेरी तुझसे प्रार्थना है :
मेरे हृदय से दीनता, निर्मूल कर दे ! मेरे आनंद और शोक को सहज भाव से सहने की शक्ति मुझे दे, रोजिन्दा तुच्छ बातों से मेरे मन को ऊपर उठाने का मुझे बल दे, और मेरी शक्ति को, तेरी इच्छा के अनुसार प्रेम से तुझे समर्पित करने का सामर्थ्य मुझे दे ।

8 कलिंग के युद्ध के बाद सम्राट अशोक ने अपने आपसे कहा "युद्ध से हजारों परिवार यातनाग्रस्त हो जाते हैं । अब मैं कभी युद्ध नहीं करूँगा ।" और जीवन भर अपनी प्रजा के कल्याण की देखभाल करता रहा और भगवान बुद्ध के संदेश के अनुसार जीवमात्र के प्रति शांति, प्रेम और करुणा का कार्य करता रहा ।

9 बांस अपने शिर आकाश में उन्नत रख सकते हैं क्यों कि वे अनेक प्रकार से उपयोगी हैं ।

10 मेरे लिए सत्य ही ईश्वर है । मेरे जैसे सेंकड़ों का नाश हो, किन्तु सत्य की विजय हो ।

11 अभय सत्य और उसके साथ संयुक्त हुआ कार्य गांधीजी के उपदेश का सारांश था । वे हमेशा अपने खयालों में जनकल्याण की भावना रखते थे । हरेक आँख से हर आँसू पोंछने की उनकी महेच्छा थी ।

Political Map of India

The twenty five states of Indian Union are: Andhra Pradesh, Arunachal Pradesh, Assam, Bihar, Goa, **Gujarat**, Haryana, Himachal Pradesh, Jammu & Kashmir, Karnataka, Kerala, Madhya Pradesh, Maharashtra, Manipur, Meghalaya, Mizoram, Nagaland, Orissa, Punjab, Rajasthan, Sikkim, Tamilnadu, Tripura, Uttar Pradesh, and West Bengal.

The seven centrally administered territories are: Andaman & Nicobar Islands, Chandigarh, Daman & Diu, Dadra & Nagar Haveli, Delhi, Lakshadweep, and Pondicherry.

India is entirely situated in the northern hemisphere. Mainland approximately extends between latitudes 8°4' to 37°6' north and longitudes 68°7' to 97°25' east. Approximate area is 12,700 square miles (3,287,300 square kilometers).

Courtesy of External Publicity Division, Ministry of External Affairs, Government of India, New Delhi

English Word, Page# (Column#)

today 96 (2)
toe 102 (1)
tolerate 90 (2)
tolerance 102 (2)
tomato 22, 109 (2)
tomorrow 28 (4), 96 (2)
tongue 102 (2)
tonsillitis 104 (2)
tool 53 (4)
tooth 102 (1)
top 28 (3), 76 (4), 121 (1)
topaz 98 (2)
toss 90 (2)
tourism 77 (1)
towards 83 (2), 94 (2)
traffic 53 (3)
train 90 (2)
transmit 90 (2)
transparent 83 (2)
transport 57 (3)
travel 31 (4), 90 (2)
travelling 77 (2)
tree 57 (2), 93 (2)
trick 59 (3)
triumph 29 (2)
trouble 55 (2)
true 83 (2)
trust 58 (2)
truth 115 (2)
truthfulness 73
try 90 (2)
Tuesday 96 (1)
turban 111 (2)
turmeric 107 (2)
turn 58 (3), 90 (2)
turnip 109 (2)
twilight 96 (1)
typhoid 104 (2)
typhus 104 (2)
ugly 83 (2)
umbrella 21, 76 (3)
unanimous 83 (2)
unbroken 83 (2)
uncle 106 (2)
understand 90 (2)
understanding 31 (4)
underwear 111 (2)
undivided 83 (2)
undo 90 (2)
unfit 83 (2)
unfortunate 83 (2)
unhappiness 56 (1)
union 54 (3), 58 (3)
unit 28 (3)
university 114 (2)
unmarried girl 58 (4)
unparallel/nonparallel 83 (2)
unsuccessful 28 (2), 83 (2)
up to 29 (4)
uplift 90 (2)
upright 73
Uranus 95 (2)
use 58 (1), 90 (2)
useful 83 (2)
useless 83 (2)
useless thing 52 (2)
utter 90 (2)
valley 93 (2)
vegetable 26, 108
vegetable merchant 118 (2)
vehicle 53 (3)
veil 28 (2)
vein 30 (2), 31 (1)
velvet 30 (4)
vender 77(4)
Venus 95 (1)
verdict 57 (4)
vessel 59 (3)
vest (banian) 111 (1)
vetches 109 (2)
vice 56 (1)
victor 57 (3)
victory 29 (2), 54 (3), 30 (3)
vinegar 108 (2)
violence 59 (4)
violet 111 (2)
Virgo 95 (1)
virtue 56 (2)
visit 56 (2)
vomiting 104 (2)
vote 31 (1)
vulture 100 (2)
wager 58 (4)
waist 28 (4), 102 (2)
waistcoat 111 (2)
wait 90 (2)
waiting 59 (1)
wake 90 (2)
walk 90 (2), 112 (2)
wall 55 (2)
wall clock 119 (2)
walnut 110 (2)
want 90 (2)
war 31 (1), 59 (2)
warehouse 58 (1)
warm 83 (2), 76 (2)
warning 57 (1)
warrior 57 (4)
wash 90 (2)
washerman 118 (2)
wasp 99 (2)
watch key 55 (1)
watchful 83 (2)
water 29 (2), 93 (2)
water pot 58 (3)
water reservoir 58 (4)
watermelon 109 (2)
wave 20, 31 (2), 93 (2)
way 30 (2), 53 (3)
we 31 (4)
weak 58 (1), 83 (2)
wealth 30 (1), 57 (4)
wealth 58 (4), 59 (4)
wealthy 83 (2)
weapon (strong) 74
wear 90 (2)
weave 91 (1)
weaver 118 (2)
wedding 77 (2), 104 (2)
Wednesday 96 (1)
week 77 (4), 96 (2)
weekly 115 (2)
weevil 99 (2)
weigh 91 (1)
weight 31 (2), 53 (2)
welfare 59 (3)
well settled 83 (2)
west 94 (1)
wet 84 (1)
what 76 (2)
wheat 107 (2)
wheel 76 (3)
when 28 (4), 29 (3)
where 54 (1)
while 29 (3)
whip 29 (1)
white 73, 111 (2)
white ant 99 (2)
whole 52 (4), 84 (1)
whooping cough 104 (2)
wide 84 (1)
widow 104 (2)
wife 56 (4), 77 (1), 104 (2)
wild 77 (3), 84 (1), 94 (1)
wind 30 (2), 55 (4), 98 (2)
window 55 (1), 112 (2)
windpipe 102 (2)
wing 59 (3)
winter 98 (2)
wise 84 (1)
wish 52 (3), 55 (3)
wish 73, 91 (1)
with thanks 53 (4)
wither 91 (1)
without 84 (1)
wolf 100 (2)
woman 55 (3)
woodpecker 100 (2)
wool 18
word 77 (3), 77 (4)
work 52 (2), 76 (2), 77 (1)
work 91 (1), 119 (2)
worker 119 (2)
world 29 (3), 56 (1)
world 75, 94 (2)
worldly 84 (2)
worry 59 (2)
worship 56 (3), 91 (2), 115 (2)
wound 29 (2)
woven 84 (2)
wrath 29 (1)
wrist 102 (2)
write 91 (2)
writer 115 (2)
wrong 20, 29 (1), 84 (2)
yak 100 (2)
yam 109 (2)
yarn 18, 56 (4)
yawn 91 (2)
year 30 (4), 53 (4), 96 (2)
year end 96 (2)
yearn 91 (2)
yellow 111 (2)
yesterday 28 (4), 96 (2)
yield 28 (3), 91 (2)
yoga posture 28 (2)
yogurt 108 (1)
you 56 (1)
young 84 (2)
your honor 56 (4)
youthful 84 (2)
zeal 76 (2)
zest 59 (1)
zigzag 84 (2)
zinc 98 (2)
zinnia 110 (2)
zip code 116 (2)
zodiac 54 (3)

Index

KIRIT N. SHAH, AUTHOR & PUBLISHER
980 MORAGA AVENUE, PIEDMONT, CALIFORNIA 94611-3444, U.S.A.
PHONE (510) 653-2076 • FAX (510) 653-8508
E-MAIL: mahatmaji@juno.com